অপেক্ষা

হুমায়ূন আহমেদ

অপেক্ষা

হুমায়ূন আহমেদ

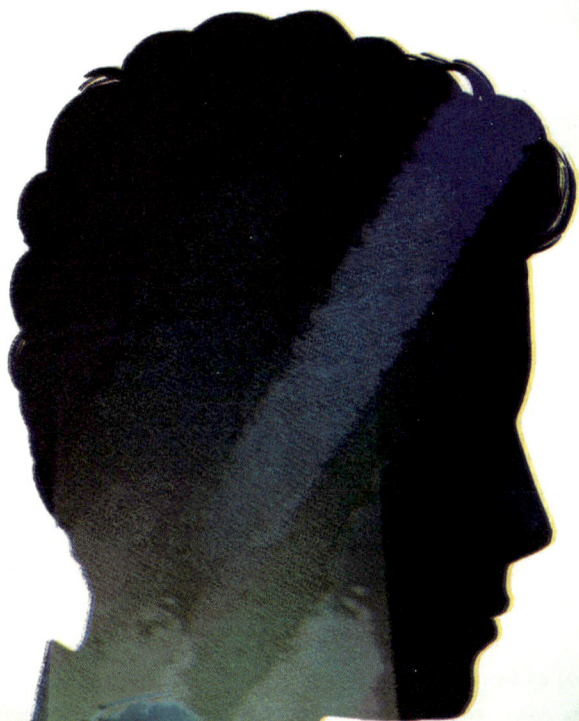

আফসার ব্রাদার্স

অপেক্ষা

ছত্রিশতম মুদ্রণ : জানুয়ারি ২০২৫
পঁয়ত্রিশতম মুদ্রণ : সেপ্টেম্বর ২০২৪
চৌত্রিশতম মুদ্রণ : জুন ২০২৪
তেত্রিশতম মুদ্রণ : জানুয়ারি ২০২৪
বত্রিশতম মুদ্রণ : জুলাই ২০২৩
একত্রিশতম মুদ্রণ : জানুয়ারি ২০২৩
ত্রিশতম মুদ্রণ : জুলাই ২০২২
২৫ বছরপূর্তি বিশেষ মুদ্রণ : জানুয়ারি ২০২২

প্রকাশকাল : ডিসেম্বর ১৯৯৭

© লেখক

আফসার ব্রাদার্স
প্রকাশক : আসমা আরা বেগম
আফসার ব্রাদার্স, ৩৮/৪ বাংলাবাজার, ঢাকা-১১০০, ফোন-৭১১৮০৩৫
অক্ষর বিন্যাস : আত্মপ্রকাশ কম্পিউটার, ৩৮/২ক, বাংলাবাজার, ঢাকা-১১০০
মুদ্রণ : আল-কাদের আফসেট প্রিন্টার্স, ঢাকা-১১০০

প্রচ্ছদ ও অলংকরণ : ফরিদুর রহমান রাজীব

মূল্য : ৪০০ টাকা মাত্র

ISBN : 984-70166-0017-3

Opekkha By Humaun Ahmed
Published by Asma Ara Begum, Afsar Brothers
38/4 Banglabazar, Dhaka-1100,
Date of Publication : December 1997

Price : 400 Tk. Only

www.afsarbrothers.com
www.facebook.com/afsarbrothers
www.instagram.com/afsarbrothers
E-mail : afsarbrothers1100@gmail.com

ঘরে বসে আফসার ব্রাদার্স এর সকল বই কিনতে ভিজিট করুন
http:/rokomari.com/Afsarbrothers
ফোনে অর্ডার করতে : ০১৫ ১৯৫২ ১৯৭১ হট লাইন ১৬২৯৭

উ ৎ স র্গ

গানের পাখি
ফিরোজা বেগম
করকমলে

ঘর খুলিয়া বাহির হইয়া
জোছনা ধরতে যাই
আমার হাত ভর্তি চাঁদের আলো
ধরতে গেলেই নাই ॥

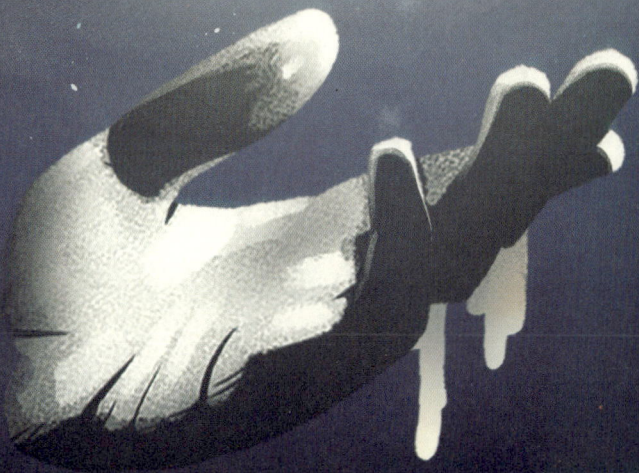

সুরাইয়া অবাক হয়ে তার ছেলের দিকে তাকিয়ে আছে।

ছেলের নাম ইমন। বয়স পাঁচ বছর তিনমাস। মাথা ভর্তি কোকড়ানো চুল। লম্বাটে ধরণের মুখ। মাঝে মাঝে সেই মুখ কোন এক বিচিত্র কারণে গোলগাল দেখায়, আজ দেখাচ্ছে। ইমন তার মায়ের বিস্মিত দৃষ্টির কারণ ধরতে পারছে না। সে ভুরু কুঁচকে মায়ের দিকে তাকিয়ে আছে। ভুরু কুঁচকানোর এই বদঅভ্যাস সে পেয়েছে তার বাবার কাছ থেকে। ইমনের বাবা হাসানুজ্জামান অতি তুচ্ছ কারণে ভুরু কুঁচকে ফেলেন। সেই কুঁচকানো ভুরু সহজে মসৃন হয় না।

সুরাইয়া বলল, ইমন একটা কাজ কর। আমার শোবার ঘরে যাও। ড্রেসিং টেবিলের আয়নাটার সামনে দাঁড়াও। দাঁড়িয়ে সুন্দর করে হেসে আবার আমার কাছে চলে এসো।

ইমন বলল, কেন?

'আমি যেতে বলছি এই জন্যে যাবে। সব কিছুতে কেন কেন করবে না।'

ইমন সরু গলায় বলল, সবকিছুতে কেন কেন করলে কি হয়?

সুরাইয়া বিরক্ত গলায় বলল, খুব খারাপ হয়। বড়রা কোন কথা বললে কেন কেন না বলে সেই কথা শুনতে হয়। তোমাকে আয়নার সামনে যেতে বলছি তুমি যাও। আয়নার সামনে দাঁড়িয়ে খুব সুন্দর করে হাসবে। মনে থাকে যেন।

'হাসলে কি হবে?'

'হাসলে খুব মজার একটা ব্যাপার হবে।'

ইমন আয়নার দিকে যাচ্ছে। খুব যে আগ্রহের সঙ্গে যাচ্ছে তা না। আয়নার সামনে দাঁড়িয়ে হাসলে মজার কিছু হবে বলে তার মনে হচ্ছে না। বড়রা যে প্রায়ই অর্থহীন কথা বলে এই সত্য সে ধরতে শুরু করেছে।

ইমন আয়নার সামনে গেল। ঠোঁট টিপে ভুরু কুঁচকে নিজের দিকে তাকিয়ে রইল। মা হাসতে বলেছেন। না হাসলে মজার কিছু ঘটবে না।

কাজেই সে সামান্য হাসল। এত সামান্য যে ঠোঁট পর্যন্ত ফাঁক হল না। মজার কিছু ঘটল না। ঘটবে না তা সে জানতো। বড়রা ছোটদের ভুলাবার জন্যে মিথ্যা কথাও বলে। ইমন আয়নার সামনে থেকে সরে গেল। রওনা হল তার দাদীর ঘরের দিকে। মিথ্যা কথা বলায় মা'র কাছে তার এখন আর যেতে ইচ্ছা করছে না। সে ঠিক করল মায়ের সামনে দিয়েই সে দাদীর ঘরে যাবে তবে মা'র দিকে ফিরে তাকাবে না। শুধু শুধু আয়নার সামনে দাঁড় করানোয় মা'র উপর তার রাগ লাগছে।

সুরাইয়া মিথ্যা কথা বলে নি। ইমন যদি আয়নার সামনে দাঁড়িয়ে হাসত তাহলে সত্যি মজার একটা ব্যাপার ঘটত। ইমন দেখতে পেত তার সামনের পাটির একটা দাঁত পড়ে গেছে। সামান্য একটা দাঁত পড়ে যাবার জন্যে তার চেহারা গেছে পাল্টে। তাকে চেনা যাচ্ছে না।

সুরাইয়া আগ্রহ নিয়ে বারান্দায় অপেক্ষা করছে। এই বুঝি ছেলের বিকট চিৎকার শোনা যাবে—"মা, আমার দাঁত পড়ে গেছে। মা আমার দাঁত পড়ে গেছে।" সেরকম কিছুই হল না। ছেলেকে গম্ভীর ভঙ্গিতে বারান্দায় আসতে দেখা গেল। মা'র সামনে দিয়েই সে যাচ্ছে অথচ সে তার দিকে ফিরে তাকাচ্ছে না। সুরাইয়া ডাকল, "এই ব্যাটা। এই।" ইমন মায়ের ডাক সম্পূর্ণ অগ্রাহ্য করে ঢুকে গেল দাদীর ঘরে। সুরাইয়ার মনটা খারাপ হয়ে গেল। এই ছেলে কি পুরোপুরি তার বাবার মত হয়ে যাচ্ছে? রোবট মানব? কোন কিছুতে কোন আগ্রহ নেই, কৌতূহল নেই। বিস্মিত হবার ক্ষমতা নেই। প্রথম দাঁত পড়া যে কোন শিশুর জন্যে বিরাট রোমাঞ্চকর অভিজ্ঞতা, অথচ ইমন কেমন নির্বিকার।

দাদীর ঘরে ঢোকার আগে ইমন তার ছোট চাচার ঘরের সামনে দাঁড়াল। ছোট চাচাকে তার বেশ ভাল লাগে। ছোট চাচা বড় মানুষ হলেও বড়দের মত না। ছোট চাচার ঘরের দরজা খোলা। তিনি ইমনকে দেখে ডাকলেন—এই যে মিষ্টার স্ট্রং ম্যান, শুনে যা। ইমনের তখন আর ঘরে ঢুকতে ইচ্ছে করল না। সে রওনা হল দাদীর ঘরের দিকে। ইমনের ছোট চাচা ফিরোজ ঘর থেকে বের হল। সুরাইয়ার কাছে গিয়ে হাই তুলতে তুলতে বলল, ভাবী একটু চা খাওয়াওতো।

ফিরোজের বেশ ক'দিন ধরে জ্বর চলছে। তার চোখ লাল। শেভ করছে না বলে খোঁচা খোঁচা দাড়িতে তাকে ভয়ংকর লাগছে। অসুখ বিসুখ তাকে খুব কাবু করে। এই কদিনের জ্বরে সে শুকিয়ে চিমসা হয়ে গেছে।

সুরাইয়া বলল, তোমার জ্বরের অবস্থা কি?

'জ্বরের অবস্থা জানি না ভাবী। আমার জলবসন্ত হয়েছে বলে মনে হচ্ছে। শরীরে গোটা গোটা কি যেন উঠেছে।'

‘বল কি, চিকেন পক্স হয়েছে?’

ফিরোজ হাসি মুখে বলল, ‘হয়েছে। এবং আমি অত্যন্ত গুরুত্বপূর্ণ একটা সিদ্ধান্ত নিয়েছি, সেটাও জল বসন্তের মতই ভয়াবহ। আমি এম এ পরীক্ষা দিচ্ছি না ভাবী।’

‘ড্রপ দিচ্ছ?’

‘ড্রপ ট্রপ না। পড়াশোনার পাঠ শেষ করে দিলাম। এম এ পাশ বেকার শুনতে খুব খারাপ লাগে। বি এ পাশ বেকার শুনতে তত খারাপ লাগে না। শ খানিক টাকা দিতে পারবে ভাবী? দিতে পারলে দাও।’

‘অসুখ নিয়ে কোথায় বের হবে?’

ফিরোজ গম্ভীর মুখে বলল, সব বন্ধু-বান্ধবের বাসায় যাব। এম এ পরীক্ষা যে দিচ্ছি না এই খবরটা দেব এবং জল বসন্তের জীবাণু ডিসট্রিবিউট করে আসব। ওরা বুঝবে কত ধানে কত চাল। ভাবী শোন, চা যে আনবে শুধু লিকার, নো মিল্ক, নো সুগার। আচ্ছা থাক, চা লাগবে না।

‘লাগবে না কেন?’

‘চা খাব ভেবেই কেমন বমি বমি লাগছে। চায়ের বদলে টাকা দাও। একশ না পারলে পঞ্চাশ। পঞ্চাশ না পারলে কুড়ি।’

সুরাইয়া শান্ত গলায় বলল, টাকা আমি দিচ্ছি, তুমি আমার কথা শোন। কোথাও বের হয়ো না। শুয়ে রেস্ট নাও। কয়েকদিন আগে জণ্ডিস থেকে উঠেছ।

ফিরোজ শোবার ঘরের দিকে চলে গেল। বিছানায় শুয়ে থাকার জন্যে গেল না। কাপড় বদলাবার জন্যে গেল। চারদিন ঘরে থেকে তার দম বন্ধ হয়ে আসছে। নিঃশ্বাস ফেলার জন্যে তাকে বাইরে যেতেই হবে। জল বসন্তের জীবাণু ডিসট্রিবিউটের ব্যাপারেও সে রসিকতা করছে না। সে আসলেই ঠিক করে রেখেছে সব বন্ধু বান্ধবের সঙ্গে দেখা করবে। যতদূর সম্ভব ঘসা ঘসি করে আসবে।

আকলিমা বেগমের ঘর থেকে তাঁর এবং ইমনের হাসির শব্দ আসছে। ইমন হাসতে হাসতে প্রায় ভেঙ্গে পড়ে যাচ্ছে। হেঁচকির মত উঠছে। সুরাইয়া ভুরু কুঁচকে ফেলল। তার কোন কথায়তো ছেলে এমন করে হাসে না। শাশুড়ির ঘরে এমন কি ঘটল যে হাসতে হাসতে ছেলের হেঁচকি উঠে গেল? বাচ্চারা বাচ্চাদের সঙ্গ পছন্দ করবে। সত্তুর বছরের একজন বৃদ্ধার সঙ্গ তার এত পছন্দ হবে কেন? সুরাইয়ার সবচে যেখানে আপত্তি তা হচ্ছে ছেলে তার দাদীর সঙ্গে থেকে থেকে গ্রাম্য কথা শিখে যাচ্ছে। আকলিমা বেগম বিশুদ্ধ নেত্রকোনার ভাষায় কথা বলেন–“বিছুন আইন্যা বাও দে”

অর্থাৎ "পাখা এনে বাতাস কর" জাতীয় অদ্ভুত ভাষা। শিশুরা অদ্ভুত ভাষাটাই সহজে গ্রহণ করে। ইমন এর মধ্যেই তার দাদীর কাছ থেকে বিকট বিকট কিছু শব্দ শিখেছে। খুব স্বাভাবিক ভাবে সে শব্দগুলি বলে। আর সুরাইয়া আতংকে অস্থির হয়।

এইতো কয়েকদিন আগে ইমন খুব স্বাভাবিক ভাবে বলল, ব্যথা করছে।

সুরাইয়া বলল, কোথায় ব্যথা করে–পেটে?

ইমন বলল, না পেটে না।

তাহলে কোথায়?

ইমন ভুরু কুঁচকে বলল, পুন্দে ব্যথা।

সুরাইয়া হতভম্ব। পুন্দে ব্যথা মানে? এটা কোন ধরনের ভাষা? সুরাইয়া প্রায় কেঁদে ফেলার উপক্রম করল–এই ছেলে কি সব ভাষা শিখছে?

ইমন সরু চোখ করে মা'র দিকে তাকিয়ে আছে। তার কোথাও কোন ব্যথা নেই। সে একটা নতুন শব্দ শিখেছে। মা'র উপর সে এই শব্দের প্রভাব লক্ষ্য করছে। বুঝতে পারছে প্রভাব ভয়াবহ। কাজেই এই শব্দ তাকে আরো ব্যবহার করতে হবে।

সুরাইয়া শাশুড়িকে এই সব নিয়ে কিছু বলতে পারছে না। তিনি যদি স্থায়ী ভাবে তাদের সঙ্গে থাকতেন তাহলে সুরাইয়া অবশ্যই বলত। তিনি প্রতিবছর মাসখানিকের জন্যে ছেলের কাছে থাকতে আসেন। সম্মানিত একজন অতিথিকে নিশ্চয়ই মুখের উপর বলা যায় না–আপনি আমার ছেলেকে আজে বাজে ভাষা শেখাবেন না। তিনি যখন পান খেয়ে মেঝেতেই পিক ফেলেন তখন তাকে বলা যাবে না–"মা, আপনি পানের পিক মেঝেতে না ফেলে বেসিনে ফেলবেন।" তার শাশুড়ির যে ব্যাপারটা সুরাইয়ার অসহ্য লাগে তা হচ্ছে–তিনি শাড়ির নিচে ব্লাউজ-ট্রাউজ কিছুই পরেন না। তাঁর নাকি দমবন্ধ লাগে। সুরাইয়া লক্ষ্য করেছে ইমন কৌতূহলী চোখে তার দাদুর আদুল গায়ের দিকে তাকিয়ে থাকে। এই বয়সের বাচ্চাদের কৌতূহল থাকে তীব্র। ইমন যে তার দাদুর ঘরে যাবার জন্যে এত ব্যস্ত, এটাও তার একটা কারণ হতে পারে।

এখন বাজছে এগারোটা। ফিরোজ জ্বর নিয়েই বের হয়ে গেছে। মনে হচ্ছে সে তার এম এ পরীক্ষা সত্যি দেবে না। ফিরোজের এই একটা ব্যাপার আছে। হাসি তামাশা করেও যা বলে তাই। সুরাইয়া গম্ভীর মুখে বারান্দায় দাঁড়িয়ে আছে। তার হাতে ক্রিমের একটা কৌটা। কৌটায় ইমনের দাঁত। দাঁতটা সুরাইয়া সকাল বেলায় বিছানা ঠিক করতে গিয়ে পেয়েছে

এবং অতি মূল্যবান বস্তুর মত কৌটায় ভরে রেখেছে। ইমন নিশ্চয়ই দাঁতটা পেয়ে খুব খুশী হবে। একটা বস্তু নিজের শরীরের অংশ ছিল এখন নেই। ব্যাপারটার মধ্যে বিরাট নাটকীয়তা আছে। ইমন তার দাদীর ঘর থেকে বের হচ্ছে না। আকলিমা বেগম ডাকলেন, বৌমা হুইন্যা যাও।

সুরাইয়া তার শাশুড়ির দরজার সামনে দাঁড়াল। তার মনটাই খারাপ হয়ে গেল। কি বিশ্রী ব্যাপার–আকলিমা বেগমের শরীরের উপরের অংশে আজ কোন কাপড় নেই। শাড়ির উপরের অংশটা তিনি কোমরে প্যাঁচ দিয়ে পরে আছেন। আকলিমা বেগম হাসি মুখে বললেন, কারবার দেখছ? ইমইন্যার দাঁত পড়ছে।

সুরাইয়ার গা কাঁটা দিয়ে উঠল। ইমইন্যা। ইমইন্যা আবার কি? তার ইমন কি কাজের ছেলে যে তাকে ইমইন্যা ডাকতে হবে!

'বান্দরডারে কি সুন্দর লাগতাছে দেখ। বান্দর আবার ফোকলা দাঁতে হাসে। ও বান্দর তুই হাসস ক্যান? ইমইন্যা বান্দর হাসে। ভ্যাকভ্যাকাইয়া হাসে।'

ইমন কি হাসবে আকলিমা বেগম হেসে হেসে কুটি কুটি হচ্ছেন। তিনি পা লম্বা করে মেঝেতে হেলান দিয়ে বসেছেন। ইমন বসে আছে তাঁর ছড়ানো পায়ের উপর। তিনি মাঝে মাঝে পা নাড়ছেন ইমনের আনন্দ তাতেই উথলে উঠছে। আকলিমা বেগম হাসি মুখে ছড়া কাটলেন,

দাঁত পরা কুলি পরা
মধ্যিখানে খাল
বুড়ি বেটি হাইগ্যা থুইছে
বাইশ হাত লম্বা নাল।

এইবার হাসার পালা ইমনের। এমন মজার ছড়া মনে হয় সে তার ইহ জীবনে শুনেনি। সুরাইয়া কঠিন গলায় বলল, ইমন আসতো।

আকলিমা বেগম বললেন, থাউক না খেলতাছে খেলুক। তুমি তোমার কাম কর। ও ইমইন্যা দাঁতের ফাঁক দিয়া ছেপ ফেল দেখি।

ইমন দাঁতের ফাঁক দিয়ে পিচ করে থুথু ফেলল। সেই থুথু পড়ল তার দাদীর গায়ে। তিনি হেসে কুটি কুটি হচ্ছেন। তাঁর নাতীও হেসে ভেঙ্গে পড়ছে। আনন্দের আজ যেন বান ডেকেছে।

সুরাইয়া তাকাল ছেলের দিকে। ছেলে চোখ বড় বড় করে মাকে দেখছে। সুরাইয়ার বুকের ভেতর হঠাৎ মোচড় দিয়ে উঠল। আহারে, ছেলেটাকে কি সুন্দর লাগছে। সত্যি সত্যি কাঁচা হলুদ গায়ের রঙ। সুরাইয়া নিজে এত ফর্সা না। তার বাবাও না। ছেলে এমন গায়ের রঙ পেল

কোথায়? দাঁত পড়ায় ছেলের চেহারা আজ আরো সুন্দর হয়ে গেছে। দাঁতপড়া ছেলেটার অদ্ভুত মুখটায় ক্রমাগত চুমু খেতে ইচ্ছা করছে। শাশুড়ির পায়ের উপর থেকে ছেলেটাকে জোর করে ধরে নিয়ে এলে কেমন হয়? খুব ভাল হয় কিন্তু সম্ভব না। সুরাইয়া চলে এল। তার ইচ্ছা করছে ইমনের বাবার অফিসে একটা টেলিফোন করতে। টেলিফোন করাও সমস্যা। তাদের টেলিফোন নেই। বাড়িওয়ালার বাসা থেকে টেলিফোন করতে হয়। বাড়িওয়ালা বাসায় থাকলে কিছু বলেন না। কিন্তু তিনি বাসায় না থাকলে তাঁর স্ত্রী খুব বাঁকা ভাবে কিছু কথা শুনিয়ে দেয়। তাছাড়া কারণে অকারণে টেলিফোন করা ইমনের বাবা পছন্দ করে না। হাসানুজ্জামান অনেকবার বলেছে এক্সট্রিম ইমার্জেন্সি ছাড়া টেলিফোন করবে না। আমার টেবিলে টেলিফোন থাকে না, বড় সাহেবের টেবিলে টেলিফোন। উনার সামনে এসে কথা বলতে হয়। উনি মুখের দিকে তাকিয়ে থাকেন। খুব অস্বস্তি লাগে।

টেলিফোনে ইমনের বাবার সঙ্গে কথা বলতে সুরাইয়ার খুব ভাল লাগে। তার গলাটা টেলিফোনে সম্পূর্ণ অন্যরকম শোনা যায়। খুব আন্তরিক লাগে। মনে হয় গম্ভীর ধরনের একজন মানুষ মায়া মায়া গলায় কথা বলছে। সুরাইয়ার একটা ছেলেমানুষী স্বপ্ন হচ্ছে কোন একদিন তাদের টেলিফোন আসবে এবং সে তখন রোজ একঘন্টা করে ইমনের বাবার সঙ্গে কথা বলবে। মানুষটা বিরক্ত হোক বা রাগ হোক কিছুই যায় আসে না। সে কথা বলবেই।

ছেলের দাঁত পড়ে যাওয়া নিশ্চয়ই কোন এক্সট্রিম ইমার্জেন্সি না। টেলিফোনে এই খবর দিলে ইমনের বাবার রেগে যাবার সম্ভাবনা। তবে রাগটা সে প্রকাশ করবে না। যত রাগই হোক মায়া মায়া করে কথা বলবে। ফিরোজের জল বসন্ত এটাও দেবার মত খবর। সে এম এ পরীক্ষা দেবে না এটাও বলা যেতে পারে। অনেক কিছুইতো আছে বলার মত।

অবশ্যি আরেকটা অত্যন্ত গুরুত্বপূর্ণ খবর আছে। সেই খবরটা টেলিফোনে দেয়া যাবে না। সব খবর কি আর টেলিফোনে দেয়া যায়? সুরাইয়া টেলিফোন করা ঠিক করল।

ভারী এবং রাগী গলার এক ভদ্রলোক টেলিফোন ধরলেন, "কাকে চাই" এমন ভাবে বললেন যেন কাউকে চাওয়াটা শাস্তিযোগ্য অপরাধ। সুরাইয়া হকচকিয়ে গিয়ে বোকার মত বলল, দয়া করে ইমনের বাবাকে দিন।

'ইমনের বাবার নামটা জানতে পারি?'

সুরাইয়া লজ্জিত গলায় নাম বলল। ভদ্রলোক বললেন, আপনি ধরে থাকুন, লাইন ট্রান্সফার করে দিচ্ছি। তার প্রায় সঙ্গে সঙ্গে ইমনের বাবা মায়া মায়া গলায় বলল, কে সুরাইয়া? কেমন আছ?

সুরাইয়ার এত ভাল লাগলো যে চোখে প্রায় পানি এসে গেল। সে বোকার মত বলে বসল, এখনো আসছ না কেন?

'অফিস ছুটি হোক তারপর আসব।'

'শোন, ইমনের দাঁত পড়ে গেছে। উপরের পাটির দাঁত, তাকে যে কি অদ্ভুত দেখাচ্ছে।'

'তার কি দাঁত পড়ার মত বয়স হয়েছে?'

'ছয় বছরে দাঁত পড়ে, ওর পাঁচ বছর তিনমাস।'

'ও আচ্ছা।'

'তোমার ভাইয়ের গায়ে গোটা গোটা কি যেন উঠেছে। ওর ধারণা জল-বসন্ত। সে জল-বসন্ত নিয়েই বাইরে গেছে।'

'ও আচ্ছা।'

'আমাকে বলছিল সে এম এ পরীক্ষা দেবে না।'

'নিশ্চয়ই ঠাট্টা করেছে।'

'আমার কাছে ঠাট্টা বলে মনে হয় নি। আচ্ছা শোন, এই যে হঠাৎ টেলিফোন করলাম রাগ করনি তো।'

'না, রাগ করব কেন? টেলিফোন করাটাতো কোন ক্রাইম না।'

'তোমার বড় সাহেব, উনি কি তোমার দিকে তাকিয়ে আছেন?'

'উনি তাকিয়ে থাকবেন কেন? টেলিফোনতো আমার টেবিলে। আমাকে টেলিফোন দিয়েছে।'

'বল কি, কবে দিয়েছে?'

'গত সপ্তাহে। ডিরেক্ট লাইন না। পি বি এক্স লাইন।'

'গত সপ্তাহে টেলিফোন দিয়েছে তুমি আমাকে বলনি কেন?'

'এটা কি বলার মত কোন ব্যাপার?'

'অবশ্যই বলার মত ব্যাপার। আশ্চর্য তুমি এরকম কেন? আমাকে কিছুই বলনা। আচ্ছা শোন, তুমি আমাকে কার্ডফোনের একটা কার্ড করিয়ে দেবে, আমি রোজ তোমাকে টেলিফোন করব।'

সুরাইয়া শুনল ইমনের বাবা হাসছে।

'আজ কিন্তু অনেকক্ষণ তোমার সঙ্গে কথা বলব। তোমার কাজ থাকুক আর যাই থাকুক।'

'সুরাইয়া আজ চারটার সময় আমাদের একটা মিটিং আছে। আমাকে সেই মিটিং এর ফাইল তৈরী করতে হবে তিনটার মধ্যে। কাজেই তোমাকে টেলিফোন রাখতে হবে।'

সুরাইয়া দুঃখিত গলায় বলল, ও আচ্ছা।

১৫

'আমি এক কাজ করি আজ সকাল সকাল চলে আসি। তারপর কোন একটা স্টুডিওতে নিয়ে গিয়ে ইমনের একটা ছবি তুলে রাখি। বড় হয়ে দেখলে মজা পাবে।'

'আচ্ছা।'

'সুরাইয়া রাখি?'

ইমনের বাবা টেলিফোন রেখে দিল। সুরাইয়া তারপরেও বেশ কিছু সময় টেলিফোন কানে ধরে রাখল। পো পো শব্দ হচ্ছে। শব্দটা শুনতে এমন খারাপ লাগছে।

আর কাউকে কি টেলিফোন করা যায়? ছেলের দাঁত পড়েছে এই খবরটা নিশ্চয়ই অন্যকে দেবার মত। বড় ভাইজানকে কি খবরটা দেব? সুরাইয়া মনস্থির করতে পারছে না। তার বড় ভাই জামিলুর রহমান শুকনা ধরণের মানুষ। নিজের ব্যবসা ছাড়া অন্য কিছুই বুঝেন না। তিনি কোন কিছুতে বিরক্তও হন না, বা আনন্দিতও হন না।

সুরাইয়া ভাইজানের বাড়িতে টেলিফোন করল। জামিলুর রহমান টেলিফোন ধরলেন এবং গম্ভীর গলায় হ্যালো বলার বদলে বললেন, কে?

সুরাইয়া বলল, ভাইজান আমি সুরাইয়া।

'কি ব্যাপার?'

'না কিছু না, এমনি খবর নেয়ার জন্যে টেলিফোন করলাম। আপনারা ভাল আছেন?'

'হ্যাঁ।'

'ভাবী–ভাবী ভাল আছেন?'

'হ্যাঁ।'

'ইমনের আজ একটা দাঁত পড়েছে।'

'ও আচ্ছা।'

'মিতুর কি দাঁত পড়েছে? মিতুর বয়সতো ইমনের কাছাকাছি। ইমনের দুই মাসের ছোট। মিতুর দাঁত পড়ে নি?'

'জানি না তো।'

'আপনার শরীর ভাল আছে ভাইজান?'

'হুঁ।'

'হজমের যে সমস্যা ছিল সমস্যা মিটেছে?'

'না আছে। সুরাইয়া এখন রাখি-আমাকে একটু পুরোনো ঢাকায় যেতে হবে। তোরা একদিন চলে আসিস। জামাইকে নিয়ে আসিস। তোর শাশুড়িকেও নিয়ে আসিস।'

সুরাইয়া কিছু বলার আগেই তিনি টেলিফোন রেখে দিলেন। সুরাইয়া তারপরেও টেলিফোন কানে দিয়ে রাখল। পোঁ পোঁ শব্দ হচ্ছে। মন খারাপ করা শব্দ। তারপরেও আজ কেন জানি শব্দটা শুনতে ভাল লাগছে। মানুষের জীবনে একেকটা দিন একেক রকম হয়ে আসে। কোন কোন দিনে মন খারাপ হবার মত ব্যাপার ঘটলেও মন খারাপ হয় না বরং মন ভাল হয়ে যায়। আজ মনে হয় সে রকম একটা দিন।

ব্যাপারটা কি? রাত এগারোটা বাজে ইমনের বাবা এখনো আসছে না। সুরাইয়া প্রাণপণ চেষ্টা করছে দুঃশ্চিন্তা না করতে। যেদিন সকাল সকাল বাড়ি ফেরার কথা থাকে সেদিন দেরি হয় এটা জানা কথা। তার কোন বন্ধু হয়তো তাকে বাসায় ধরে নিয়ে গেছে। তার ছেলের জন্মদিন বা এই জাতীয় কিছু। রাতে না খাইয়ে ছাড়বে না। খাওয়া দাওয়া শেষ করে গল্প করতে করতে দেরি হচ্ছে।

সুরাইয়া বারান্দায় হাঁটাহাঁটি করছে। একবার ফিরোজের ঘরে উঁকি দিল। ফিরোজও ফিরে নি। তাকে নিয়ে দুঃশ্চিন্তা করার কিছু নেই। সে প্রায়ই রাত বিরেতে বাড়ি ফেরে। একবার ফিরে ছিল রাত তিনটায়। কিন্তু ইমনের বাবাতো কখনো এত দেরি করে না। সত্যিকারের কোন বিপদ হয়নিতো? বড় শহরের বিপদগুলিও হয় বড় বড়। কোন কারণ ছাড়াই হঠাৎ গণ্ডগোল লেগে যায়। গাড়ির কাঁচ ভাঙ্গা হতে থাকে, ককটেল ফুটতে থাকে। এক সময় পুলিশের গাড়ি আসে। বেশির ভাগ সময়ই পুলিশরা গাড়ি থেকে নামে না। যদি নামে তাহলে নিরীহ মানুষ যারা সাতেও নেই পাঁচেও নেই তাদের দিকে হুংকার দিয়ে ছুটে যায়। লাঠি পেটা করে। মাথা ফাটিয়ে দেয়। যেদিন কোথাও কোন গণ্ডগোল থাকে না সেদিন ফুটপাতে ট্রাক উঠে পড়ে। এই অদ্ভুত শহরে নিশ্চিন্ত হয়ে ফুটপাথ দিয়েও হাঁটার উপায় নেই।

আজ কি শহরে কোন গণ্ডগোল হচ্ছে?

পত্রিকায়তো কিছু লেখেনি। পত্রিকাটা অবশ্যি সুরাইয়ার ভালমত পড়া হয়নি। এখন বারান্দায় বসে পত্রিকাটা পড়া যায়। এতে সময়টা কাটবে। সুরাইয়ার কেন জানি মনে হচ্ছে রাত বারোটা বাজার সঙ্গে সঙ্গেই ইমনের বাবা আসবে। তার আবার যা মনে হয় তাই হয়। সুরাইয়া পত্রিকা নিয়ে বসল। রাত বারোটা পাঁচ পর্যন্ত সে পত্রিকা পড়ল। কেউ এল না। সুরাইয়ার বমি বমি লাগছে। এই বমি, উদ্বেগ জনিত বমি না। এর কারণ ভিন্ন। তার শরীরে আরো একজন মানুষ বাস করছে। সে তার অস্তিত্ব জানান দিচ্ছে। মানুষটার কথা হাসানকে এখনো বলা হয়নি। আজ বলে ফেললে কেমন হয়। শুধু তার শাশুড়ি জানেন। ছেলের বাড়িতে পা দেয়ার কিছুক্ষণের

মধ্যেই তিনি নিচু গলায় বললেন, ও বউ, তোমার কয় মাস? সুরাইয়া হতভম্ব। তার মাত্র তিনমাস চলছে। কারো কিছু বোঝার কথাই না। তিনি কি করে বুঝলেন? পুরানো দিনের মানুষদের চোখ এত তীক্ষ্ণ?

আকলিমা বেগম ঘুমিয়ে পড়েছেন। তিনি জেগে থাকলে সুরাইয়া তার উদ্বেগের খানিকটা তাঁর সঙ্গে ভাগাভাগি করতে পারত। তাঁকে কি ডেকে তুলবে? না, আরো আধাঘন্টা যাক। তাকে না জাগানোই ভাল। তিনি জেগে গেলে ঝামেলা করবেন। কান্নাকাটিও শুরু করতে পারেন। এই বয়সের মানুষদের মাথার ঠিক থাকে না। আকলিমা বেগমের মাথা একটু মনে হয় বেশী রকমের বেঠিক। তিনি রাতে ভাত খেয়েই ঘুমিয়ে পড়েন। রাত একটা দেড়টার দিকে জেগে ওঠেন। শুরু হয় একা একা কথা বলা, বারান্দায় হাঁটা। মাঝে মধ্যে গানের মত সুর করে কি জানি বলেন। শুনতে ভাল লাগে। প্রথমবার শুনে সুরাইয়া চমকে ওঠে বলেছিল, আম্মা গান গাচ্ছেন নাকি? হাসান বিরক্ত গলায় বলেছে, গান গাইবে কেন? টেনে টেনে কথা বলছে।

'কথাগুলি কি বুঝতে পারছ?'

'না।'

'উনি কি সব সময় এ রকম করেন–না আজই করছেন?'

'প্রায়ই করেন। ফালতু আলাপ বন্ধ করে ঘুমানোর চেষ্টা কর।'

সুরাইয়া বারান্দায় বসে আছে। বারান্দা থেকে রাস্তা দেখা যায় না। বাড়িওয়ালা তার বাড়ির চারদিকে খুব উঁচু করে দেয়াল দিয়েছে। দেয়ালে আবার সূচালো লোহার শিক বসানো–যেন চোর দেয়াল টপকে ঢুকতে না পারে। গেট আছে। গেটে দারোয়ান নেই। সব ভাড়াটের কাছে একটা করে চাবি দেয়া। রাতে বিরেতে কেউ ফিরলে চাবি দিয়ে গেট খুলে ঢুকতে হবে। তিন তলা বাড়ির এক তলায় দু'জন ভাড়াটে থাকেন। তিন তলায়ও দু'জন ভাড়াটে। দু'তলার সবটা নিয়ে থাকেন বাড়িওয়ালা। এদের কারোর সঙ্গেই সুরাইয়ার কোন যোগ নেই। যোগ থাকলে ভাল হত– আজ এই বিপদের সময় এদের কাছে ছুটে যাওয়া যেত। বিপদে তারা কি করত না করত সেটা পরের কথা। সুরাইয়াদের পাশের ডান দিকের ফ্ল্যাটে থাকেন আব্দুল মজিদ সাহেব। বেঁটে খাট মানুষ। গাট্টা গোট্টা চেহারা। মুখে সব সময় পান। সকালে যখন ব্রিফ কেস হাতে বের হন তখন ভুর ভুর করে জর্দার গন্ধ পাওয়া যায়।

সুরাইয়ার সঙ্গে দেখা হলে থমকে দাঁড়ান। অকারণে গলা খাকাড়ি দেন। তার চোখের দৃষ্টি গা বেয়ে নামতে থাকে। ভয়ংকর ব্যাপার। সুরাইয়ার

কয়েকবারই ইচ্ছে করেছে বলে–আপনি এই ভাবে তাকান কেন? এ ভাবে তাকাবেন না। আমি নিতান্তই ভদ্র মেয়ে বলে কিছু বলছি না। কোন একদিন কঠিন কোন মেয়ের পাল্লায় পড়বেন, সে উলের কাঁটা দিয়ে আপনার চোখ গেলে দেবে। বিপদ যত বড়ই হোক–আব্দুল মজিদ সাহেবের কাছে যাওয়া যাবে না।

কোথাও কি টেলিফোন করা যায়? বাড়িওয়ালা সকাল সকাল ঘুমিয়ে পড়লেও তাদের ছোট মেয়েটা এবার এস. এস. সি. পরীক্ষা দিচ্ছে। বলতে গেলে প্রায় সারা রাত জেগে পড়ে। দরজায় ধাক্কা দিলেই সে দরজা খুলে দেবে। কোথায় টেলিফোন করবে?

ভাইজানের বাড়িতে? তাঁকে কি বলবে? ভাইজান দশটার ভেতর ঘুমিয়ে পড়েন। একবার ঘুমিয়ে পড়লে তাঁকে জাগানো নিষেধ। ভয়ংকর বিপদ এই কথা বললে তাঁকে হয়ত ডেকে দেবে–তিনি সব শুনে হাই তুলতে তুলতে বলবেন–এত রাতে কোথায় খোঁজ করবি? সকাল হোক। তাছাড়া পুরুষ মানুষ এরা এক দুই রাত বাইরে থাকেই।

অফিসে? অফিস কি কেউ রাত একটা পর্যন্ত খোলা রাখে। হাসপাতালে? এক্সিডেন্ট করে কেউ হাসপাতালে ভর্তি হয়েছে কি-না জানতে চাওয়া। নাম হাসানুজ্জামান বয়স বত্রিশ। পরনে চেক ফুল সার্ট, খয়েরী প্যান্ট। পায়ে স্যাণ্ডেল। চোখে কালো ফ্রেমের চশমা। গায়ের রঙ ফর্সা। দেখতে সুন্দর–হালকা পাতলা। টেলিফোনে তার গলার স্বর খুব মিষ্টি।

সুরাইয়া চমকে উঠল। ছিঃ ছিঃ এইসব সে কি ভাবছে? হাসপাতালের কথা মনে আসছে কেন? মানুষটা হাসপাতালে কেন যাবে? কু চিন্তা মনে আসা ঠিক না। যে চিন্তা মনে আসে তাই হয়। ভাল কোন চিন্তা মনে আনতে হবে। সুন্দর কোন চিন্তা।

'বৌমা! বারিন্দায় বইসা আছ কেন?'

সুরাইয়া উঠে দাঁড়াল। আকলিমা বেগমের ঘুম ভেঙ্গেছে। তিনি বারান্দায় চলে এসেছেন। বাকি রাতটা বারান্দায় হাঁটাহাঁটি করে এবং গান গেয়ে কাটাবেন। সুরাইয়া বলল, আম্মা ও এখনো ফেরেনি।

'রাইত কত হইছে?'

'দু'টা বাজতে পাঁচ মিনিট।'

'রাইততো মেলা হইছে।'

'জ্বি।'

'তুমি ভাত খাইছ?'

'জ্বি না।'

'যাও, তুমি গিয়া ভাত খাও। চিন্তার কিছু নাই–পুরুষ মানুষ দুই এক রাইত দেরী করেই। এইটা নিয়া চিন্তার কিছু নাই। বন্ধু-বান্ধবের বাড়িত গেছে, 'টাশ' খেলতাছে।'

'ও তাস খেলে না মা।'

'খেলে না বইল্যা যে কোনদিন খেলব না এমুন কোন কথা নাই। বিলাই আর পুরুষ মানুষ এই দুই জাতের কোন বিশ্বাস নাই। দুইটাই ছোকছুকানি জাত। যাও, ভাত খাইতে যাও–আমি বসতেছি। যাও কইলাম।'

সুরাইয়া রান্নাঘরের দিকে রওনা হল। রান্নাঘরে না যাওয়া পর্যন্ত তার শাশুড়ি এই একটা বিষয় নিয়েই কথা বলতে থাকবেন–ভাত খাও, ভাত খাও। গ্রামের মানুষদের কাছে ভাত খাওয়াটা অত্যন্ত গুরুত্বপূর্ণ ব্যাপার। ইমনকে রাতে খাওয়ানোর সময় সুরাইয়ার প্রচণ্ড ক্ষিধে পেয়েছিল। ক্ষিধের যন্ত্রনায় নাড়ি পাক দিচ্ছিল। এখন একেবারেই ক্ষিধে নেই। বরং বমি বমি ভাব হচ্ছে। এক গ্লাস লেবুর সরবত বানানো যায়। ঘরে আর কিছু থাকুক না থাকুক লেবু আছে। ইমনের বাবা লেবু ছাড়া ভাত খেতে পারে না। গরম ভাত ছাড়া খেতে পারে না। পাতে যখন ভাত দেয়া হবে তখন সেই ভাতে ফ্যান মাখা থাকতে হবে। ফ্যান ভাত থেকে ধোঁয়া উঠতে হবে। এমন গরম ভাত মানুষ কপ কপ করে কি ভাবে খায় কে জানে।

সুরাইয়া চুলা ধরাল। রাতের বেলা হাসান যখন বলে–ভাত বার, ক্ষিধে লেগেছে। তখনই সে চুলা ধরিয়ে আধাপট চাল দিয়ে দেয়। হাসানের হাত মুখ ধুয়ে টেবিলে খেতে আসতে আসতে চাল ফুটে যায়। আজকের অবস্থা ভিন্ন। ভাত রাধা থাকুক। কিছু একটা নিয়ে ব্যস্ত থাকা। ভাত রাধতেওতো কিছু সময় যাবে।

আকলিমা বেগম মেঝেতে পা ছড়িয়ে বসেছেন। তিনি চেয়ারে বসতে পারেন না, খাটে বসতে পারেন না। রাতে ঘুমুবার সময়ও মেঝেতে চাদর বিছিয়ে ঘুমান। সুরাইয়া মেঝেতে মশারি খাটিয়ে দিতে চেয়েছে, তিনি রাজি হন নি। মশারা নাকি তাঁকে কামড়ায় না।

'বুড়া মাইনষের রক্তে কোন "টেস" নাই গো বউ। শইল্যে মশা বয় ঠিকই–কামুড় দেয় না।'

আজ আকলিমা বেগমকে মশা কামড়াচ্ছে। তিনি এর মধ্যে কয়েকটা মশা মেরে ফেলেছেন। মৃত মশাগুলি জড় করছেন। যেন এরা মহামূল্যবান কোন প্রাণী, এদের মৃতদেহগুলির প্রয়োজন আছে। আকলিমা বেগমের বুক ধড়ফড় করছে। এত রাত হয়ে গেল ছেলে বাসায় ফিরছে না কেন? এই বয়সে সবচে খারাপটাই আগে মনে হয়। ভয়ংকর কিছু ঘটে গেছে কি?

আজকের রাতটা কি ভয়ংকর কোন রাত? তাঁর সত্তর বছরের জীবনে অনেক ভয়ংকর রাত এসেছে এবং চলেও গেছে। হাসানের বাবার মৃত্যুর কথাই ধরা যাক-কবুতরের খুপড়িতে হাত দিয়েছে। কবুতর ধরবে। নতুন আলু দিয়ে কবুতরের মাংস রান্না হবে। হাত দিয়েই হাত টেনে নিল–রাঙ্গা বউ ইন্দুরে কামড় দিছে। কবুতরের বাসাত ইন্দুর।

না, ইঁদুর না–সাপ। বিরাট এক সাপ। তাদের চোখের সামনেই কবুতরের খোপ থেকে বের হয়ে এল। দু'জনই হতভম্ব। আকলিমা বেগম দিশা হারালেন না, সঙ্গে সঙ্গেই পাটের কোষ্টা দিয়ে হাত বাঁধলেন। ওঝা আনতে লোক পাঠালেন। কালা গরুর দুধে হাত ডুবিয়ে রাখলেন। শাদা বর্ণের দুধ যদি কালচে হয়ে যায় তাহলে বুঝতে হবে জীবনের আশা নেই। দুধ কালচে হল না। আকলিমা বেগম আশায় আশায় বুক বাঁধলেন। ওঝা এসে পড়ল দুপুরের মধ্যে। ঘন্টা খানিক ঝাড়ফুকের পর বাঁধন খোলা হল। মানুষটা শান্তির নিঃশ্বাস ফেলে বলল, হাত জ্বইল্যা যাইতেছিল–এখন ব্যথা কমছে। পানি খাব বউ। পানি দাও। পানি আনা হল। পানির গ্লাস হাতে নিয়ে মুখে দেবার আগেই লোকটা মারা গেল।

এইসব কথা আকলিমা বেগম মনে করতে চান না, তবু মাঝে মধ্যেই মনে পড়ে। লোকটা পানি খেয়ে মরতে পারল না– ভরা গ্লাস হাতে নিয়ে ধড়ফড় করে মরে গেল এই দুঃখও কম কি? জগতের কোন দুঃখই কম না। ছোট দুঃখ, বড় দুঃখ, সব দুঃখই সমান।

আজ তাঁর জন্যে কি দুঃখ অপেক্ষা করছে কে জানে। মন শক্ত করে রাখতে হবে। বাচ্চা বউটার দিকে তাকিয়ে মন শক্ত করতে হবে। বাচ্চা মানুষ দুঃখ পেয়ে অভ্যাস নেই। বউটাকে ভুলিয়ে ভালিয়ে রাত পার করতে হবে। দিনের বেলা যে কোন কষ্টই সহনীয় মনে হয়–রাতে ভিন্ন ব্যাপার। কিছু কিছু রাতকে এই জন্যে বলে 'কাল-রাত'। 'কালদিন' বলে কিছু নেই। এটাও একটা আশ্চর্য ব্যাপার, তিনি তাঁর দীর্ঘ জীবনের অভিজ্ঞতায় দেখেছেন–নরম মেয়েগুলি কঠিন বিপদ সামাল দিতে পারে। শক্ত মেয়েগুলি পারে না। চিৎ হয়ে পড়ে যায়। এই শক্তের একটা গেরাইম্যা নাম আছে–"চিৎ শক্ত"।

'আম্মা, চা নেন।'

আকলিমা বেগম চায়ের কাপ হাতে নিলেন। শহরে এলে তাঁর চা খাবার রোগে ধরে। বৌটা এই ভয়ংকর সময়েও চা বানিয়েছে, এটা ভাল লক্ষণ। মন শক্ত আছে। আসল বিপদ সামাল দিতে পারবে।

'বৌমা বাজে কয়টা?'

'দুইটা পঁচিশ।'

'রাইত কাটতে বেশী দিরং নাই–তুমি ভাত খাইছ?'

'হুঁ।'

'তুমি ভাত খাও নাই–মিছা কথা বলছ। মুরুব্বির সাথে মিছা কথা বলা ঠিক না। যাই হউক, চেয়ার টান দিয়া আমার সামনে বও, তোমার লগে আলাপ আছে।'

সুরাইয়া চেয়ার টেনে বসল। কেন জানি তার হাত পা ঠাণ্ডা হয়ে আসছে।

'বউমা মন দিয়া শোন–আমি একটা গনা গনছি। গনার মধ্যে পাইছি হাসান ভাল আছে। কাজেই মন খারাপ করবা না। সে আসব সক্কালে।'

'কি গনা-গুনেছেন?'

'সেইটা তুমি বুঝবানা–আমি পুরান কালের মানুষ আমি অনেক গনা জানি।'

আকলিমা বেগম কোন গনা জানেন না। বাচ্চা মেয়েটার মন শান্ত করার জন্যে কিছু মিথ্যা কথা বলা। এই মিথ্যা বলার জন্যে তাঁর পাপ হচ্ছে–আবার মেয়েটার মন শান্ত করায় পূণ্য হচ্ছে। পাপ-পূণ্যে কাটাকাটি হয়ে সমান সমান।

ইমন জেগে উঠেছে। কাঁদছে। তাকে বাথরুম করাতে হবে। সুরাইয়া ছেলের কাছে গেল। আকলিমা বেগম আরাম করে চায়ের কাপে চুমুক দিচ্ছেন। ছেলে ফিরছে না এই দুঃশ্চিন্তা এখন আর তাঁর মাথায় নেই। গনার ব্যাপারে যা বলেছেন তা সর্বৈব্য মিথ্যা। বাচ্চা মেয়েটাকে শান্ত করার জন্যেই বলা। বউটা তাকে দেখতে না পারলেও তিনি তাকে খুবই পছন্দ করেন। মেয়েটার মনে দরদ আছে। স্বামীর জন্যে সে খুবই ব্যস্ত। আকলিমা বেগমের ঘুম পাচ্ছে। তিনি বারান্দা থেকে উঠলেন। কিছুক্ষণ ঘুমালেও কাজে আসবে। সকালে কোন ভয়ংকর সংবাদ এসে উপস্থিত হয় কে জানে।

ইমন বাথরুম করল। পানি খেল। সব কিছুই ঘুমের মধ্যে। সুরাইয়া তাকে বিছানায় শুইয়ে দিল। ঘুমের মধ্যেই সে বিড় বিড় করে কথা বলছে। আবার মাঝে মাঝে দাঁত কট কট করছে। পেটে কৃমি হয়েছে না-কি? যে ভাবে চিনি খায় পেটে কৃমি হওয়া বিচিত্র না। সুরাইয়া ক্লান্ত গলায় ডাকল–ও বাবু, ও বাবু! ইমন ঘুমের মধ্যেই বলল, কি।

'তোমার বাবা এখনো আসছে না কেন গো বাবু?'

'উঁ।'

'আমার খুব অস্থির লাগছে গো সোনা।'

ইমন আবারো বলল, উঁ। আর তখনি বারান্দায় রাখা পানির বালতি থেকে পায়ে পানি ঢালার শব্দ হল। এই শব্দ সুরাইয়ার পরিচিত শব্দ। ইমনের বাবা বাইরে থেকে এলেই প্রথম যে কাজটা করে-বালতি থেকে পানি নিয়ে পায়ে ঢালে। তার জন্যে বালতি ভরতি পানি এবং একটা মগ বারান্দায় রাখা থাকে।

সুরাইয়ার শরীর ঝিম ঝিম করছে। ছুটে গিয়ে যে দেখবে সেই শক্তিও তার নেই। বারান্দায় যেতে ভয় লাগছে। গিয়ে যদি দেখে সে না, ইমনের দাদী নামাজের অজু করছেন। রাত বিরাতে অজু করার অভ্যাস।

নামাজের জন্যে অজু করবেন, তারপর নামাজ পড়তে ভুলে যাবেন।

সুরাইয়া উঠল। বারান্দায় এসে দাঁড়াল।

ইমনের বাবা না, ফিরোজ। বালতি থেকে পানি নিয়ে পায়ে ঢালছে। ফিরোজ বলল, কি হয়েছে ভাবী? এ ভাবে তাকিয়ে আছ কেন?

সুরাইয়া জবাব দিতে পারল না, তার মাথা ঘুরে উঠল। সে হাত বাড়িয়ে দেয়াল ধরতে চেষ্টা করল। ধরতে পারল না। ফিরোজ ছুটে এসে ধরে ফেলার আগেই মেঝেতে পড়ে গেল।

ইদানীং ফিরোজের একটা সমস্যা হচ্ছে–রিকশায় চড়তে পারে না। রিকশায় চড়লেই মনে হয় কাত হয়ে রিকশা পড়ে যাবে। সে ছিটকে পড়বে রিকশা থেকে। তাকে রাস্তা থেকে টেনে তোলার আগেই পেছনে "সমগ্র বাংলাদেশ সাত টন" লেখা একটা ঘাতক ট্রাক তাকে চাপা দিয়ে চলে যাবে। মৃত্যুর আগ মুহূর্তে সে পট-পট জাতীয় মুড়িভাজার মত শব্দ শুনবে। শব্দটা ট্রাকের চাকার নিচে তার মাথার খুলি ভাঙ্গার শব্দ। মৃত্যুর আগের মুহূর্তে যে গন্ধ তার নাকে ঢুকবে সে গন্ধটা হল– পেট্রোলের গন্ধ এবং ট্রাকের চাকার গন্ধ। শেষ দৃশ্য হিসেবে দেখবে ট্রাকের মাডগার্ড।

ফিরোজ বুঝতে পারছে তার মানসিক কিছু সমস্যা হচ্ছে। সমস্যাটা মনে হয় বাড়ছে। রিকশায় উঠেই সে সারাক্ষণ পিছন দিকে তাকিয়ে থাকে। এই বুঝি ট্রাক এল। বিদেশে এ জাতীয় সমস্যা হলে লোকজন আতংকে অস্থির হয়ে সাইকিয়াট্রিস্টের কাছে চলে যেত। বাংলাদেশে এরচে ভয়াবহ সমস্যা নিয়ে লোকজন সুস্থ স্বাভাবিক মানুষের মতো ঘোরাফেরা করে। সে যেমন করছে। ফিরোজের ধারণা সে পুরোপুরি না হলেও অস্বাভাবিক একজন মানুষ যে রিকশা পছন্দ করে না, তারপরেও প্রায় সারাদিনই রিকশার উপর থাকে। রিকশা ভাড়া করে ঘণ্টা হিসেবে। সারাদিনের জন্যে ভাড়া করলে সস্তা পাওয়া যায়। সূর্যোদয় থেকে সন্ধ্যা পর্যন্ত ভাড়া ২০০ টাকা। দুপুরের খাবার, বিকেলের নাস্তা এবং মাঝে মধ্যে চা এই ২০০ টাকার বাইরে। এর মধ্যে বেশ কয়েকবার ফিরোজ সারাদিনের জন্যে রিকশা ভাড়া করেছে। আজও করেছে। গত কয়েক মাস ধরে তাকে বিচিত্র সব জায়গায় অদ্ভুত অদ্ভুত সময়ে যেতে হচ্ছে। আজ দুপুর দু'টায় এক ভদ্রলোকের সঙ্গে সে দেখা করবে। ভদ্রলোকের নাম রকিব। তিনি নাকি থিওসফিক্যাল সোসাইটির সদস্য। বিখ্যাত মিডিয়াম। হারানো মানুষ সম্পর্কে অনেক কিছু বলতে পারেন। অনেকের অনেক হারানো ছেলে পুলে সম্পর্কে নির্ভুল সংবাদ দিয়েছেন। ভদ্রলোক ফ্রড না, কারণ তিনি টাকা পয়সা নেন না। তবে ফ্রড না হলেও বিরক্তিকর মানুষতো বটেই। কয়েকদিন

পর পর আসতে বলেন, এবং অদ্ভুত অদ্ভুত সময়ে আসতে বলেন। দুপুর দু'টা, বিকাল সাড়ে তিনটা। ভদ্রলোক কথা বলতে পছন্দ করেন। সব কথাবার্তাই পরকাল, মন্ত্র-তন্ত্র, ভূত-প্রেত বিষয়ক। দুপুর বেলা ভূত-প্রেতের কথা শুনতে ভাল লাগে না। ফিরোজ গম্ভীর মুখে শুনে যায়। গরজটা তার।

গত কয়েক মাসে ফিরোজের কিছু অভিজ্ঞতা হয়েছে। তার ধারণা এই অভিজ্ঞতা না হলেও কোন ক্ষতি ছিল না। প্রথম অভিজ্ঞতা হল– মানুষের মূল্য খুবই সামান্য। দশ হাজার টাকা হারিয়ে গেলে কুড়ি বছর পরেও সেই টাকার শোকে মানুষ কাতর হয়। মানুষ হারিয়ে গেলে কুড়ি দিন পরই আমরা মোটামুটিভাবে তাকে ভুলে যাবার চেষ্টা করি।

দ্বিতীয় অভিজ্ঞতা হচ্ছে হারানো মানুষ খুঁজে বের করার কোন পদ্ধতি বাংলাদেশে নেই। থানায় গেলে পুলিশ অফিসার বিরক্ত মুখে বলেন– "জিডি এন্ট্রি করুন।" বলেই তিনি হাই তুলেন। মানুষ হারানোর সংবাদ পুলিশের কাছে হাই তোলার মত ব্যাপার। ফিরোজ থানার সেকেন্ড অফিসারের হাই অগ্রাহ্য করেই জিডি এন্ট্রি করিয়েছিল। তারপর জিজ্ঞেস করেছিল, এখন কি?

সেকেন্ড অফিসার বিস্মিত হয়ে বললেন, এখন কি মানে?

'জিডি এন্ট্রিতো করানো হল– এখন আপনারা কি করবেন?'

'আমরা একশান নেব।'

'কি একশান নেবেন?'

'কি একশান নেব সেটাতো আমাদের ব্যাপার। আপনার কিছু না।'

ফিরোজ অত্যন্ত বিনয়ের সঙ্গে বলল– আমি আসলে জানতে চাচ্ছি–নিখোঁজ মানুষের বিষয়ে আপনারা কি করেন।

'সব থানায় ইনফর্ম করা হয়।'

'তারপর?'

'তারপর মানে?'

'সব থানায় আপনারা জানালেন-তারপর থানাগুলি থেকে কি করা হয়।'

সেকেন্ড অফিসার বিরক্ত হয়ে বললেন, সত্যি কথা জানতে চান? কিছুই করা হয় না।

'কিছুই করা হয় না?'

'কি করা হবে? আপনার কি ধারণা থানার স্টাফ হারিকেন জ্বালিয়ে আপনার ভাইকে খুঁজতে বের হবে? খুন-ধর্ষণ-ডাকাতি দেখেই এরা কুল পায় না মানুষ খুঁজে বেড়াবে কখন?'

'তাহলে মানুষ নিখোঁজ হলে আমরা থানায় খবর দেই কেন?'

'রেকর্ডের জন্যে দেই! একটা রেকর্ড থাকল। থানার রেকর্ডের গুরুত্ব অনেক বেশী। এই রেকর্ড থেকে অনেক গুরুত্বপূর্ণ জিনিস বের হয়ে আসে। এমনওতো হতে পারে যে আপনি আপনার ভাইকে খুন করে ডেডবডি গুম করে থানায় এসে জিডি এন্ট্রি করালেন ভাই মিসিং। হতে পারে না?'

'জ্বি না, হতে পারে না।'

'আপনার কাছে হতে পারে না, কিন্তু অনেকের কাছে হতে পারে। আমার চাকরি বেশীদিন হয় নি–এর মধ্যেই এ ধরনের কেইস গোটা দশেক দেখেছি।'

'বলেন কি?'

'খুব বেশী দুঃশ্চিন্তা করবেন না। অল্প বয়েসী মেয়ে-টেয়ে হারিয়ে গেলে টেনশানের ব্যাপার থাকে। মেয়েরা ব্রোথেলে চলে যায়। বিদেশে চলে যায়। যৌনকর্মী হিসেবে বিদেশে বাংলাদেশী মেয়েদের সুনাম আছে।'

'কি বলছেন এসব?'

'শুনতে খারাপ লাগছে? সত্যি কথা শুনতে সব সময় চিরতার পানির মত লাগে। চিরতার পানি খেয়েছেন? না খেলে খাবেন। রবীন্দ্রনাথ ঠাকুর খেতেন। শরীরের জন্যে ভাল। শরীরটা ভাল রাখুন–Health is Wealth.'

'তাহলে আমি কি ধরে নেব– আপনারা আমার নিখোঁজ ভাই সম্পর্কে কিছু করবেন না?'

'কিছুই ধরে নেবেন না। একটা ভাল উপদেশ দেই শুনুন– ভাইয়ের ছবি দিয়ে পত্রিকায় বিজ্ঞাপন দিতে থাকুন। চালু পত্রিকাগুলিতে প্রতিদিন বিজ্ঞাপন দিন। খবর্দার, কোন পুরস্কার ঘোষণা করবেন না। পুরস্কার ঘোষণা করেছেন কি মরেছেন। জীবন অতিষ্ট হয়ে যাবে। ভাল একটা উপদেশ ফি ছাড়া আপনাকে দিলাম।'

গত কয়েক মাসে ফিরোজের অন্যতম ও প্রধান কাজ হয়েছে উপদেশ শোনা। এবং প্রতিটি উপদেশ মানার চেষ্টা করা। পত্রিকায় বিজ্ঞাপন দিয়েছে। শুরুতে প্রতিদিন। তারপর সপ্তাহে একদিন। তারপর একটি পত্রিকায় প্রতি পনেরো দিনে একবার। শুধু দেশী পত্রিকায় না–একজনের উপদেশ শুনে কোলকাতার আনন্দবাজার এবং স্টেটসম্যানেও বিজ্ঞাপন দিয়েছে।

আরেকজনের উপদেশ শুনে জাতিসংঘের মিসিং পারসন ব্যুরোতে কুড়ি ডলার খরচ করে নাম এন্ট্রি করিয়েছে। এরা যুদ্ধ বিধ্বস্ত অঞ্চল এবং শরণার্থী মিসিং পারসনের তালিকা তৈরী করে।

একজন ফিরোজকে বলল (ফিসফিসানি গলায়) পাসপোর্ট অফিসে খোঁজ নাও তোমার ভাই রিসেন্টলি কোন পাসপোর্ট করিয়েছে কি-না।

মানুষের ভেতরে অনেক জটিলতা থাকে– চট করে বোঝা যায় না। আমি একজনকে জানি ফ্যামিলী ম্যান। স্ত্রী-পুত্র-কন্যার জন্যে অসীম মমতা। হঠাৎ সে মিসিং পারসন হয়ে গেল। পাসপোর্ট অফিসে খোঁজ নিয়ে জানা গেল সে পাসপোর্ট করিয়েছে। সেই পাসপোর্টের সূত্র ধরে জানা গেল সে চলে গেছে অস্ট্রেলীয়ায়। খুব পাকাপাকিভাবে গিয়েছে ইমিগ্রেশন নিয়ে। অন্য একটা মেয়েকে বউ হিসেবে নিয়ে গেছে। কাজেই আমার মতে পাসপোর্ট অফিসে খোঁজ নেয়া খুবই জরুরী। অফিসিয়েলী এইসব কাজে অনেক সময় লাগে। দালাল ধরলে এক সপ্তাহের মধ্যে জানতে পারবে। হাজার খানিক টাকা খরচ হবে।

হাজার খানিক না– ফিরোজের তিন হাজার টাকা খরচ হল। তিন হাজার টাকার বিনিময়ে জানা গেল– হাসানুজ্জামানের নামে কোন পাসপোর্ট ইস্যু হয়নি।

একজন গম্ভীর মুখে বলল– মেডিক্যাল কলেজগুলির ছাত্র-ছাত্রীদের জন্যে ডেডবডি কেনা হয় আপনি জানেন? সাধারণত কেনা হয় বেওয়ারিশ লাশ। বেওয়ারিশ লাশের একটা ভাল মার্কেট বাংলাদেশে আছে। ঐসব জায়গায় খোঁজ নিয়েছেন? খোঁজটা নিতে হবে গোপনে। ডোমদের মাধ্যমে। এইসব বিজনেসে অনেক হুস হাস ব্যাপার আছে।

'হুস হাস ব্যাপার মানে?'

'ফিসি ব্যাপার। আমার এক দূর সম্পর্কের রিলেটিভ, সম্পর্কের চাচা- তাঁর বড় ছেলে হঠাৎ হারিয়ে গেল। ওদের টাকা পয়সার কোন অভাব ছিল না। বিরাট ক্ষমতাবান। এরা প্রায় তোলপাড় করে ফেলল। যাকে বলে কম্বিং অপারেশন। শেষে ছেলেটার ডেডবডি কোথায় পাওয়া গেল জানেন?'

'কোথায়?'

'মেডিক্যাল কলেজের ডিসেকসান রুমে। ছাত্র–ছাত্রীরা ডেডবডি কাটাকুটি করছে–লিভার এক জায়গায়, কিডনী আরেক জায়গায়। হার্ট আরেক গামলায়। কাজেই খোঁজ খবর যখন করছেন ভালমত করেন– 'Leave no stone unturned.'

ফিরোজ এখন ক্লান্ত এবং বিরক্ত। বিরক্তিটা কার উপর সে জানে না। সম্ভবত তার ভাইয়ের উপর। মানুষটা হারিয়ে গিয়ে সবচে বড় বিপদে তাকে ফেলে দিয়ে গেছে। দুপুর দু'টায় ক্ষিধে পেটে পৃথিবীর সবচে বোরিং মানুষটার সামনে তাকে হাসিমুখে বসে থেকে– পরকাল, ইএসপি, ক্লেরভয়েন্স, এসট্রেল, প্রজেকসন সম্পর্কে গল্প শুনতে হচ্ছে। কোন মানে হয়? কোন মানে হয় না। ফিরোজের এখন ইচ্ছা করে নিজেরই নিরুদ্দেশ হয়ে যেতে। এক সকালবেলা ঘুম থেকে উঠে চা খাবে। চায়ের সঙ্গে

সিগারেট। তারপর ভাল একটা পায়জামা পাঞ্জাবী পরে হাসি মুখে ঘর থেকে বের হওয়া এবং আর ফিরে না আসা।

রকিব সাহেব বাসায় ছিলেন। একটা বাচ্চা ছেলে এসে বলল, আব্বুর জ্বর শুয়ে আছে। ফিরোজ বলল, আমি কি চলে যাব? ছেলেটি বলল, আপনাকে বসতে বলেছে।

রকিব সাহেব এক ঘণ্টা পর গায়ে একটা চাদর জড়িয়ে উপস্থিত হলেন। ফিরোজ উঠে দাঁড়িয়ে বিনয়ের সঙ্গে বলল, আপনার নাকি জ্বর?

রকিব সাহেব বললেন, শরীরটা একটু খারাপ যাচ্ছে। পর পর কয়েকদিন রাত জাগলাম। বয়স হয়েছে আগের মতো রাত জগতে পারি না।

ফিরোজ বলল, আমার ভাইয়ের ব্যাপারে কোন ইনফরমেশন কি পেয়েছেন?

রকিব সাহেব হাসি মুখে বললেন– চেষ্টা করছি। মনে হচ্ছে পেয়ে যাব। আমাদের ইনফরমেশন গেদারিং টেকনিকটা একটু আলাদা। আমাদেরতো ফ্যাক্স মেইল, ই-মেইল নেই। আমাদের যোগাযোগটা হয় মানসিক ভাবে। সময় লাগে।

'জ্বি, বুঝতে পারছি।'

'না, বুঝতে পারছেন না। বোঝাটা এত সহজ না। একটা ঘটনা বলি শুনুন। ঘটনা শুনলে আমাদের যোগাযোগ পদ্ধতিটা সম্পর্কে আপনার ধারণা হবে।'

রকিব সাহেবের যোগাযোগ পদ্ধতি সম্পর্কে ধারণা নেবার কোন ইচ্ছা ফিরোজের নেই। সে এখন পুরোপুরি নিশ্চিত পুরো ব্যাপারটাই ভাওতাবাজি। ক্ষিধেয় তার নাড়িভুড়ি হজম হয়ে আসছে। মাথা ঘুরছে। তার উচিত এই বাড়ি থেকে বের হয়েই সোজা কোন রেস্টুরেন্টে ঢুকে গরুর ভুনা মাংস এবং গরম গরম পরোটার অর্ডার দেয়া। সঙ্গে কাটা পেয়াজ থাকবে। মাঝে মধ্যে পেয়াজে কামড়। প্রচন্ড ক্ষিধের সময় হঠাৎ হঠাৎ কিছু খাবার খেতে ইচ্ছে করে। আজ পরোটা গোসত খেতে ইচ্ছা করবে অন্য কোনদিন অন্য কোন খাবার খেতে ইচ্ছে করবে।

'ফিরোজ সাহেব!'

'জ্বি।'

'আপনার কি শরীর খারাপ না-কি? চেহারা কেমন যেন মলিন লাগছে।'

'জ্বি না, শরীর ভাল আছে।'

'চা খান। চা খেতে খেতে গল্প করি। আপনার মনের শান্তির জন্যে বলে রাখি–আপনার ভাই-এর ব্যাপারে আমি অনিতাকে বলেছিলাম। অনিতা

আমাদের থিওসফিক্যাল সোসাইটির সদস্য, অত্যন্ত পাওয়ারফুল মিডিয়াম। সে আমাকে জানিয়েছে এক সপ্তাহের মধ্যে পজিটিভ কিছু বলতে পারবে।'

'আমি কি এক সপ্তাহ পরে আসব?'

'আসুন। আগামী বুধবারে আসুন। রাত দশটার পর আসুন। অসুবিধা হবে নাতো?'

'জ্বি না।'

'ঐ রাতে আমাদের একটা সিয়েন্সও হবে। ইচ্ছে করলে অবজার্ভার হিসেবে থাকতে পারেন। সোসাইটির বাইরের কারোর থাকার অবশ্যি নিয়ম নেই। তবে আপনার ব্যাপারে আমি বলে টলে ব্যবস্থা করে রাখব।'

'জ্বি আচ্ছা।'

'এখন শুনুন, আমার জীবনের একটা অদ্ভুত ঘটনা। চার বছর আগের কথা। অক্টোবর মাস। তারিখটা হল ৯ তারিখ। সন্ধ্যাবেলা এক ভদ্রলোক এসে উপস্থিত হলেন। বছর দুই আগে তাঁর একটা মেয়ে মারা গেছে। কিছুদিন হল রোজ মেয়েটাকে স্বপ্ন দেখছেন। মৃতা মেয়ের সঙ্গে যোগাযোগ করতে চান। আমরা কোন ব্যবস্থা করে দিতে পারি কি-না। তিনি সঙ্গে করে মেয়ের কিছু ব্যবহারী জিনিসপত্র নিয়ে এসেছেন। মেয়ের ছবি এনেছেন। তার হাতে লেখা ডাইরী এনেছেন। আমি বললাম, রেখে যান দেখি কিছু করা যায় কি-না। মৃত মানুষের আত্মাকে চক্রে আহবান করা কঠিন কিছু না তবে অল্প বয়সে মারা গেলে সমস্যা হয়। প্লানচেটে বা চক্রে শিশুদের আহবান করার নিয়ম নেই। আহবান করলেও তারা আসে না।'

ফিরোজ জড়ানো গলায় বলল– ও। ঘুমে তার চোখ জড়িয়ে আসছে। মনে হচ্ছে যে কোন মুহূর্তে সোফায় সে এলিয়ে পড়বে এবং তার নাক ডাকতে শুরু করবে। ভদ্রলোক একটা ভয়ংকর গল্প ফেদেছেন, এরমধ্যে নাক ডাকানো ভয়াবহ ব্যাপার হবে। ঘুম কাটানোর কিছু পদ্ধতি সে ব্যবহার করছে– লাভ হচ্ছে না। উল্টা আরো ঘুম পাচ্ছে। সব পদ্ধতিই কোন না কোন সময়ে ব্যাক ফায়ার করে–উল্টো দিকে চলা শুরু করে। তার বেলায় এখন তাই হচ্ছে।

ভয়ংকর কোন ঘটনার কথা ভাবলে ঘুম কেটে যায়। সে ভাবছে– বাসায় পৌঁছেই দেখবে তার মা আকলিমা বেগম আঁকাবাঁকা অক্ষরে একটা চিঠি পাঠিয়েছেন–চিঠির প্রতিটি সংবাদই দুঃসংবাদ। বাবা ফিরোজ, তুমি জমি বিক্রি করিয়া টাকা পাঠাইতে বলিয়াছ। আমি যথাসাধ্য চেষ্টা করিতেছি। লোকজনের হাতে এখন টাকা নাই। জমি কিনিবার ব্যাপারে কাহারো আগ্রহ নাই। তুমি মহা বিপদে পরিয়াছ ইহা আমি জানি– কিন্তু কি করিব আমি নিরুপায়।...

'ফিরোজ সাহেব!'

'জ্বি স্যার।'

'আপনার জ্বর-টর আসছে না-কি? চোখ লাল।'

'বোধ হয় জ্বর আসছে–আজ বরং উঠি।'

'গল্পের শেষটা শুনে যান। শেষটা না শুনলে মনের উপর চাপ থাকে। এই চাপ মানসিক শান্তির জন্যে ক্ষতিকর। তারপর কি হল শুনুন– আমরা কয়েকটা সিয়েন্স করলাম এবং প্রতিবারই রিডিং পেলাম মেয়েটা জীবিত। মৃত নয়। বুঝতে পারছেন ব্যাপারটা?'

'জ্বি।'

'আমার নিজের ধারণা হল আমরা কিছু ভুল করছি। আত্মার অনেকগুলি স্টেট থাকে। নানান স্তরে তাদের বাস। পৃথিবীর কাছাকাছি যারা থাকে তাদের চিন্তা ভাবনা দেহধারীদের মতো...'

ফিরোজ বাসায় পৌঁছল জ্বর নিয়ে। তার ঝেঁপে জ্বর এসেছে। জ্বর আসায় একটা সুবিধাও হয়েছে–পরোটা গোসতের ব্যাপারটা মাথা থেকে চলে গেছে। এখন ইচ্ছা করছে কাঁথার ভেতর ঢুকে পড়তে। দরজা জানালা বন্ধ করে কাঁথার ভেতরে ঢুকে কুণ্ডুলী পাকিয়ে যাওয়া। মোটামুটি মাতৃগর্ভের মত একটা পরিবেশ তৈরি করে জন্মের আগের অবস্থায় ফিরে যাওয়া। এই স্টেটেরও নিশ্চয় কোন নাম আছে। থিওসফিস্ট রকিব সাহেব বলতে পারবেন।

দরজা খুলে দিল ইমন। সে দরজা খোলা শিখেছে। চেয়ারের উপর দাঁড়িয়ে সিটকিনি খুলতে পারে। এবং এই কাজটা খুব আগ্রহের সঙ্গে করে। ফিরোজ বলল, খবর কিরে?

ইমন বলল, মা তোমাকে ডাকে।

ফিরোজ বিরক্তমুখে বলল, মা আমাকে ডাকবে কিরে ব্যাটা, আমিতো এইমাত্র ঢুকলাম। ভাবীতো জানেই না। আমি এসেছি।

ইমন আবারো বলল, মা তোমাকে ডাকে।

ইমনের মধ্যে রোবট টাইপ কিছু ব্যাপার আছে। মাথার ভেতর কিছু ঢুকে গেলে সেটাই বলতে থাকে। ফিরোজ বলল, যাচ্ছি। হাত মুখ ধুয়ে তারপর যাই। বুঝলিরে ব্যাটা, শরীর ভাল না। থার্মোমিটার না দিয়েও বুঝতে পারছি– একশ তিন জ্বর।

'মা তোমাকে এখনই ডাকে।'

ফিরোজ সুরাইয়ার ঘরের দরজার সামনে দাঁড়িয়ে হতভম্ব হয়ে গেল। খাটে বিছানো শাদা চাদর রক্তে মাখামাখি। চাদর থেকে গড়িয়ে মেঝেতেও ফোঁটা

ফোঁটা রক্ত পড়ছে। সুরাইয়ার মুখ ছাই বর্ণ। প্রচণ্ড ব্যথা সে নিজের মধ্যে চেপে রাখছে তা বোঝা যাচ্ছে শুধু তার কণ্ঠার হাড়ের ওঠানামা দেখে।

'ভাবী, কি হয়েছে?'

'সুরাইয়া ফিস ফিস করে বলল– বুঝতে পারছি না। বোধ হয় এবোরশন হয়ে যাচ্ছে।'

'কি সর্বনাশের কথা। ভাবী আমি এক্ষুনি এম্বুলেন্স নিয়ে আসছি। তুমি আর কিছুক্ষণ এইভাবে থাক।'

সুরাইয়া জবাব দিল না। ঘোলাটে চোখে তাকাল। সেই ঘোলাটে চোখের দিকে তাকিয়ে ফিরোজের মনে হল– এম্বুলেন্স আনতে গিয়ে সময় নষ্ট করা যাবে না। এত সময় হাতে নেই। তাকে যা করতে হবে তা হচ্ছে ভাবীকে পাজাকোলা করে নিয়ে এক্ষুনি রাস্তায় চলে যেতে হবে– কোন একটা বেবী টেক্সিতে উঠে বেবী টেক্সীওয়ালাকে বলতে হবে–তাড়াতাড়ি মেডিকেলে নিয়ে যাও। তাড়াতাড়ি।

বেবীটেক্সী ঝড়ের গতিতেই যাচ্ছে। ফিরোজ সুরাইয়ার অচেতন শরীর কোলে নিয়ে বসে আছে। ফিরোজের পাশে ইমন। তার মুখ দেখে মনে হচ্ছে না–সে খুব ভয় পাচ্ছে। সে অবশ্যি তার মায়ের মুখের দিকে তাকাচ্ছেও না। সে বেবীটেক্সীর সাইডের আয়নাটার দিকে তাকিয়ে আছে। এই আয়নায় বেবীটেক্সীওয়ালার মুখ দেখা যাচ্ছে। বেবীটেক্সীওয়ালার মুখ দেখতে ভাল লাগছে। কেমন গোল মুখ। চোখ দু'টিও মার্বেলের মত গোল। এর মধ্যে একবার সে শুধু তার ছোট চাচার দিকে তাকিয়েছে। ছোট চাচা খুব কাঁদছেন। শব্দ করে কাঁদছেন না–তবে তার চোখ দিয়ে টপ টপ করে পানি পড়ছে। ছোট চাচার কান্না দেখে তার মনে হচ্ছে– মা মারা গেছেন। এখন থেকে সকালে কে তাকে স্কুলে নিয়ে যাবে? ছোট চাচা? স্কুল থেকে ফেরত নেবার সময় ছোট চাচা সময় মত আসবে তো? দেরী করে এলে তার খুব খারাপ লাগবে। কষ্ট হবে।

সুরাইয়াকে হাসপাতালে ভর্তি করা হল সন্ধ্যা ছ'টায়। রাত তিনটায় ডাক্তাররা তাকে অপারেটিং রুমে নিয়ে গেলেন। তাঁদের দেখে মনে হচ্ছিল না রুগী সম্পর্কে তারা খুব আশাবাদী। কিছু একটা করতে হয় বলেই অপারেটিং রুমে নিয়ে যাওয়া।

ইমন একটা বেঞ্চে একা একা বসেছিল–এত রাত হয়েছে তারপরেও সে জেগে আছে। ঘুম পাচ্ছে না। ছোট চাচা তাকে একটা কলা একটা বনরুটি

কিনে দিয়েছেন। সে কলা এবং বনরুটি হাতে বসে আছে। ছোট চাচা খুব দৌড়াদৌড়ির মধ্যে আছেন। একবার ডাক্তারের কাছে যাচ্ছেন, একবার ওষুধ কিনতে যাচ্ছেন, একবার যাচ্ছেন রক্তের জন্যে। তবে কিছুক্ষণ পর পর এসে ইমনকেও দেখে যাচ্ছেন।

ভোর চারটায় ছোট চাচা এসে ইমনকে বললেন–ইমন তোর একটা বোন হয়েছে। তোর বোনটা ভাল আছে, তোর মাও ভাল আছে। আর কোন চিন্তা নেই।

ইমন বলল, বোনটার নাম কি?

'নাম এখনো রাখা হয় নি।'

'নাম রাখা হয় নি কেন?'

ছোট চাচা সেই প্রশ্নের জবাব না দিয়ে ক্লান্ত গলায় বললেন–'আমি আর দাঁড়িয়ে থাকতে পারছি না। বেঞ্চিতে লম্বা হয়ে শুয়ে ঘুমিয়ে পড়ব। তুই কলাটা এখনো খাস নি?'

'না।'

'আমাকে দে খেয়ে ফেলি–ক্ষিধেয় চোখে অন্ধকার দেখছি।'

ফিরোজ কলা খেয়ে বেঞ্চিতে শুয়ে পড়ল এবং সঙ্গে সঙ্গে ঘুমিয়েও পড়ল। ইমন ছোট চাচার মাথার কাছে জেগে বসে রইল। তার মনে হচ্ছে জেগে থাকাটা খুব দরকার। বেঞ্চটার পাশে চওড়া কম। ছোট চাচা যে কোন সময় গড়িয়ে পড়ে যেতে পারেন। পাহারা দেয়ার জন্যে তাকে জেগে থাকতে হবে।

তার একটা বোন হয়েছে। অথচ তার নাম রাখা হয় নি এই চিন্তাটাও তাকে অভিভূত করছে। সবারই নাম আছে শুধু তার বোনটার কোন নাম নেই। যদি নাম রাখতে ভুলে যায়, যদি কোনদিনই তার নাম না রাখা হয় তাহলে কি হবে? মন খারাপ করে বেচারী ঘুরে বেড়াবে। কেউ তাকে খেলতে ডাকবে না– কি করে ডাকবে, মেয়েটারতো নামই নেই।

আজ সারাদিন নানান রকম ভয়াবহ সমস্যা ইমন পার করেছে, তার চোখে এক ফোঁটা পানি আসে নি–এখন এই ভোর রাতে বোনটার দুঃখে তার চোখে পানি এসে গেল। সে যতবারই সার্টের হাতায় চোখ মুছে ততবারই চোখ পানিতে ভর্তি হয়ে যায়। তার একটা বোন হয়েছে সেই বোনটার নাম নেই কেন?

ইমন ভুরু কুঁচকে তাকিয়ে আছে। তার হাতে চিকন করে কাটা এক টুকরা শশা। ছোট চাচা বলেছেন কচ্ছপের বাচ্চারা শশা খায়। ইমনের ধারণা কচ্ছপের বাচ্চারা শশা খায় না। সে অনেকক্ষণ ধরেই শশা হাতে বসে আছে তার কাছ থেকে তো খাচ্ছে না। বরং শশার টুকরা মুখের কাছে ধরতেই এরা মুখ হাত পা খোলসের ভেতর ঢুকিয়ে ফেলছে। মনে হচ্ছে শশা ওদের জন্যে ভয়ংকর কোন খাবার। মানুষের বাচ্চাদের কাছে দুধ যেমন ওদের কাছে শশাও তেমন।

কচ্ছপের বাচ্চা দু'টা ইমনের জন্যে এনেছে তার ছোট চাচা। এরা বেশীর ভাগ সময় থাকে বাথরুমে লাল প্লাষ্টিকের বালতিতে। মাঝে মাঝে ইমনের যখন খেলতে ইচ্ছে করে তখন সে বালতি থেকে তুলে আনে। পানি থেকে তোলার সময় তার একটু ভয় ভয় করে। কামড় দেয় কি-না। এখন পর্যন্ত কামড় দেয়নি। ছোট চাচা বলেছেন–কচ্ছপের বাচ্চাদের দাঁত নেই বলে তারা কামড়ায় না। যখন তারা বড় হবে, দাঁত উঠবে তখন কামড়াবে। তখন তাদের আর বালতিতে রাখা যাবে না–নদীতে ফেলে দিয়ে আসতে হবে। যে নদীতে কচ্ছপ ফেলা হবে সেই নদীর নাম বুড়িগঙ্গা। ঢাকা নগরী বুড়িগঙ্গার তীরে অবস্থিত।

ইমনের আজ স্কুল নেই। সে সকাল থেকেই কচ্ছপের বাচ্চা নিয়ে খেলছে। এদের সে নামও দিয়েছে–বড়টার নাম টম, ছোটটার টমি। এরা দু'জন একসঙ্গে থাকলেও দু'জনের মধ্যে কোন মিল নেই। শুকনায় ছেড়ে দেয়া মাত্র দু'জন দু'দিকে হাঁটতে থাকে। ইমন বই এ পড়েছিল কচ্ছপরা আস্তে হাঁটে। এখন সে জানে এটা মিথ্যা কথা। এরা চারপায়ে বেশ দ্রুত হাঁটে। মুহূর্তের মধ্যে ঘরের কোনায় চলে যায়। তাদের তখন খুঁজে পাওয়াই মুশকিল হয়। সবচে বেশী দ্রুত হাঁটে টমি। ইমন ভেবে রেখেছে তার ছোট বোনটা যখন আরেকটু বড় হবে তখন তাকে সে একটা কচ্ছপের বাচ্চা দিয়ে দেবে। ইমনের ছোট বোনের নাম– সুপ্রভা। মা বলেছেন, সুপ্রভা নামের মানে হচ্ছে–সুন্দর সকাল! Good Morning, কিন্তু ছোট চাচা বলেছেন

সুপ্রভা মানে সুন্দর আলো। কারটা ঠিক সে জানে না। ইমন ঠিক করে রেখেছে কোন একদিন সে তাদের মিসকে জিজ্ঞেস করবে।

সুপ্রভা এখনো খুবই ছোট। বেশীর ভাগ সময় সে ঘুমিয়ে থাকে। মাঝে মাঝে তার কাঁদতে ইচ্ছে করে তখন সে কাঁদার জন্যে জাগে। খানিকক্ষণ কেঁদে আবার ঘুমিয়ে পড়ে। ইমন তার সারা জীবনেও এমন কাঁদুনে বাচ্চা দেখেনি। সবচে মজার ব্যাপার হচ্ছে সুপ্রভা কারো উপর রাগ করে বা ব্যথা পেয়ে কাঁদে না। কোন রকম কারণ ছাড়া কাঁদে। সুপ্রভার কান্না দেখতে ইমনের খুব ভাল লাগে। সে মাঝে মাঝে সুপ্রভার কান্না দেখতে যায়। কিন্তু বেশীক্ষণ দেখতে পারে না, কারণ তার মা কঠিন গলায় বলেন, এখানে কি করছ? যাওতো-অন্য খানে যাও। আশ্চর্য, এত বিরক্ত করে।

আগে ইমন কখনো তার মাকে ভয় পেত না, এখন পায়। কারণ মা'র মেজাজ সারাক্ষণ খারাপ থাকে। আগে মা তাকে পড়াতে বসতো-এখন বসায় না। সে যদি বই খাতা নিয়ে মা'র কাছে যায়-মা বলে, অনেক বিরক্ত করেছ এখন যাও তো। অথচ সে কাউকেই বিরক্ত করে না। এমন কি কচ্ছপগুলিকেও না। কোন কচ্ছপ যদি দরজার আড়ালে লুকিয়ে থাকে-সে তাকে লুকিয়ে থাকতে দেয়। সঙ্গে সঙ্গে বের করে আনে না। ওরা কচ্ছপ হলেও ওদেরও হয়ত লুকোচুরি খেলতে ইচ্ছা করে। সে কেন ওদের খেলা নষ্ট করবে?

হোম ওয়ার্ক করার জন্যে সে এখন যায় ছোট চাচার কাছে। ছোট চাচা তাকে মোটামুটি আদরই করেন। তিনি তার নাম দিয়েছেন-হার্ড নাট। হার্ড মানে হচ্ছে শক্ত, আর নাট হল বাদাম। হার্ড নাট হল শক্ত বাদাম। ছোট চাচা তাকে কেন শক্ত বাদাম বলে তা সে জানে না। কখনো জিজ্ঞেস করে নি। কোন একদিন জিজ্ঞেস করবে। ছোট চাচা পড়াতে পড়াতে প্রায়ই বলে-কিরে হার্ড নাট, মন খারাপ?

সে বলে, না। কারণ তার মন খারাপ থাকে না, আবার মন ভালও থাকে না। সুপ্রভার সঙ্গে সে যদি গল্প করতে পারত তাহলে তার মন ভাল থাকতো। বা মা'র সঙ্গে গল্প করতে পারলেও মন ভাল থাকতো। মা গল্পতো করেই না, সামনে গিয়ে দাঁড়ালেও বলে-"যা ভাগ। সামনে থেকে যা। শুধু বিরক্ত শুধু বিরক্ত।" একদিন ঠাশ করে একটা চড়ও মারলেন, আচমকা মারলেন বলে সে মেঝেতে পড়ে গেল। ঠোঁট কেটে রক্ত বের হতে লাগল। তারপরেও সে একটুও কাঁদে নি, শুধু ডাক্তার যখন ঠোঁট সেলাই করতে গেলেন-তখন কাঁদল। তারপরেও ডাক্তার বললেন, বাহ দারুণ ছেলেতো। ছেলের খুব সাহস। ছোট চাচা বললেন, সাহস হবে না, এ হল হার্ড নাট! এ মোটেই সহজ জিনিস না।

রিকশায় ফেরার পথে ছোট চাচা তাকে আইসক্রীমের দোকানে নিয়ে গেলেন। কাপ আইসক্রীম কিনে দিয়ে বললেন, শোন হার্ড নাট। তোর মা'র মেজাজতো এখন খুব খারাপ থাকে। এখন তাকে বিরক্ত করবি না।

ইমন অবাক হয়ে বলল, আমিতো তাঁকে বিরক্ত করি না।

'জানি তুই বিরক্ত করিস না। তারপরেও যখন বিরক্ত হয় তখন আমাদের উচিত একটু দূরে দূরে থাকা।'

'মা'র মেজাজ কখন ঠিক হবে চাচা?'

'তোর বাবা ফিরে এলেই মেজাজ ঠিক হবে।'

'বাবা কখন ফিরবে?'

'এখনো ঠিক বলা যাচ্ছে না তবে ফিরবেতো বটেই। কত দিন আর বাইরে থাকবে?'

'বাবা এখন কোথায়?'

'আমরা এখনো ঠিক জানি না।–মনে হয় ইণ্ডিয়ায়।'

'ইণ্ডিয়াতে?'

'হুঁ। ইণ্ডিয়ার মধ্যপ্রদেশে। সেখানে খুব জঙ্গলতো। আমার মনে হয় বনে জঙ্গলে ঘুরছে। বাসার কথা একসময় মনে পড়বে তখন হুট করে চলে আসবে।'

ইমনের ধারণা ছোট চাচা ঠিক কথা বলছেন না। বাবা ইণ্ডিয়ার মধ্যপ্রদেশে থাকলে ছোট চাচা গিয়ে বাবাকে নিয়ে আসতেন। বাবা অন্য কোথাও আছেন। খুব কাছেই কোথাও। ইমন যখন রিকশা করে স্কুলে যায় তখন তিনি হয়ত আড়াল থেকে দেখেন। তাদের স্কুলে যখন টিফিনের ছুটি হয় তারা মাঠে খেলতে থাকে তখনও তিনি দেখে যান। একদিন তিনি চলে আসবেন এ ব্যাপারে ইমন নিশ্চিত। এত দেরী হচ্ছে কেন সে বুঝতে পারছে না। বেশী দেরী হলে কচ্ছপগুলি দেখতে পারবেন না। কচ্ছপগুলি বড় হয়ে যাবে। তাদের ফেলে দিয়ে আসতে হবে বুড়িগঙ্গায়। ওরা নদীর পানির সঙ্গে ভাসতে ভাসতে চলে যাবে সমুদ্রে। বঙ্গোপসাগরে। সেখান থেকে ভারত মহাসাগরে। ভারত মহাসাগর থেকে প্রশান্ত মহাসাগরে। ছোট চাচা তাই বলেছেন।

বাবা সম্পর্কে লোকজন প্রায়ই তাকে জিজ্ঞেস করে। তাদের প্রশ্নের জবাব দিতে তার ভাল লাগে না। ভাল না লাগলেও সে সহজ ভাবেই জবাব দেয়। তাদের ক্লাসের মিস (মিস ফারজানা, দেখতে খুব সুন্দর।) একদিন টিফিন টাইমে তাকে ডেকে নিয়ে জিজ্ঞেস করলেন, ইমন তোমার বাবা না-কি তোমাদের ছেড়ে চলে গেছেন?

ইমন বলল, উনি বেড়াতে গেছেন।

'বেড়াতে গেছেন? কোথায় বেড়াতে গেছেন?'

'ইণ্ডিয়াতে– মধ্যপ্রদেশে।'

মিস ফিক করে হেসে ফেলে বললেন, মধ্যপ্রদেশে? এত জায়গা থাকতে মধ্যপ্রদেশে কেন?

'মধ্যপ্রদেশে অনেক বড় বড় জঙ্গল। বাবা জঙ্গল দেখতে গেছেন।'

'ও আচ্ছা, খুব ভাল কথা। উনি কি তোমার মা'র সঙ্গে রাগ করে চলে গেছেন?'

'জ্বি-না। বাবা কারোর সঙ্গে রাগ করে না।'

'তোমার মা, তিনি রাগ করেন?'

'জ্বি করেন।'

'কা'র সঙ্গে রাগ করেন?'

'বুয়ার সঙ্গে করেন, ছোট চাচার সঙ্গে করেন। মা রোগাতো এইজন্যে মা'র অনেক রাগ। রোগা মানুষদের খুব রাগ থাকে।'

'রোগা মানুষদের খুব রাগ থাকে এটা কে বলল?'

'ছোট চাচা বলেছেন। উনিও রোগা এই জন্যে উনারও খুব রাগ।'

'আচ্ছা ঠিক আছে তুমি যাও।'

ইমন মা'র রাগের জন্যে খুব ভয়ে ভয়ে থাকে। টিভিতে কার্টুন দেখার সময় সাউণ্ড খুব কমিয়ে দেয়। মা খুব যখন হৈ চৈ করতে থাকেন তখন সে টিভির সাউণ্ড পুরোপুরি অফ করে দেয়। সাউন্ড ছাড়া কার্টুন দেখতে তার খারাপ লাগে না। সাউন্ডগুলি ভেবে নেয়। কোন দৃশ্যে কি রকম সাউন্ড হবে এখন সে মোটামুটি জানে।

মা যখন অন্যদের উপর রাগ করে তখন ইমনের তেমন খারাপ লাগে না, কিন্তু যখন সুপ্রভার উপর রাগ করেন তখন খুব খারাপ লাগে, কাঁদতে ইচ্ছা করে। সুপ্রভার উপর মা প্রায়ই রাগ করেন।

সুপ্রভা কেঁদে গলা ফাটিয়ে ফেলছে–মা ফিরে তাকাচ্ছেন না। বুয়া এসে যদি বলে–আপু কানতাছে। তখন মা তীব্রগলায় বলেন, কাঁদছে কাঁদুক তুমি তোমার কাজ কর। কাজ ফেলে চলে এসেছ কেন? ছোট চাচা এক সময় উঠে এসে বলেন, ভাবী বাচ্চাটার কি হয়েছে? মা তখন বিরক্ত গলায় বলেন, জানি না কি হয়েছে। ওর মনের খবর আমি জানব কি ভাবে?

'কাঁদতে কাঁদতেতো গলা ভেঙ্গে ফেলছে।'

'গলা ভেঙ্গে মরুক।'

'ভাবী এইসব কি কথা বলছেন?'

'আমার যা মনে আসছে বলছি, তোমাদের অসুবিধা হচ্ছে?'

'হ্যাঁ, অসুবিধা হচ্ছে। বাচ্চাটা পেটের ক্ষিধেয় কাঁদছে, আপনি ফিরে তাকাচ্ছেন না, এটা কেমন কথা।'

'তুমি এমন চোখ মুখ শক্ত করে কথা বলছ কেন? তোমার ভাইতো কখনো মুখ শক্ত করে এমন ভাবে কথা বলেনি।'

'চোখ মুখ শক্ত করে কথা বলার জন্যে আমি সরি। ভাবী শুনুন, ফর গডস সেক, স্বাভাবিক ভাবে বাঁচার চেষ্টা করুন।'

'স্বাভাবিক ভাবে বাঁচার চেষ্টা করার মত অবস্থা কি আমার আছে?'

'ভাইজানের জন্যে কষ্ট শুধু আপনি একা পাচ্ছেন আর কেউ পাচ্ছে না এটা আপনি কি করে ভাবছেন? কষ্ট পাচ্ছেন ভাল কথা-কিন্তু একটা দুধের শিশুকে কষ্ট দেবেন কেন? তার অপরাধটা কোথায়?'

'খবর্দার, তুমি আমার সঙ্গে চোখ লাল করে কথা বলবে না।'

'ভাবী আমি চোখ লাল করে কথা বলছি না, আমি আপনার কাছে হাত জোড় করছি– ওকে দুধ খেতে দিন।'

'নাটক করবে না। নাটক আমার ভাল লাগে না–একে তোমরা নিয়ে কোথাও পালক দিয়ে দাও।'

'আচ্ছা ভাবী ঠিক আছে, তাই করব। আপাতত আপনি একে সামলান।'

এই পর্যায়ে মা সুপ্রভাকে কোলে নেন। সঙ্গে সঙ্গে তার কান্না থেমে যায়। তখন কান্না পেয়ে যায় ইমনের। সে ছোট চাচার ঘরে ঢুকে কাঁদতে শুরু করে। ছোট চাচা গম্ভীর গলায় বলেন, ইমন তোকে কেউ মেরেছে?

ইমন ফোঁপাতে ফোঁপাতে বলে, না। মারে নি।

'তোকে কেউ বকা দিয়েছে?'

'না।'

'তাহলে কাঁদছিস কেন?'

'জানি না।'

'পুরুষ মানুষ কি কাঁদতে পারে?'

'না।'

'ফোঁস ফোঁস করতে পারে?'

'না।'

'হেঁচকি তুলতে পারে?'

'না।'

'তুইতো একই সঙ্গে কাঁদছিস, ফোঁস ফোঁস করছিস এবং হেঁচকি তুলছিস। তিনটা নিষিদ্ধ জিনিশ করছিস। চোখ মুছে কচ্ছপ নিয়ে আয়–একটা মজা দেখাব।'

'কি মজা?'

'আগে নিয়ে আয়, তারপর দেখবি।'

ইমন কচ্ছপ নিয়ে এল। ফিরোজ কচ্ছপ দু'টা উল্টা করে মেঝেতে রেখে দিল। এরা খোলসের ভেতর থেকে মাথা এবং পা বের করে সোজা হবার চেষ্টা করছে, পারছে না। ফিরোজ হৃষ্ট চিত্তে বলল, এই হচ্ছে মজা।

'কি মজা?'

'যত চেষ্টাই করুক, এরা এখন আর সোজা হতে পারবে না। ছটফট করবে কিন্তু পারবে না। বাইরের কোন সাহায্য লাগবে। তুই বা আমি যদি সোজা করে দি, তাহলেই সোজা হতে পারবে। মজাটা এইখানেই। মানুষেরও মাঝে মাঝে কচ্ছপের মত অবস্থা হয়। মানুষ উল্টে যায়। ঠিক হবার জন্যে ছটফট করতে থাকে, ঠিক হতে পারে না। বাইরের সাহায্য ছাড়া ঠিক হওয়া তখন সম্ভব না। তোর মা'র এখন এই অবস্থা চলছে। সে উল্টে গেছে। ঠিক হবার জন্যে ছটফট করছে, কিন্তু পারছে না। কাজেই তোর মা'র উপর রাগ করেও কোন লাভ নেই। মা'র উপর তোর রাগ নেইতো?'

'না নেই।'

'ভেরীগুড। আরেকটা কথা–যদি কোন কারণে খুব মন খারাপ হয় তখন কচ্ছপ উল্টে দিয়ে ওদের দিকে তাকিয়ে থাকবি–তখন দেখবি মন ভাল হয়ে যাচ্ছে।'

'কেন?'

'কেন কেন করবি না। চড় খাবি।'

'আচ্ছা করব না।'

আজ ইমনের মন সামান্য খারাপ। বেশী না সামান্য। এই সামান্য মন খারাপ নিয়ে কচ্ছপ উল্টানো যায় না বলে সে উল্টাচ্ছে না–শশার টুকরা কেটে খেতে দিচ্ছে। এরা খাচ্ছে না। হাতে ধরে থাকলে এরা খায় না, কিন্তু পানিতে ছেড়ে দিলে মুখ বের করে কুট কুট করে খায়।

'ইমন। এদিকে শুনে যাও।'

ইমনের বুক ধ্বক করে উঠল। আগে মা ডাকলে আনন্দ লাগতো, এখন মা ডাকলেই বুক ধ্বক করে উঠে। ইমন কচ্ছপ দু'টা বালতিতে

রেখে মা'র ঘরের দরজা ধরে দাঁড়াল। মা সুপ্রভার গায়ে তেল মালিশ করে দিচ্ছেন। তিনি চোখ সরু করে তাকালেন। ইমনের বুক শির শির করতে লাগল।

'দরজা ধরে দাঁড়িয়ে আছ কেন? কাছে আস।'

ইমন ঘরে ঢুকল।

'হাত ভেজা কেন? আবার কচ্ছপ নিয়ে ঘাঁটাঘাঁটি করছিলে? হাত ধুয়ে এসেছ?'

'হ্যাঁ।'

'সাবান দিয়ে হাত ধুয়েছ?'

ইমন সাবান দিয়ে হাত ধোয়নি–তারপরেও ভয়ে ভয়ে হ্যাঁ সূচক মাথা নাড়ল। সে জানে এই মিথ্যা মাথা নাড়ার জন্যে তার বাঁ কাঁধের ফেরেশতা পাঁচটা 'বদি' লিখেছে। ফেরেশতার নাম কেরামান কাতেবিন। তার কাজ মানুষের খারাপ কাজগুলি লেখা এবং কোন খারাপ কাজের জন্যে কয়টা বদি হয়েছে তার হিসাব রাখা। দাদীজান তাকে বলেছেন।

'দেখি হাত কাছে আন। সাবানের গন্ধ আছে কি-না দেখি।'

ইমন হাত এগিয়ে দিল। মা গন্ধ শুঁকলেন। মনে হল তিনি সাবানের গন্ধ পেয়েছেন। কারণ কিছু বললেন না। সাবানের গন্ধ পাওয়ার কথা না। সে হাতে সাবান মাখে নি। কচ্ছপ ঘাঁটাঘাঁটি করেছে। মনে হয় কচ্ছপের গায়ে সাবানের গন্ধ আছে। কচ্ছপ শুঁকে দেখতে হবে।

'সুরাইয়া বলল, তোমার বোনটা দেখতে কি রকম হয়েছে? কার মত হয়েছে?'

ইমন ভয়ে ভয়ে বলল, ছোট বাচ্চাদের মত হয়েছে।

'বোকার মত কথা বলছ কেন? ছোট বাচ্চাতো ছোট বাচ্চার মতই হবে। বুড়োদের মত হবে নাকি? দেখতে কার মত হয়েছে? তোমার মত, না আমার মত, নাকি তোমার বাবার মত?'

'জানি না মা।'

'জানবে না কেন? দেখতে হয়েছে অবিকল তোমার বাবার মত। তোমার বাবার নাক অনেকটা চাপা। এই দেখ এর নাকও চাপা! চাপা না?'

ইমন বুঝতে পারছে না, নাক চাপা কি চাপা না। তার কাছেতো নাকটা সুন্দরই লাগছে। তারপরেও বলল, হুঁ।

সুরাইয়া ছোট্ট নিঃশ্বাস ফেলে বলল, এখন তোমাকে আমি কি বলব মন দিয়ে শুনবে। আমরা এই বাড়িতে থাকব না।

ইমন ভয়ে ভয়ে বলল, কোথায় যাব?

৪০

'তোমার বড় মামার বাড়িতে গিয়ে থাকব। তোমার বড় মামা তাঁর বাড়ির একটা ঘর আমাকে দিয়েছেন। একটা ঘরইতো আমাদের জন্যে যথেষ্ট। কি, যথেষ্ট না?'

'হুঁ।'

'এ রকম মুখ শুকনা করে হুঁ বলছ কেন? বড় মামার বাড়িতে থাকতে তোমার অসুবিধাটা কি? আর যদি অসুবিধা থাকেও কিছু করার নেই। তোমার বাবার কোন খোঁজ নেই–কাজেই তোমাদের কপাল ভেঙ্গেছে। আমাদের জীবন কি ভাবে কাটবে জান? আজ এই বাড়ি, কাল ঐ বাড়ি।

'ইমন ভয়ে ভয়ে বলল, এই বাড়িতে কেন থাকবনা মা?'

'এই বাড়িতে থাকব না, কারণ তোমার ছোট চাচার কোন চাকরি বাকরি নেই। এতদিন সংসার চলেছে গ্রামের বাড়ির ধানী জমি বিক্রি করে। এই ভাবে আর কতদিন চলবে? তাছাড়া তোমার ছোট চাচা আমার সঙ্গে খারাপ ব্যবহার করে। চোখ লাল করে আমার দিকে তাকায়। তার এত সাহস কেন হবে? যেখানে তোমার বাবা কোনদিন আমার দিকে চোখ লাল করে তাকায় নি–সেখানে সে তাকাবে কেন?'

'বড় মামার বাসায় কবে যাব মা?'

'এক সপ্তাহের মধ্যেই যাব। তোমার বই খাতা তুমি নিজে সব গুছিয়ে নেবে। ঐখানে গেলে তোমার ভালই লাগবে। খেলার সঙ্গি-সাথী পাবে। তোমার বড় মামার দুই ছেলে আছে টোকন আর শোভন। ওদের সঙ্গে খেলবে। এখানে একা একা থাক, তোমার বড় মামা তোমাকে পছন্দও করেন। করেন না?'

ইমন বুঝতে পারছে না তার বড় মামা তাকে পছন্দ করেন কি-না। তার বড় মামার চেহারাটা রাগি রাগি। চশমা পরেন। চশমার ফাঁক দিয়ে তাকান। কেমন করে জানি তাকান। তিনি বাসায় এলেই ফুলের গন্ধ পাওয়া যায়। সেই গন্ধে গা কেমন জানি ঝিম ঝিম করে। পরে সে জেনেছে এটা ফুলের গন্ধ না। জর্দার গন্ধ। বড় মামা পান খান না-শুধু শুধু জর্দা খান। তিনি যখনই এ বাসায় আসেন এক প্যাকেট বিসকিট নিয়ে এসে গম্ভীর গলায় বলেন-ইমন নিয়ে যা। ইমন বিসকিট নিয়ে যায়, কিন্তু তার কোন আনন্দ হয় না, কারণ বিসকিট তার পছন্দ না। শুধু চায়ে ডুবিয়ে বিসকিট খেতেই তার ভাল লাগে। অন্য সময় ভাল লাগে না। বিসকিট খাবার জন্যে কেউতো আর তাকে চা বানিয়ে দেবে না। সে ছোট মানুষ। কলেজে যখন পড়বে তখনই সে শুধু চা খেতে পারবে।

সুরাইয়া বললেন, কথার জবাব দিচ্ছিস না কেন? তোর বড় মামা তোকে পছন্দ করে না?

'হুঁ।'

'মুখ এমন শুকনা করে হুঁ বলছ কেন? মনে হচ্ছে মাথায় আকাশ ভেঙ্গে পড়েছে। যাও, এখন সামনে থেকে যাও। সারাক্ষণ ভোতা মুখ দেখতে ভাল লাগে না।'

ইমন মা'র ঘর থেকে বের হল। বড় মামার বাড়িতে কি কচ্ছপ দু'টা নিতে দেবে? মনে হয় দেবে না। কচ্ছপ দু'টা এ বাড়িতেই রেখে যেতে হবে। মা'কে একবার বলে দেখলে হয়। অবশ্যি বললেও লাভ হবে না। বড় মামার ছেলে টোকন আর শোভন হয়ত তার কাছ থেকে কেড়ে কচ্ছপ দু'টা নিয়ে নেবে। একটা লাভ হয়তো হবে রাতে মা'র সঙ্গে ঘুমুতে পারবে। তাদের একটা ঘর দেয়া হবে। তারা সবাই সেই ঘরেই থাকবে। এখানে বেশীর ভাগ সময় তাকে ছোট চাচার সঙ্গে ঘুমুতে হয়। সে যখন ঘুমুতে যায় তখনো ছোট চাচা বাইরে। একা একা ঘুমুতে তার খুবই ভয় লাগে। তবে অনেক রাতে ঘুম ভেঙ্গে যখন সে দেখে ছোট চাচা ঘুমুচ্ছেন তখন তার খুবই ভাল লাগে। সে যদি খুব নরম গলাতেও ডাকে-ছোট চাচা! তাহলেও ছোট চাচা উঠে বসেন, গম্ভীর গলায় বলেন, কি হয়েছেরে হার্ড নাট। বাথরুমে যাবি?

'হুঁ।'

'আয় যাই। ঠিক সময় ডাক দিয়েছিস আমারো বাথরুম পেয়েছে। ছোটটা। তোর কি বড়টা না-কি?'

'আমারও ছোটটা।'

'চল যাই। কে আগে যাবে তুই না আমি? বড় থেকে ছোট না ছোট থেকে বড়?'

'তুমি যা বলবে তাই।'

'তাহলে তুই বরং আগে যা। কোলে করে নিতে হবে না-কি?'

'হুঁ।'

বাথরুম থেকে ফেরার পর ঘুম না আসা পর্যন্ত ছোট চাচা গল্প বলেন। তাঁর গল্পের কোন আগা মাথা নেই, শুরু নেই শেষ নেই। তবু ঘুম ঘুম চোখে শুনতে এত ভাল লাগে। ছোট চাচার সব গল্পই শুরু হয় মাঝখান থেকে–

"তারপর ব্যাঙটা বলল, পানিতে থেকে থেকে আমার সিরিয়াস সর্দি হয়েছে। নাক ঝাড়তে ঝাড়তে অবস্থা কাহিল। অষুধ পত্র কিছু দিয়ে আমাকে বাঁচান ডাক্তার সাহেব। তবে আপনার কাছে একটা রিকোয়েষ্ট তেতো অষুধ দেবেন না। মিষ্টি অষুধ দেবেন। আবার বেশি মিষ্টিও দেবেন না। অষুধ বেশি মিষ্টি হলে আমার বাচ্চারা মেঠাই ভেবে খেয়ে ফেলবে।"

ডাক্তার বলল, অষুধ দেব। তবে আমি খুবই অবাক হচ্ছি। কারণ ব্যাঙের কখনো সর্দি হয় না বলে বই পত্রে পড়েছি। আপনার কি সত্যি সর্দি হয়েছে?

'ক্রমাগত হ্যাঁচ্চো হ্যাঁচ্চো করছি তারপরেও বিশ্বাস হচ্ছে না?'

'তা হচ্ছে। যাই হোক অষুধ দিচ্ছি। ভিজিটের টাকা এনেছেন?'

'এনেছি। এই নিন। আধুলি। আমার শেষ সম্বল– ব্যাঙের আধুলি।...'

বড় মামার বাড়িতে কেউ তাকে এমন অদ্ভুত অদ্ভুত গল্প শুনাবে না। রাতে বাথরুম পেলে কোলে করে বাথরুমে নিয়ে যাবে না। কি আর করা। বড় মামার বাড়িতেও নিশ্চয়ই অনেক মজার মজার ব্যাপার হবে। কিছু কিছু মজা সব বাড়িতেই থাকে। বড় মামার দুই ছেলে টোকন আর শোভনের সঙ্গে তার হয়ত খুবই ভাব হবে। ওদেরও একটা বোন আছে নাম মিতা, সবাই ডাকে মিতু। তার সঙ্গে ভাব হবে কিনা কে জানে। মনে হয় হবে না। মেয়েদের সঙ্গে হয় মেয়েদের বন্ধুত্ব। ছেলেদের সঙ্গে ছেলেদের।

গায়ে তেল মাখানোর ব্যাপারটায় সুপ্রভা মনে হয় খুব আরাম পায়। তেল মাখানোর মাঝখানে ঘুমিয়ে পড়ে। আশ্চর্যের ব্যাপার ঘুমের মধ্যে আবার নাকও ডাকে। এইটুকু ছোট বাচ্চা নাক ডাকিয়ে ঘুমাবে কেন? তার উপর মেয়ে মানুষ। সুরাইয়ার খুব রাগ লাগে। এখনো রাগ লাগছে। চড় দিয়ে ঘুম ভাঙ্গিয়ে দিতে ইচ্ছা করছে। রাগ সামলে সুরাইয়া বারান্দায় গেল। ফিরোজ বারান্দায় পা ছড়িয়ে বসে খবরের কাগজ পড়ছে। তার সামনে গম্ভীর মুখে ইমন বসে আছে। ফিরোজ বলল, কেমন আছেন ভাবী?

একই বাড়িতে বাস করছে অথচ দেখা হলে প্রথম বাক্যটি বলছে, কেমন আছেন ভাবী। এর মানে কি এই যে চোখে আঙ্গুল দিয়ে বুঝিয়ে দেয়া আপনি ভাল থাকেন না।

সুরাইয়া বলল, ফিরোজ তোমার সঙ্গে আমার কিছু জরুরী কথা আছে।

ফিরোজ খবরের কাগজ ভাজ করে পাশে রাখতে রাখতে বলল, বলুন।

ইমন্ উঠে চলে যাচ্ছে। সে জানে বড়রা যখন জরুরী কথা বলে সেখানে ছোটদের থাকার নিয়ম নেই। বড়রা তাদের জরুরী কথার আশেপাশে ছোটদের চায় না। অথচ ছোটদের সমস্ত জরুরী কথায় বড়দের থাকতে হয়।

সুরাইয়া বেতের মোড়া এনে ফিরোজের সামনে বসল। ফিরোজ শংকিত বোধ করছে। ভাবীর বসার ভঙ্গি কঠিন। ভাবী কি বড় ধরনের ঝগড়ার প্রস্তুতি নিয়ে এসেছে? কি নিয়ে ঝগড়া করবে?

'ভাবী চা খাবেন? চা দিতে বলি–চা খেতে খেতে কথা বলুন।'

'তোমার সঙ্গে আমার এমন কোন কথা নেই যে চা খেয়ে খেয়ে বলতে হবে। ফিরোজ শোন, আমি এখানে থাকব না। আমার বড় ভাইয়ের সঙ্গে কথা বলেছি, আমি তাঁর কাছে গিয়ে থাকব।'

ফিরোজ বলল, আমি জানি। ইমন আমাকে বলেছে।

'তুমি একটা ঠেলাগাড়ি এনে দাও। আমি কিছু জিনিস পত্র নিয়ে যাব। স্টিলের ট্রাংক, ইমনের পড়ার টেবিল-চেয়ার, আমার বড় কালো ট্রাংকটা।'

'কবে যাবেন ভাবী?'

'কবে মানে? আজই যাব। যত তাড়াতাড়ি যাওয়া যায় ততই ভাল। সবার জন্যেই ভাল। তোমার জন্যেও ভাল, আমার জন্যেও ভাল।'

'আমার জন্যে ভাল কেন?'

'তোমার চাকরি বাকরি কিছু নেই, এত বড় সংসার পুষতে হচ্ছে। বাড়ি ভাড়া দিতে হচ্ছে। গ্রামের বাড়ির সম্পত্তি বিক্রি করতে হচ্ছে। তুমি অকারণে এত কিছু করবে কেন? তুমি কে?'

'ভাবী, আমি ইমনের চাচা।'

'বাপ যখন থাকে না তখন চাচা-ফাচা অনেক দূরের ব্যাপার।'

'আপনার সঙ্গে আমি কোন তর্কে যেতে চাচ্ছি না। তবে আমার মনে হয় এখানে থাকাটাই আপনাদের জন্যে ভাল হবে।'

'কেন ভাল হবে?'

'পরিবেশে অভ্যস্ত হবার ব্যাপার আছে। আপনি এই পরিবেশে থেকে অভ্যস্ত, ইমন অভ্যস্ত।'

'তুমি জমি বিক্রি করে করে আমাদের খাওয়াবে!'

'হ্যাঁ ভাবী।'

'সেটা কতদিন? তোমাদের কি জমিদারী আছে?'

'জমিদারী নেই। জমি জমা খুব সামান্যই আছে–ভাবী, আমি ব্যবসা শুরু করেছি। বোতল সাপ্লাইএর কাজ পেয়েছি। সামান্য হলেও কিছু টাকা-পয়সাতো পাচ্ছি। ব্যবসার নিয়ম কানুন বুঝতে শুরু করেছি–আমার ধারণা আমি ভালই করব।'

'ভাল করলে ভাল। ভাল করতে থাক। কোটিপতি হয়ে যাও। গাড়ি হোক। বাড়ি হোক। তোমরা সুখে থাক। তোমাকে যা বলেছি কর–আমাকে একটা ঠেলাগাড়ি এনে দাও।'

'ভাবী শুনুন, মা'র শরীর খুব খারাপ। মা চিকিৎসার জন্যে ঢাকায় আসছেন। মা আসুক তারপর যান।'

'উনার সঙ্গে আমার যাওয়ার সম্পর্ক কি? আমি আজই যাব।'

'আচ্ছা ঠিক আছে।'

'তুমি আরেকটা কাজ করবে—সুপ্রভাকে আমি পালতে পারছি না—তাকে পালক দেবার ব্যবস্থা করবে।'

'কি বলছেন বুঝতে পারছি না ভাবী।'

'বাংলাদেশে অনেক ফ্যামিলি আছে যাদের ছেলেপুলে নেই, এমন কোন একটা ফ্যামিলিতে ওকে দিয়ে দাও। সেও সুখে থাকবে আমিও সুখে থাকব। এইসব যন্ত্রনা আমার অসহ্য লাগছে।'

'ও আচ্ছা।'

'মেয়েটা হয়েছে অপয়া—ও পেটে আসার পর থেকে যত সমস্যা। আমার আর ভাল লাগে না।'

'ভাবী আপনি-আজই যাবেন?'

'হুঁ।'

'ইমনের স্কুলতো অনেক দূর হয়ে যাবে, স্কুল থেকে ওকে আনা নেয়া কে করবে?'

'জানি না। স্কুল বদলে দিব কিংবা ঘরে বসে থাকবে—বাপ নেই ছেলের আবার স্কুল কিসের? তার কি পড়াশোনা হবে? হবে না। বড় হয়ে ইট ভাঙ্গাবে কিংবা রিকশা চালাবে।'

সুপ্রভার ঘুম ভেঙ্গেছে। কাঁদতে শুরু করেছে। সুরাইয়া উঠে চলে গেল। ফিরোজ বসে রইল। পত্রিকা পড়া হয়নি। এখন আর পড়তে ইচ্ছে করছে না। ভাবী যখন চলে যাবে বলে ঠিক করেছে তখন যাবেই। তাকে বুঝানোর কেউ নেই। সে কারো কথা শুনবে না।

ইমন ছোট ছোট পা ফেলে আসছে। ছোট চাচার দিকে একবার তাকিয়েই চোখ নামিয়ে নিল। ফিরোজ হাত ইশারায় কাছে ডাকল। ইমন আসছে কিন্তু অন্য দিকে তাকিয়ে এগুচ্ছে। একবারো তার চাচার দিকে তাকাচ্ছে না। ছেলেটা অদ্ভুত হয়েছে। অদ্ভুত কিন্তু অসাধারণ।

'খবর কিরে ব্যাটা হার্ড নাট?'

'ভাল।'

'বড় মামার বাড়িতে চলে যাচ্ছিস তাহলে?'

'হুঁ।'

'গুড। যাবার সময় কাঁদবি নাতো?'

'না।'

'ভেরী গুড। বোকা ছেলেরাই কাঁদে—বুদ্ধিমানরা কাঁদে না। তুই বোকা না বুদ্ধিমান?'

'জানি না।'

'আয় পরীক্ষা করে দেখি–বোকা না, বুদ্ধিমান। কোলে এসে বোস। আমি তোর চুলে বিলি কেটে কেটে আদর করব। তখন যদি কেঁদে ফেলিস তখন বুঝব তুই বোকা। আর না কেঁদে থাকতে পারলে বুদ্ধিমান।'

ইমন গুটিসুটি মেরে তার চাচার কোলে বসে আছে। তার শরীর কেঁপে কেঁপে উঠছে। সে প্রাণপণ চেষ্টা করছে চোখের পানি আটকানোর, কোন লাভ হচ্ছে না। চোখ ভর্তি করে পানি আসছে সে সঙ্গে সঙ্গে চোখ মুছে ফেলছে। ছোট চাচার কাছে সে বোকা প্রমাণিত হচ্ছে এই দুঃখবোধেও সে আক্রান্ত তবে সে জানে না–ছোট চাচাও তারমতই বোকা। ছোট চাচার চোখও ভিজে উঠছে। পানি জমতে শুরু করেছে।

'হার্ড নাট!'

'হুঁ।'

'যেখানেই থাকিস, যে ভাবেই থাকিস–ভাল থাকবি।'

'আচ্ছা।'

'কোন কিছু নিয়েই মন খারাপ করবি না।'

'আচ্ছা।'

'গল্প শুনবি?'

'হুঁ।'

'একদেশে ছিল এক ব্যাঙ। কথা নেই বার্তা নেই হঠাৎ বেচারার সর্দি লেগে গেল। সর্দি এবং কফ। সারাদিন নাক ঝাড়ে আর খক খক করে কাশে। ব্যাঙের স্ত্রী বলল, "ওগো ডাক্তারের কাছে যাও। তোমার কাশির শব্দে বাচ্চারা ঘুমুতে পারছে না।" ব্যাঙ বলল, ডাক্তারের কাছে যে যাব ভিজিটের টাকা লাগবে না? তার স্ত্রী বলল, "আধুলীটা নিয়ে যাও।" ব্যাঙ বলল, আধুলীটাই আমাদের শেষ সম্বল সেটা নিয়ে যাব?

হ্যাঁ যাও। শরীরটাতো আগে দেখবে। টাকা গেলে টাকা পাওয়া যায়। শরীর গেলে কি আর পাওয়া যায়?

ব্যাঙ বলল, বউ কথাটাতো ভালই বলেছ। আচ্ছা যাই ডাক্তারকে বরং দেখিয়েই আসি।

ব্যাঙের স্ত্রী বলল, "ব্লাড প্রেসারটাও একটু চেক করিও। আমার ধারণা তোমার প্রেসারও বেড়েছে। কাল রাতে বৃষ্টির সময় তুমি যখন ডাকছিলে তখন তোমার গলা কেমন যেন অন্য রকম শুনাচ্ছিল।"

ছোট চাচা দম নেবার জন্যে থামতেই ইমন বলল, বাবা কি আর ফিরে আসবে না চাচা?

'বুঝতে পারছি না। ধরে নে ফিরে আসবে না। তাহলে কষ্ট কম পাবি। ফিরে আসবে ভেবে অপেক্ষা করছিস-মানুষটা ফিরছে না-কষ্ট বেশী না?'

'হুঁ।'

'তোর মা সারাক্ষণ ভাবছে–এই বুঝি মানুষটা ফিরল। রাতে ঘুমায় না জেগে থাকে, গেটে সামান্য শব্দ হলে ছুটে আসে–এই অবস্থাটাতো ভয়ংকর।'

সুপ্রভা খুব কাঁদছে। সুরাইয়া মেয়ের কান্না থামানোর কোন চেষ্টা করছে না। কাঁদুক। কাঁদতে কাঁদতে ক্লান্ত হয়ে এক সময় নিজেই থেমে যাবে। সে যখন কাঁদে তখনতো কেউ তার কান্না থামাতে আসে না। সে কেন যাবে? তার এত কি দায় পড়েছে?

পৌষ মাস। প্রচণ্ড শীত পড়েছে। শীতের সঙ্গে কুয়াশা। ইমন বসে আছে তার বড় মামার বাড়ির দোতলার বারান্দায়। সে অবাক হয়ে দেখছে কুয়াশায় সব ঢেকে আছে। একটু দূরের জিনিসও দেখা যাচ্ছে না। বাড়ির সামনে কাঁঠাল গাছটাকে মনে হচ্ছে ছোট একটা পাহাড়। তার ছোট চাচা বলেছিলেন–কুয়াশা আসলে মেঘ। আকাশের মেঘ যখন মাটিতে নামে তাকে বলে কুয়াশা। ইমনের খুব অদ্ভুত লাগছে এই ভেবে যে সে মেঘের ভেতর বসে আছে। আজ ছুটির দিন, তার বারান্দায় চুপচাপ বসে থাকার কথা না। ছুটির দিনের সকাল বেলায় এই বাড়িতে নানান ধরনের খেলা হয়। টোকন আর শোভন টেনিস বল দিয়ে ক্রিকেট খেলে। টোকনের খুবই কাঁদুনে স্বভাব। কিছু হতেই কান্না শুরু করে। আর শোভন মারামারিতে ওস্তাদ। হুট করে মারামারি শুরু হয়ে যায়। শোভন ক্রিকেট ব্যাট দিয়ে ধমাধম ভাইকে মারে। অদ্ভুত ব্যাপার হচ্ছে কেউ কখনো নালিশ করে না। মারামারি এবং কান্নাকাটি কিছুক্ষণের মধ্যে থেমে যায়। আবার খেলা শুরু হয়। মিতু একা একা রান্না বাটি খেলে। ক্রিকেট খেলায় তাকে নেয়া হয় না, মিতুও রান্নাবাটি খেলায় তাকে নেয় না। একদিন শুধু বলেছিল, এই তুই চাকর হবি? তুই চাকর হলে খেলতে নেব। যা বাজার করে নিয়ে আয়। মনে করে কাঁচা মরিচ আনবি। আর খবর্দার পয়সা সরাবি না।

ইমনের খেলতে ইচ্ছা করছিল, কিন্তু চাকর হওয়াটা মেনে নিতে পারছিল না বলে খেলে নি। তবে না খেললেও সে বেশির ভাগ সময় আশেপাশে ঘুর ঘুর করে।

আজ ইমন এখনো নিচে নামছে না কারণ নিচে নামিয়ে নেয়ার জন্যে মিতু আসেনি। বড় মামার বাড়ির দোতলার সিঁড়ি পুরোপুরি শেষ হয় নি। রেলিং দেয়া বাকি। এ রকম সিঁড়ি দিয়ে নিচে নামতে ইমনের অসম্ভব ভয় লাগে। মিতু বয়সে তার সমান হলেও, ঠিক সমানও না, পাঁচ দিনের বড়। ভয়ংকর সাহসী। একবার সে চোখ বন্ধ করে সিঁড়ি দিয়ে উঠেছিল। মিতু শুধু যে চোখ বন্ধ করে সিঁড়ি দিয়ে উঠতে পারে তাই না। তিন তলার ছাদে পা

ঝুলিয়ে বসতেও পারে। সেই ছাদেরও রেলিং নেই। ইমনের বড় মামা ছাদে রেলিং দেবেন না– শুধু শুধু বাজে খরচ। ইমনের ধারণা বাজে খরচ হলেও রেলিং দেয়া উচিত। তা না হলে কোন একদিন মিতু ছাদ থেকে পড়ে যাবে। ইমনের ধারণা দোতলার সিঁড়িতেও রেলিং দেয়া উচিত। রেলিং দেয়া না হলে সে নিজেই কোন একদিন পড়ে যাবে।

'ইমন!'

ইমন চমকে উঠে দাঁড়াল। মা ডাকছেন। আগে মা ডাকলেই আনন্দ হত, এখন হয় না। মা'র ডাকা মানেই কিছু একটা নিয়ে ধমকা ধমকি হবে। ধমক খাবার মত কিছু অবশ্যি সে করেনি। সকালে বই নিয়ে বসে অনেকক্ষণ পড়েছে। মা যখন বললেন, যথেষ্ট ঘ্যানঘ্যানানি হয়েছে এখন যাও। তখনি শুধু সে উঠে এসেছে।

ইমন ভয়ে ভয়ে মা'র ঘরের দরজা ধরে দাঁড়াল। মা'র রাতে জ্বর ছিল, এখনো বোধ হয় জ্বর। মা শুয়ে আছেন। সুপ্রভা মা'র পাশে বসে নিজে নিজেই খেলছে। ইমনের কাছে খুবই আশ্চর্য লাগে যে সুপ্রভা নিজে নিজে বসতে পারে। হামাগুড়ি দিতে পারে। কিছু দেখলেই দু'হাতের দুই আঙুল উঁচু করে বলে– "যে যে যে।" মানুষ কাউকে কিছু দেখাতে চাইলে এক আংগুল দিয়ে দেখায়–সুপ্রভা দু'হাতের দু'আংগুলে দেখায়। এটাও তার কাছে বিস্ময়কর মনে হয়।

সুপ্রভা ইমনকে দেখা মাত্র দু'হাতের দুই আংগুল উঁচু করে তাকে দেখাল এবং ক্রমাগত বলতে লাগল, যে যে যে।

সুরাইয়া বলল, কোথায় ছিলি?

ইমন ভীত গলায় বলল, বারান্দায়।

'রান্নাঘরে গিয়ে বলতো আমাকে চিনি দুধ ছাড়া লিকার দিয়ে এক কাপ চা দিতে। লেবু যেন না দেয়। চায়ের মধ্যে লেবুর গন্ধ–অসহ্য।'

'তোমার জ্বর কমেছে মা?'

সুরাইয়া বিরক্ত গলায় বলল, আমার জ্বরের খবর তোকে নিতে হবে না। যা করতে বলছি কর। তোর গলা খালি কেন? মাফলার যে একটা দিয়েছিলাম সেটা কই? ঠাণ্ডা লাগিয়ে রাতে যদি খুক খুক করে কাশিস তাহলে গলা চেপে ধরব। তখন বুঝবি কত ধানে কত চাল। যা এখন সামনে থেকে।

ইমন দোতলা থেকে এক তলায় নামছে। নামতে গিয়ে সে লজ্জায় মরে যাচ্ছে কারণ সে নামছে বসে বসে। কেউ দেখলেই হাসবে। বিশেষ করে

৪৯

মিতু যদি দেখে তাহলে সর্বনাশ হবে। খুব হাসাহাসি করবে। এম্নিতেই মিতু তাকে নিয়ে খুব হাসাহাসি করে। তাকে ডাকে ক্যাবলা বাবা। এই অবস্থায় দেখে ফেললে হয়ত আরো ভয়ংকর কোন নামে ডাকবে।

ইমন ঠিকমতই নামল। কেউ তাকে দেখল না। রান্নাঘরে বুয়াকে চায়ের কথা বলল। বুয়া বিরক্ত গলায় বলল, "আমার হাত বন্ধ, এখন চা দেওন যাইব না।" বুয়ার কথা শুনে ইমনের ভয় ভয় লাগছে। বুয়া যদি চা না পাঠায় মা বুয়ার উপর রাগ করবে না তার উপরই রাগ করবে। চড় মারবে বা চুলে ধরে ঝাঁকুনি দিবে। ইমন বিড় বিড় করে বলল, বুয়া মা'র খুব জ্বর। সকালে কিছু খায়নি–এই জন্যে চা চাচ্ছে। দুধ-চিনি-লেবু ছাড়া শুধু লিকার।

'কইলাম না হাত বন্ধ।'

ইমন মন খারাপ করে রান্নাঘর থেকে বের হল। বড় মামার বাড়িতে তারা খুব খারাপ অবস্থায় আছে। কেউ তাদের কোন কথা শুনে না। ইমন যদি কোন কাজের লোককে বলে "এই আমাকে এক গ্লাস পানি দাও।" সে অবধারিত ভাবে না শোনার ভান করে চলে যাবে। কিংবা 'দিতেছি' বলে সামনে থেকে সরে যাবে কিন্তু আর ফিরে আসবে না। আগে এই নিয়ে তার খুব মন খারাপ লাগত। এখন লাগে না।

ইমন বারান্দায় এসে দেখে মিতু বারান্দার পিলারে হেলান দিয়ে কমলা খাচ্ছে। এই শীতে তার গায়ে পাতলা একটা ফ্রক। খুব যারা সাহসী মেয়ে তাদের বোধ হয় শীতও কম লাগে। ইমনের খুব ইচ্ছা করছে মিতুর কাছে যেতে– তবে এখন সে যাবে না, একটু পরে যাবে। মিতুর কমলা খাওয়া শেষ হবার পর যাবে। এখন মিতুর পাশে গিয়ে দাঁড়ালে মিতু ভাবতে পারে সে কমলার লোভে কাছে এসেছে।

মিতুর কমলা খাওয়া শেষ না হওয়া পর্যন্ত সে অন্য দিকে তাকিয়ে থাকবে। এমন ভাব করবে যেন খুব মন দিয়ে কিছু দেখছে।

'এই ক্যাবলা, এই।

মিতু ডাকছে। মিতুর কমলা শেষ হয়নি। হাতে এখনো কয়েকটা কোয়া রয়েছে। ইমন কাছে গিয়ে দাঁড়ালে–একটা দু'টা কোয়া হয়ত তার হাতে দেবে। তখন ইমনকে লোভীর মত লাগবে। আবার নাও দিতে পারে। মিতুর কোন কিছুই ঠিক নেই। ইমন কাছে গেল।

মিতু তাকে কমলার কোন কোয়া দিল না। পুরো কমলা শেষ করে বলল, ক্যাবলা, আজ তোর ছোট চাচা আসবে না?

ইমন বলল, আসতে পারে।

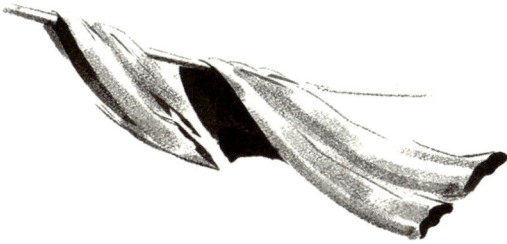

ছোট চাচার কথা ওঠায় ইমনের মন ভাল হয়ে গেল। সে একটু হেসেও ফেলল। আজ শুক্রবার। ছুটির দিন। ছুটির দিনে ছোট চাচা আসে। গত শুক্রবার আসেনি। আজ হয়ত আসবে।

'তোর ছোট চাচাকে দেখতে কেমন লাগে জানিস?'

'কেমন লাগে।'

'অবিকল রাম ছাগলের মত লাগে। দাড়ি রেখেছেতো এই জন্যে। রামছাগলেরও দাড়ি থাকে। হি হি হি।'

ইমনের চোখে প্রায় পানি এসে যাচ্ছে। ছোট চাচাকে কেউ খারাপ বললে তার খুব মন খারাপ লাগে। তাছাড়া দাড়িতে ছোট চাচাকে খুবই সুন্দর লাগে।

মিতু বলল, আমি যখন কমলা খাচ্ছিলাম তখন তুই লোভীর মত তাকিয়ে ছিলি কেন?

'তাকিয়ে ছিলামনাতো!'

'অবশ্যই তাকিয়েছিলি। লোভী কোথাকার। আবার মিথ্যা কথা বলে—মিথ্যুক।'

'আমি মিথ্যুক না। আমি সত্যুক।'

'অবশ্যই তুই মিথ্যুক। বাবা মারা গেছে আবার মিথ্যা কথাও বলে।'

'বাবা মরে নি। বেড়াতে গেছেন, চলে আসবেন।'

'চলে আসবে না হাতী। কোনদিন আসবে না।'

'আসবে।'

'তুই বললেই হবে? সবাই জানে আসবে না। তুই একেতো মিথ্যুক তার উপর বোকা।'

'আমি বোকা না।'

'অবশ্যই তুই বোকা। বোকা এবং ভীরু। সিঁড়ি দিয়ে বসে বসে পা ল্যাছড়ে নামিস। আমি দেখেছি।'

ইমন চোখের পানি সামলাবার চেষ্টা করছে। পারছে না। মিতু বলল, একদিন তুই যখন সিঁড়ি দিয়ে বসে বসে নামছিলি তখন আমি তোর 'ইয়ে'টা দেখে ফেলেছি। দেখতে শাদা কেঁচোর মত-হি হি হি।

ইমনের চোখে এবার পানি এসে গেল। চোখ মুছে সে রওনা হল রান্নাঘরের দিকে। বুয়াকে আরেকবার অনুরোধ করে দেখবে যেন মা'কে সে চা দিয়ে আসে।

মিতু তার ফ্রকের পকেট থেকে আরেকটা কমলা বের করেছে। মেয়েটার মুখ গোলগাল, মাথা ভর্তি ঝাঁকড়া চুল। অসম্ভব সুন্দর চেহারা।

একবার তার দিকে চোখ পড়লে চোখ ফেরানো মুশকিল। এ হচ্ছে সেই ধরনের মেয়ে যাকে দেখলেই কথা বলতে ইচ্ছে করে। মজার ব্যাপার হল, আজ থেকে ঠিক বিশ বছর পর এই মেয়েটি তার বাবার ঘরে ঢুকে অত্যন্ত শান্ত ভঙ্গিতে বলবে-বাবা আমি ইমনকে বিয়ে করতে চাই।

মিতুর বাবা হতভম্ব হয়ে বলবেন, কি বললি?

'যা বলেছি তুমি শুনেছ।'

'তোর কি মাথাটা খারাপ?'

মিতু আগের চেয়েও শান্ত গলায় বলবে, বাবা আমার মাথা খারাপ না। তুমি ব্যবস্থা করে দাও।

সেই গল্প যথাসময়ে বলা হবে। আপাতত আমরা দেখতে পাচ্ছি ইমন তার ছোট চাচার কোলে। সে চাচার ঘাড়ে মুখ লুকিয়ে আছে। নিঃশব্দে কাঁদছে। ফিরোজ বলছে–কেঁদে তুই আমার ঘাড় ভিজিয়ে ফেলছিস। তোর হয়েছেটা কি বলতো? পনেরো দিন পর এসেছি, কোথায় গল্প গুজব করবি–এ রকম করলে আর আসব না। দোতালা থেকে নিচে ফেলে দেব। দিলাম ফেলে দিলাম। এক মিনিটের মধ্যে যদি হাসির শব্দ না শুনি তাহলে কিন্তু সত্যি সত্যি ফেলে দেব!

ইমন হাসতে না পারলেও হাসির মত শব্দ করল। ছোট চাচার একটু মাথা খারাপের মত আছে। সত্যি সত্যি ফেলে দিতে পারে।

সুরাইয়ার জ্বর আরো বেড়েছে। জ্বরের আঁচে মুখ লালচে হয়ে আছে। চোখ জ্বলজ্বল করছে। ফিরোজ বসেছে তার সামনে একটা চেয়ারে। ফিরোজ বলল, ভাবী কেমন আছেন?

সুরাইয়া বলল, ভাল। খারাপ থাকব কেন? খারাপ থাকার মত নতুন কিছুতো হয়নি।

'আপনার জ্বর কি বেশী?'

'জানি না। তোমার খবর বল। ব্যবসাপাতির অবস্থা কি?'

'অবস্থা বেশী ভাল না। খারাপই বলতে পারেন। ব্যবসা করতে ক্যাশ টাকা লাগে। ক্যাশ টাকাতো নেই।'

'তোমার ভাইয়ের টাকা পয়সার খোঁজ নিতে বলেছিলাম খোঁজ নিয়েছ?'

ফিরোজ কিছু বলল না, চুপ করে রইল। এই প্রসঙ্গে আলাপ করতে তার ইচ্ছা করছে না। অফিসে তার ভাইয়ের টাকা পয়সা ভালই আছে। টাকাটা পেতে হলে তার মৃত্যু হয়েছে এই মর্মে প্রমাণ সহ কাগজ পত্র দিতে

হবে। ভাইয়ের মৃত্যু হয়েছে এ জাতীয় কোন কাগজ তার কাছে নেই। একটা মানুষ নিখোঁজ হয়ে গেছে। এই পর্যন্তই। তার আর কোন খোঁজ নেই।

'ভাবী, ইমনের পড়াশোনা কেমন হচ্ছে?'

'জানি না।'

'সুপ্রভাতো দেখতে খুব সুন্দর হচ্ছে।'

'ও সুন্দর হলেই কি আর অসুন্দর হলেই কি? তুমি কি এখনো মেসেই থাক?'

'জ্বি।'

'চিরজীবন কি মেসেই থাকবে? ঘর বাড়ি করবে না, বিয়ে টিয়ে করবে না।'

'ব্যবসার অবস্থা ভাবী খুবই খারাপ।'

'খারাপ হলে কি আর করবে। মেসে মেসে জীবন কাটিয়ে দাও।'

ফিরোজ একটু ঝুঁকে এসে বলল, ভাবী আপনার কাছে আমি একটা আব্দার নিয়ে এসেছি।

সুরাইয়া ভুরু কুঁচকে বলল, কি আব্দার?

'মা'র শরীর খুব খারাপ, প্যারালাইসিস হয়ে গেছে। মনে হয় বাঁচবেন না। আপনাকে খুব দেখতে চাচ্ছেন।'

'আমাকে দেখে কি হবে?'

'মনে হয়ত শান্তি পাবেন।'

'আমাকে দেখে শান্তি পাবার কিছু নেই। আমি কোন শান্তি-বড়ি না।'

'ভাবী, এই ভাবে কথা বলবেন না। আপনি আমার সঙ্গে চলেন। সবাইকে নিয়ে ঘুরে আসি। দীর্ঘ দিন একটা জায়গায় পড়ে আছেন, ঢাকার বাইরে গেলে ভাল লাগবে।'

'আমার ভাল লাগা নিয়ে তোমাকে ভাবতে হবে না।'

'ভাবী, আমি হাত জোড় করছি।'

সুরাইয়া বিরক্ত গলায় বলল, কথায় কথায় হাত জোড় করবে না। এইসব নাটক আমার ভাল লাগে না। আমি কোথাও যাব না।

'তাহলে একটা কাজ করি, ইমনকে নিয়ে যাই?'

'না, ওকে আমি একা কোথাও পাঠাব না?'

'একা কোথায় ভাবী। আমিতো সঙ্গে যাচ্ছি। নিয়ে যাব, একটা দিন থাকব তারপর চলে আসব।'

'না।'

'অনেক দিনতো হয়ে গেল ভাবী এখন একটু স্বাভাবিক হবার চেষ্টা করা উচিত না?'

'আমি স্বাভাবিকই আছি। এরচে বেশী স্বাভাবিক হওয়া আমার পক্ষে সম্ভব না। ফিরোজ, তুমি এখন যাও। শরীর ভাল লাগছে না–কথা বলতে ইচ্ছে করছে না।'

'আমি যাব বৃহস্পতিবার দুপুরে। সকালবেলা এসে একবার খোঁজ নিয়ে যাব?'

'কি খোঁজ নিয়ে যাবে?'

'যদি আপনি যান আমার সঙ্গে, কিংবা ইমনকে দেন।'

'একবারতো 'না' বলেছি–তারপরেও চাপ দিচ্ছ কেন?'

'চাপ দিচ্ছি না ভাবী, অনুরোধ করছি। মা'র শরীর খুবই খারাপ। বাঁচবেন না। ইমনের জন্যে খুব অস্থির। ভাবী আজ উঠি, বৃহস্পতিবার সকালে আসব। যাওয়ার আগে দেখা করার জন্যে আসব। সুপ্রভা কি ঘুমুচ্ছে?'

'হ্যাঁ।'

'ওকে দিন একটু কোলে নিয়ে আদর করি।'

'কোলে নিয়ে আদর করতে হবে না। ঘুম ভেঙ্গে যাবে। ঘুম ভাঙ্গলে বিশ্রী করে কাঁদে। অসহ্য লাগে।'

সুপ্রভার কান্না শুধু না সুরাইয়ার সব কিছুই অসহ্য লাগে। ইমন যখন পড়ার টেবিলে বসে গুনগুন করে সেই গুনগুন কিছুক্ষণ শুনলেই অসহ্য লাগে। আবার সে যখন নিঃশব্দে পড়ে তখন চারদিকের নৈশব্দও অসহ্য লাগে। সবচে বেশী অসহ্য লাগে তার বড় ভাই জামিলুর রহমানকে।

জামিলুর রহমান মাঝে মধ্যে বোনের ঘরে ঢুকেন। নানান বিষয় নিয়ে কথা বলেন। দু'একটা কথা শোনার পরই সুরাইয়ার মাথা ধরে যায়। সুরাইয়া সঙ্গে সঙ্গে বলে "ভাইজান প্রচণ্ড মাথা ধরেছে।" তিনি তারপরেও বসে থাকেন। এক প্রসঙ্গ থেকে আরেক প্রসঙ্গে যান এবং কথা বলতেই থাকেন। বলতেই থাকেন।

'তারপর সুরাইয়া তুই আছিস কেমন বল।'

'ভাল।'

'দিন রাত চব্বিশ ঘন্টা একটা ঘরের ভেতর থাকিস। এর নাম ভাল থাকা? তোরতো পাগল হতে বেশী বাকি নাই।'

'পাগল আমি হব না ভাইজান, পাগল হলে আগেই হতাম। আগে যখন হই নাই এখনো হব না। আশে পাশের সবাইকে পাগল বানাব, কিন্তু নিজে পাগল হব না।'

'এইত একটা কথার মত কথা বলেছিস। নিজে ভাল থাকবি। নিজের ভাল থাকাটাই জরুরী। অন্যের যা ইচ্ছা হোক–নিজে ঠিক থাকলে জগৎ ঠিক। শুনে ভাল লাগল। একটা ঘটনা ঘটলে চিৎ হয়ে পড়ে যেতে হবে না-কি? দুর্ঘটনা মানুষের জীবনে ঘটে না? সব সময় ঘটে।'

'ভাইজান, আমার খুবই মাথা ধরেছে।'

'দিন রাত একটা ঘরে বন্দি হয়ে থাকলে মাথা ধরবে না? মাথা ধরবেই–আমার কথা শোন, মাথা থেকে সব কিছু বাদ দে–আয় আমরা তোর জীবন নিয়ে নতুন করে চিন্তা ভাবনা করি।'

'নতুন চিন্তা ভাবনাটা কি? আমাকে বিয়ে দেবার কথা ভাবছেন?'

"যদি ভাবি–অসুবিধা কোথায়? তোর বয়স অল্প, সারাটা জীবন পড়ে আছে সামনে।"

সুরাইয়া হতভম্ব গলায় বলল, ইমনের বাবা বেঁচে থাকতেই আমি আরেকটা বিয়ে করে ফেলব?

'বেঁচে আছে তোকে কে বলল?'

'মরে গেছে সেটাই বা কে বলল? তা ছাড়া আমি জানি বেঁচে আছে। আর যদি নাও থাকে–বিয়েতো আমি করব না।'

'খুব ভাল একটা ছেলে পেয়েছিলাম। ইণ্ডেটিং-এর ব্যবসা করে। বয়স অল্প। রোড অ্যাকসিডেন্টে স্ত্রী মারা গেছেন।'

'আপনি চান আমি আমার দুই বাচ্চা নিয়ে তার ঘাড় ধরে ঝুলে পড়ি? ভাইজান যখন আপনার মনে হবে আমাদের আর পালতে পারছেন না, অসুবিধা হচ্ছে, তখন বলবেন আমি চলে যাব।'

'কোথায় যাবি?'

'কোথায় যাব সেটা আমার ব্যাপার। ভাইজান এখন আপনি যান, আমার এমন মাথা ধরেছে যে ইচ্ছা করছে দেয়ালে মাথা ঠুকি।'

জামিলুর রহমান সাময়িক ভাবে উঠে চলে যান তবে কিছুদিন পর আবারো আরেকটি ছেলের সন্ধান নিয়ে উপস্থিত হন–

'বুঝলি, ভদ্রলোকের বয়স সামান্য বেশী। মনে হয় ফিফটি ক্রস করেছে তবে ভাল স্বাস্থ্য। চেহারাও সুন্দর। দেখলে মনে হয় বয়স থার্টি ফাইভ, থার্টি সিক্স। হাইলি এডুকেটেড। ইলীনয় ইউনিভার্সিটি থেকে এম. এস. করেছে। আমেরিকান এক মেয়ে বিয়ে করেছিল। বিয়ে টিকে নি। আমেরিকান মেয়ে বুঝতেই পারছিস–বিয়েটা ওদের কাছে একটা খেলা। কিছু দিন Honey Honey বলা তারপর সাপ-নেউলের খেলা।'

সুরাইয়া ভাইকে থামিয়ে দিয়ে বলল, ভাইজান শোনেন আমি আমেরিকান মেয়ে না, আমি বাঙ্গালী মেয়ে এবং বিয়েটা আমার কাছে খেলা

না। আমার একবার বিয়ে হয়েছে। আমার স্বামী আমাকে তালাকও দেয় নি–মরেও যায় নি। আমি আবার বিয়ে করব কেন?

'কোন স্বামী যদি দুই বছর তার স্ত্রীর সঙ্গে যোগাযোগ না রেখে নিরুদ্দেশ থাকে তাহলে সেই বিয়ে অটোমেটিক্যালি তালাক হয়ে যায়।'

'কে বলেছে?'

'মওলানা সাহেব বলেছেন।'

'মওলানা সাহেবদের বিয়ে হয়ত তালাক হয়ে যায়। ইমনের বাবাতো মাওলানা না।'

ইমনের বাবা বেঁচে আছেন, তিনি একদিন ফিরে আসবেন এই বিষয়টা সুরাইয়া মনে প্রাণে বিশ্বাস করে। সুরাইয়ার সঙ্গে সঙ্গে আরো একজন বিশ্বাস করে সে সুরাইয়ার ভাবী–ফাতেমা।

জামিলুর রহমান যেমন অতিরিক্ত চালাক, তার স্ত্রী ফাতেমা তেমনি অতিরিক্ত বোকা। জগতের বোকারা ভালমানুষ ধরনের হয়। ফাতেমা বেগম তা না। ভালমানুষী কোন ব্যাপারই তার মধ্যে নেই। সুরাইয়া তার পুত্র কন্যা নিয়ে এই সংসারে সিন্দাবাদের ভূতের মত চেপে আছে–এই ব্যাপারটা তার কাছে অসহনীয় লাগে। বোকা মানুষ বলেই তিনি মনের ভাব গোপন রাখেন না–সরাসরি বলেন। পানের পিক ফেলে গম্ভীর গলায় বলেন, একটা কিছু ব্যবস্থাতো নেওয়া দরকার। আর কত দিন। আমার ছেলেপুলে বড় হচ্ছে।

তারপরেও সুরাইয়া তার ভাবীকে খুব পছন্দ করে কারণ ফাতেমারও ধারণা ইমনের বাবা বেঁচে আছে। কোন একদিন ফিরে আসবে।

সেই কোন একদিনটা কবে? সেটা ফাতেমা জানেন না। সুরাইয়াও জানে না। সুরাইয়ার কেন জানি মনে হয় লোকটা ফিরবে গভীর রাতে। হয়ত ঝুপ ঝুপ করে বৃষ্টি পড়ছে। এর মধ্যেই ভিজতে ভিজতে উপস্থিত হবে। সুরাইয়া দরজা খুলে দেবে। সে ঢুকবে খুব সহজ ভাবে। যে কোন পরিস্থিতিতে স্বাভাবিক থাকা হচ্ছে লোকটার স্বভাব। সে তার স্বভাব মত বলবে, দেখি, একটা তোয়ালে দেখি। মাথাটা ভিজে গেছে। সুরাইয়া তোয়ালে এগিয়ে দেবে। মানুষটা মাথা মুছতে মুছতে বলবে, তুমি কেমন আছ?

সে বলবে, ভাল।

'এত রোগা লাগছে কেন, শরীর খারাপ?'

সেও সহজ ভাবেই বলবে, না শরীর ঠিকই আছে। যে যেমন তার সঙ্গে সে রকম আচরণই করতে হয়। মানুষটা এক পর্যায়ে বিছানার দিকে তাকিয়ে বলবে, ইমনের পাশে শুয়ে আছে এই ছোট মেয়েটা কে?

'ওর নাম সুপ্রভা।'

'সুপ্রভা কে?'

'সুপ্রভা হল ইমনের ছোট বোন।'

'বল কি? সুন্দর হয়েছেতো!'

'হ্যাঁ সুন্দর হয়েছে। ওকে ডেকে তুলব, কোলে নেবে?'

'না থাক, ঘুম ভাঙ্গিয়ে দরকার নেই। ইমনতো দেখি অনেক বড় হয়েছে।'

'বড়তো হবেই। তুমি কি ভেবেছিলে যে রকম রেখে গেছ ফিরে এসে সে রকম দেখবে?'

মানুষটা কথা ঘুরাবার জন্যে বলবে, 'ঠাণ্ডা লেগে গেছে, চা খাওয়াতে পারবে।'

'অবশ্যই পারব। কেন পারব না। তুমি ভাত খাবে না?'

'হ্যাঁ খাব। ভাতও খাব। গোসল করতে হবে, সাবান দাওতো।'

'ভাত খাবার আগেই চা খাবে, নাকি ভাত খাবার পর চা খাবে?'

'চা খেয়ে গোসল খানায় ঢুকব। আচ্ছা, এই বাড়িটা কার?'

'আমার বড় ভাইয়ের বাড়ি।'

'বাড়িতো বেশ বড়।'

মানুষটা চেয়ারে চুপচাপ বসে থাকবে–সুরাইয়া যাবে চা বানাতে। শুধু চা বানালে হবে না। ভাত চড়াতে হবে। গরম ভাত। ভাতে এক চামচ ঘি, ডিম ভাজা। ডিম ভাজার সঙ্গে শুকনো মরিচ ভাজা। নতুন আলু ডোবা তেলে মচমচে করে ভাজা! মানুষটার খুব প্রিয় খাবার।

সুরাইয়া রোজ রাতে দীর্ঘ সময় নিয়ে কাল্পনিক কথোপকথন চালায়। একেক রাতের কথাবার্তা হয় একেক রকম। রাতের এই কথোপকথন অংশটা তার বড় ভাল লাগে।

ইমন অন্ধকারে সিঁড়িঘরের নিচে দাঁড়িয়ে কাঁদছে। জায়গাটা বিশ্রী রকমের অন্ধকার, সেই কারণে তার ভয় লাগছে। আবার অন্ধকার থেকে বারান্দায় আলোতে আসতে পারছে না। সে পেনসিল হারিয়ে ফেলেছে। স্কুলের ব্যাগ গুছাতে গিয়ে ধরা পড়েছে পেনসিল নেই। এই দুঃসংবাদ মা'কে না দিয়ে উপায় নেই। সে মা'কে বলল।

সুরাইয়া ধমক ধামক কিছুই দিল না। শান্তগলায় বলল, যেখান থেকে পার পেনসিল খুঁজে আন। পেনসিল না এনে আজ ঘুমুতে পারবে না।

ঘন্টা খানিক আগে সে মা'র ঘরে উঁকি দিয়েছিল। সুরাইয়া তাকে দেখেই বলল, পেনসিল পেয়েছ?

ইমন বলল, না।

'পেনসিল পাওনি তাহলে এসেছ কেন? বললাম না, পেনসিল না পেলে আসবে না। কথা কানে যায় না? বাঁদর ছেলে।'

রাত দশটার মত বাজে। অন্যদিন এই সময়েও বাড়ি গমগম করে, আজ মনে হয় সবাই শুয়ে পড়েছে। বাড়ি নিঝুম। ইমন কি করবে বুঝতে পারছে না। এ বাড়িতে যদি ছোট চাচা থাকতেন তাহলে তাঁকে কানে কানে বললেই–যত রাতই হোক তিনি দোকান থেকে পেনসিল কিনে আনতেন। ছোট চাচা নেই। এখন যে সে কাঁদছে, ভয়ে কাঁদছে না–ছোট চাচার জন্যে কাঁদছে। কাঁদতে কাঁদতেই তার মনে হল–বাবা থাকলে বাবা কি তার পেনসিল কিনে আনতেন? বলা যাচ্ছে না। বাবা কেমন ছিলেন, তিনি কি করতেন সে দ্রুত ভুলে যাচ্ছে। বাবার চেহারাও এখন তার মনে নেই, শুধু মনে আছে বাবা খুব ফর্সা ছিলেন। আগের বাড়িতে বাবা–এবং মা'র একটা ছবি ছিল ড্রেসিং টেবিলে সাজানো। সেই ছবিটা এ বাড়িতেও নিশ্চয়ই আছে, কিন্তু মা ট্রাংকে রেখে দিয়েছেন। ছবিটা সাজানো নেই। ছবি সাজানো থাকলে সে মাঝে মাঝে দেখত।

'কে? কে বসে আছে?'

ইমন চমকে উঠল– মিতু। অন্ধকারে পা টিপে টিপে কখন যে সামনে এসেছে সে বুঝতেই পারেনি।

'ক্যাবলা, তোর কি হয়েছে?'

চোখ মুছতে মুছতে ইমন বলল, পেনসিল হারিয়ে ফেলেছি।

'পেনসিল হারিয়ে ফেললে এখানে বসে কাঁদছিস কেন?'

ইমন জবাব দিল না। মিতু বলল, ফুপু বকা দিয়েছে?

'হুঁ।'

'কি বলেছে পেনসিল না পেলে ঘরে ঢুকতে পারবি না!'

'হুঁ।'

'কি রঙের পেনসিল?'

'হলুদ।'

'আচ্ছা আমি এনে দিচ্ছি। একটা কথা শোন, তোর যদি কিছু হারিয়ে যায় আমাকে বলবি আমি এনে দেব। একা একা বসে কাঁদবি না।'

ইমন ধরা গলায় বলল, আচ্ছা।

মিতু দু'টা পেনসিল এনে দিল–একটা হলুদ, একটা সবুজ। হলুদটা স্কুল ব্যাগে রাখবে, সবুজটা কোথাও লুকিয়ে রাখবে। যদি আবারো পেনসিল হারায় তখন কাজে লাগবে।

সুরাইয়া ইমনকে ঘরে ঢুকতে দেখে বলল, পেনসিল পাওয়া গেছে? ইমন হ্যাঁ সূচক মাথা নাড়ল। সুরাইয়া বলল, আবার যদি কিছু হারায় টেনে তোমার কান আমি ছিঁড়ে ফেলব, বাঁদর ছেলে। আমি বাবার নাম ভুলিয়ে দেব। বাবা নেই, বাবার নাম মনে রেখে কি হবে? যাও হাত মুখ ধুয়ে ঘুমুতে আস।

ইমন বাথরুম থেকে হাত মুখ ধুয়ে ঘুমুতে এল। আগে মাঝখানে ঘুমুতেন সুরাইয়া, তারা দুই ভাই বোন দুপাশে ঘুমুতো। এক রাতে সুপ্রভা গড়াতে গড়াতে খাট থেকে পড়ে গেল। তার পর থেকে সুপ্রভা মাঝখানে শোয়। শোয়ার এই ব্যবস্থাটা তার খুব ভাল লাগে। মাঝে মাঝে সুপ্রভাকে হাত দিয়ে ছোঁয়া যায়। সুপ্রভা যখন জেগে থাকে তখন তাকে হাত দিয়ে ছুঁলে খুব মজার একটা কাণ্ড হয়, সুপ্রভা খিল খিল করে হাসতে থাকে। সেই হাসি আর থামে না। যে কেউ হাত দিয়ে ছুঁলে সুপ্রভা এমন করে না। শুধু ইমন হাত দিয়ে ছুলেই এমন করে। যেন তার হাতে হাসির কোন ওষুধ আছে। ইমন নিজে যখন সুপ্রভার মত ছোট ছিল তখন সেও কি এরকম করতো? মা'কে জিজ্ঞেস করতে ইচ্ছা করছে কিন্তু সাহসে কুলাচ্ছে না। ছোট চাচাকে জিজ্ঞেস করতে হবে।

'ইমন।'

'জ্বি মা।'

'স্কুলে পড়াশোনা কেমন হচ্ছে?'

'ভাল।'

'আকাশ ইংরেজী কি?'

'স্কাই।'

'বানান কর।'

'এস কে ওয়াই।'

'আকাশ নীল ইংরেজী কি?'

'দ্যা স্কাই ইজ ব্লু।'

'মাঝে মাঝে যে আমি তোমার উপর খুব রাগ করি তখন কি মন খারাপ হয়?'

'না।'

'মিথ্যা কথা বলছ কেন? যদি মন খারাপ হয় বলবে, মন খারাপ হয়। কি হয়?'

'হ্যাঁ হয়।'

'শোন, আমি নিজে নানান দুঃখ কষ্টে থাকিতো এই জন্য এমন ব্যবহার করি। আদর করা কি জিনিস ভুলে গেছি। যে আদর পায় না, সে আদর করতেও পারে না। বুঝতে পারছ?'

'হুঁ।'

'তোমার বাবাও কিন্তু আদর করতে পারত না। সব মানুষ সব কিছু পারে না। তোমার বাবা কি ভাবে তোমাকে আদর করত মনে আছে?'

'না।'

'সে অফিস থেকে এসে তোমাকে কোলে নিয়ে পাঁচ মিনিট হাঁটাহাঁটি করত– এইটাই তার আদর। চুমু খাওয়া, কিংবা উপহার কিনে দেয়া এইসব তার স্বভাবে ছিল না। তুমি বড় হয়ে কার মত হবে তোমার বাবার মত হবে?'

'না।'

'তাহলে কার মত হবে?'

'ছোট চাচার মত।'

'কেউ কারো মত হতে পারে না। সবাই হয় তার নিজের মত। তুমি হাজার চেষ্টা করেও তোমার ছোট চাচার মত হতে পারবে না, কিংবা তোমার বাবার মত হতে পারবে না। সব মানুষই আলাদা।'

'কচ্ছপ, কচ্ছপরাও কি আলাদা?'

'হঠাৎ কচ্ছপের কথা এল কেন? আর কোন কথা না, ঘুমাও।'

'আচ্ছা।'

'ও ভালকথা, তোমার ছোট চাচা তোমাকে নিয়ে দেশের বাড়িতে বেড়াতে যেতে চায়। তুমি কি যেতে চাও?'

আনন্দে ইমনের কথা বন্ধ হয়ে গেল। তার ইচ্ছা করছে চিৎকার করে কেঁদে উঠতে। এমন চিৎকার যেন সুপ্রভারও ঘুম ভেঙ্গে যায়। ভয় পেয়ে সেও যেন কাঁদতে থাকে।

'কথা বলছ না কেন, যেতে চাও না?'

'চাই।'

'একা একা যেতে ভয় লাগবে না?'

'না।'

'আমাকে ফেলে রেখে যাবে কষ্ট হবে না?'

'না।'

'সেকি –আমাকে, সুপ্রভাকে ফেলে চলে যাচ্ছ, কষ্ট হবে না?'

'সুপ্রভার জন্যে হবে।'

'সুপ্রভাকে তোমার আদর লাগে?'

'হুঁ।'

'আচ্ছা অনেক কথা হয়েছে, এখন ঘুমাও। না-কি একটা গল্প শুনতে চাও?'

ইমন গল্প শুনতে চাচ্ছে না, কিন্তু বুঝতে পারছে কোন একটা অদ্ভুত কারণে তার মা'র মন খুব ভাল। মা গল্প বলতে চাচ্ছেন। সেই অদ্ভুত কারণটা কি?

'গল্প শুনতে চাও?'

'চাই।'

'একদেশে ছিল এক রাজ কন্যা। রাজকন্যা ছিল বন্দিনী। তার জীবনটা কাটছিল চারদেয়ালের মধ্যে। তার মুক্তির একটাই পথ–যদি কোন সাহসী রাজপুত্র বাঘের চোখ দিয়ে মালা গেঁথে রাজকন্যার গলায় পরিয়ে দেয় তবেই রাজকন্যা মুক্তি পাবে। গল্পটা কেমন লাগছে ইমন?'

ইমন ফিস ফিস করে বলল, 'খুব ভাল লাগছে'। আসলে গল্পটা তার মোটেই ভাল লাগছে না। বাঘের চোখের মালার কথা ভাবতেই তার ঘেন্না লাগছে। সে চোখের সামনে দেখতে পাচ্ছে–অনেকগুলি বাঘ গভীর জঙ্গলে ঘুরে বেড়াচ্ছে, এদের কারোরই চোখ নেই। ভয়ংকর এক রাজপুত্র তাদের চোখ উপড়ে নিয়েছে। অন্ধ বাঘের দল ঘুরে বেড়াচ্ছে।

'ঘুমিয়ে পড়েছ?'

'না।'

'তাহলে শোন–বন্দিনী রাজকন্যাকে উদ্ধারের জন্যে এক রাজপুত্র বের হল বাঘের সন্ধানে। তার খুব সাহস। সে দেখতেও খুব সুন্দর।'

'মা তার নাম কি?'

'ও আচ্ছা, তার নামতো বলা হয়নি। রাজপুত্র যেমন সুন্দর তার নামটাও খুব সুন্দর–রাজপুত্রের নাম ইমন কুমার। নামটা সুন্দর না।'

ইমনের খুব লজ্জা লাগছে। রাজপুত্রের নাম আর তার নাম একই। ইমনের খুব ইচ্ছা করছে মা'র গায়ে হাত রেখে শুয়ে থাকতে। সেটা সম্ভব না–মাঝখানে সুপ্রভা শুয়ে আছে।

'ইমন।'

'হুঁ।'

'বাবা ঘুমাও। আমার গল্প বলতে আর ভাল লাগছে না।'

সুরাইয়ার শুধু যে ভাল লাগছে না তা না, তার মনটাই খারাপ হয়ে গেছে। সে পুরোপুরি নিশ্চিত ছিল গল্পের মাঝখানে ইমন বলবে—মা, এই গল্পটা আমি জানি। তুমি অন্য গল্প বল। এই গল্প ইমনের বাবা ইমনকে বলেছিলেন। ছেলের সেই গল্পের কথা মনে নেই। বাবাকে এত দ্রুত সে ভুলে যাচ্ছে। এত দ্রুত?

নিজেকে ইমনের খুব বড় মনে হচ্ছে। যেন হুট করে একদিনে অনেক বড় হয়ে গেছে। সে সবাইকে রেখে একা একা গ্রামের বাড়িতে যাচ্ছে। ছোট চাচা অবশ্যি সঙ্গে যাচ্ছেন তারপরেও সে একা একা যাচ্ছে–এটা ভাবা যায়! ইমনের হাতে ছোট্ট ব্যাগ। ব্যাগে জামা কাপড়। টুথপেষ্ট, টুথব্রাস। একটা চিরুনী।

সুরাইয়া ছেলের হাতে দু'টা দশ টাকার নোট দিল। ইমন সেই নোট দু'টা গম্ভীর ভঙ্গিতে সার্টের পকেটে নিল। সুরাইয়া বলল, খুব সাবধানে থাকবে।

ইমন মাথা কাত করল।

'গ্রামে অনেক পুকুর-টুকুর আছে। সাবধান, একা একা পুকুরে যাবে না। জঙ্গল টঙ্গলেও যাবে না, সাপ খোপ আছে। মনে থাকবে?'

'হুঁ।'

'আচ্ছা তাহলে যাও। রাতে ছোট চাচার সঙ্গে থাকবে। বাথরুম পেলে তাকে জাগাবে–গ্রামের বাথরুম দূরে হয়।'

'আচ্ছা।'

'বাহ্, আমাদের ইমন কুমারকেতো খুব স্মার্ট লাগছে। কাছে এসো কপালে চুমু খেয়ে দি।'

ইমন কাছে গেল। মা যখন কপালে চুমু খেলেন তখন হঠাৎ তার মনে হল–মা'কে ছেড়ে সে থাকতে পারবে না। গ্রামেব বাড়িতে না গেলেই সবচে ভাল হয়। ইচ্ছাটা হল খুব অল্প সময়ের জন্যে।

ট্রেনে উঠে ইমনের মনে হল সে শুধু বড় না, অনেক বড় হয়ে গেছে কারণ ছোট চাচা তার ট্রেনের টিকিট তার হাতে দিয়েছেন। টিকিট দেয়ার সময় বলেছেন–"হারাবি না, হারালে টিকেট চেকার ফাইন করে দেবে।" ইমনকে ছোট চাচার কোলে বসতে হল না। তার জন্যে জানালার কাছে আলাদা সীট। ছোট চাচা চা খেলেন, সেও খেলো। ঠিক বড়দের মত আলাদা কাপে। ট্রেনের জানালা দিয়ে দৃশ্য দেখতে তার কি যে ভাল

লাগছিল। মনে হচ্ছিল সে সারাজীবন ট্রেনে কাটিয়ে দিতে পারবে। এরমধ্যে ছোট চাচা বললেন–এই যে মিষ্টার হার্ড নাট। আমার ঘুম পাচ্ছে আমি ঘুমাব। তোর দায়িত্ব হচ্ছে ষ্টেশনের নাম পড়তে পড়তে যাওয়া। যখন দেখবি ষ্টেশনের নাম নান্দাইল রোড তখন আমাকে ডেকে তুলবি। ট্রেন ষ্টেশনে ঢুকতেই জানালা দিয়ে মাথা বের করে ষ্টেশনের নাম পড়া কি রোমাঞ্চকর ব্যাপার।

গ্রামের বাড়ি দেখে ইমন আনন্দে অভিভূত হল। কি অদ্ভুত বাড়ি। টিনের চাল। ছোট ছোট জানালা। চারদিকে এত গাছপালা যেন মনে হয় জঙ্গলের ভেতর বাড়ি। একটা কুমড়ো গাছ বাড়িটার চালে উঠে গেছে। সেই গাছ ভর্তি কুমড়ো। উঠোনে সত্যিকার একটা মা ভেড়া চারটা বাচ্চা নিয়ে বসে আছে। ইমন যখন তার সামনে দাঁড়াল ভেড়াটা একটুও ভয় পেল না। বাচ্চা ভেড়াদের একটা আবার এসে ইমনের গা শুঁকতে শুরু করল।

বিস্ময়ের উপর বিস্ময় বাড়িতে দু'টা রাজ হাঁস। তারা গলা উঁচু করে কি গম্ভীর ভাবে হাঁটছে। দেখলেই আদর করতে ইচ্ছে করে। ছোট চাচা অবশ্যি বললেন, রাজ হাঁস দু'টা খুবই ত্যাদড়। খবরদার কাছে যাবি না। কামড় দেয়। কি অদ্ভুত কথা, হাঁস আবার মানুষকে কামড় দেয়। হাঁস কি কুকুর না-কি যে কামড়াবে?

আকলিমা বেগম নাতীকে দেখে ডাক ছেড়ে কাঁদতে শুরু করলেন। কাঁদেন আর একটু পর পর বলেন, আমার ইমইন্যা আইছে। তোমরা কে কই আছ– দেইখ্যা যাও আমার ইমইন্যা আইছে। দাদীর কান্না দেখে ইমনের লজ্জা লাগছে–আবার ভালও লাগছে। সে কিছুতেই বুঝতে পারছে না এমন বুড়ো একজন মানুষ তার মত ছোট্ট একজনকে এত ভালবাসে কেন। দাদীজানের শরীর অবশ। শুধু ডান হাতটা নাড়াতে পারেন। সেই হাতে তিনি ইমনকে ধরে আছেন। কিছুতেই ছাড়ছেন না। হাতে ন্যাপথলিনের গন্ধ। বুড়ো মানুষদের হাতে কি ন্যাপথলিনের গন্ধ হয়?

ইমনের সারাটা দিন কাটল ভয়াবহ উত্তেজনায়। দু'বার তাকে রাজহাঁস তাড়া করল। এতে ভয় যেমন লাগছিল মজাও লাগছিল।

বড়ই গাছে উঠে সে নিজের হাতে পাকা বড়ই পেড়ে খেলো। বড়ই গাছে নিজে নিজে ওঠা কঠিন তবে ছোট চাচা একটা টেবিল এনে গাছের সঙ্গে লাগিয়ে দিলেন। টেবিল থেকে চট করে গাছে ওঠা যায়। তবে খুব বেশী দূর ওঠা যায় না। গাছ ভর্তি কাঁটা।

ছোট চাচা কামরাঙ্গা গাছের ডালে একটা দোলনা টানিয়ে দিলেন। খুব অদ্ভুত দোলনা–চেয়ার দোলনা। একটা চেয়ারের হাতলের সঙ্গে দড়ি বেঁধে গাছের ডালে ঝুলিয়ে দেয়া! কি যে মজার দোলনা। মনে হয় চেয়ারে বসে আছে, সামনে টেবিল। চেয়ার এবং টেবিল দু'টাই দুলছে।

তারপর সে ছোট চাচার সঙ্গে গেল ছিপ ফেলে পুকুরে মাছ ধরতে। দুজনের হাতে দু'টা ছিপ। ছোট চাচার বড় ছিপ, তার ছোট ছিপ। মাটি খুঁড়ে কেঁচো বের করে, কেঁচো দিয়ে টোপ দেয়া হল। খুবই ঘেন্নার কাজ। মাছ মারতে হলে একটু ঘেন্নার কাজ করতেই হয়। ঢাকার কেউ বিশ্বাস করবে না, কিন্তু ঘটনা একশ ভাগ সত্যি। ইমন তার ছিপে একটা সরপুটি মাছ ধরে ফেলল। মাছটা ধরে তার এত আনন্দ হল যে শব্দ করে কেঁদে ফেলল। ছোট চাচা বিরক্ত হয়ে বললেন, আরে গাধা! মাছ ধরে কাঁদছিস কেন? এখানে কাঁদার কি হল? মাছ ধরতে না পেরে কাঁদলেও একটা ব্যাপার ছিল। এত বড় মাছ ধরে ফিঁচ ফিঁচ কান্না। ছিঃ।

নিজের মারা সরপুটি মাছ ভাজা দিয়ে সে দুপুরে ভাত খেল। আরো অনেক খাবার ছিল, মুরগীর মাংসের কোরমা ছিল, ডিমের তরকারী ছিল–তার আর কিছুই খেতে ইচ্ছে করল না।

পরদিন আরো বিস্ময়কর ঘটনা ঘটল। ছোট চাচা বললেন, আয় তোকে সাঁতার শিখিয়ে দি। এক দিনে সাঁতার। আমি সাঁতার শিখানোর একজন ওস্তাদ।

সাঁতার শিখতে হলে প্রথম কোন কাজটা করতে হয় বল দেখি?'

'জানি না।'

'প্রথম পানিতে নামতে হয়। পানিতে না নেমেও সাঁতার শেখা যায়। সেই সাঁতারের নাম শুকনা সাঁতার। স্থলে বেঁচে থাকার জন্যে এই সাঁতার খুবই প্রয়োজনীয়। বেশীর ভাগ মানুষ শুকনা সাঁতার জানে না বলে স্থলে ভেসে থাকতে পারে না।'

'তুমি পার?'

'না, আমিও পারি না।'

ইমন ভয়ে ভয়ে চাচার হাত ধরল। পুকুরটাকে খুব গহীন মনে হচ্ছে। পানি কি পরিষ্কার-টলটল করছে। ফিরোজ বলল, ঝুপ করে পানিতে নাম। একদিনে সাঁতার।

ইমন অবাক হয়ে বলল, সত্যি সত্যি একদিনে সাঁতার শিখব।

'তোর যদি ইচ্ছা থাকে শিখতে পারবি। ইচ্ছা আছে?'

'আছে।'

'পানিতে আমার সঙ্গে নামবি কিন্তু পানিকে ভয় করতে পারবি না। পানিকে ভয় করলে একদিনে সাঁতার শিখতে পারবি না। শুধু মনে রাখবি আমি যখন আছি তখন তুই ডুববি না। আমি ধরে ফেলব। আমার উপর বিশ্বাস রাখতে হবে। পারবি বিশ্বাস রাখতে?'

'পারব।'

'তাহলে আয়। শুরু করা যাক। প্রথম এক ঘন্টা শুধু পানিতে দাপাদাপি করবি আমি তোর পেটে হাত দিয়ে তোকে ভাসিয়ে রাখব।'

ফিরোজ ইমনকে ভাসিয়ে রাখছে। ইমন প্রাণপণে দাপাদাপি করছে। প্রথমে একটু শীত লাগছিল, দাপাদাপির কারণে এখন আর শীত লাগছে না। ইমনের মনে হচ্ছে সে তার বাকি জীবনটা পানিতে দাপাদাপি করে কাটিয়ে দিতে পারবে। সঙ্গে শুধু একজনকে লাগবে যে তাকে ভাসিয়ে রাখবে। ছেড়ে দেবে না।

ইমন দু'ঘণ্টার মাথায় সত্যি সত্যি সাঁতার কাটল। ইমনের চেয়েও অনেক বেশী অবাক হল ফিরোজ। সে মুগ্ধ গলায় বলল–হার্ড নাট! তুইতো সত্যি হার্ড নাট! সত্যি সত্যি একদিনে সাঁতার শিখে ফেললি? তুইতো বড় হয়ে গেছিসরে ব্যাটা!

গ্রামের বাড়ি থেকে ফেরার সময় ইমনের এত মন খারাপ হল যে বলার নয়। বিদায়ের দিন আকলিমা বেগম নাতীকে জড়িয়ে ধরে বসে রইলেন। এক ফোঁটাও চোখের জল ফেললেন না। বিদায়ের সময় চোখের জল ফেলতে নেই, অমঙ্গল হয়। এম্নিতেই এই পরিবারে অমঙ্গলের ছায়া পড়ে আছে। আকলিমা বেগম ধরা গলায় বললেন, ইমইন্যা।

ইমন বলল, জ্বি দাদীমা।

'তোরে একটা কথা বলি–তুই যখন বড় হইয়া বিয়া করবি তখন বউরে নিয়া আসবি। আমিতো বাঁইচ্যা থাকব না। তোরা দুইজনে আমার কবরের সামনে খাড়াবি।'

ইমন মাথা কাত করে বলল, জ্বি আচ্ছা।

'তোর লাগি আমি আল্লাহ পাকের কাছে খাস দিলে দোয়া করছি। আমার দোয়া আল্লাহপাক কবুল করছেন।'

আকলিমা বেগম নাতীর হাতে কাপড়ে মোড়া একটা ছোট্ট উপহার তুলে দিলেন।

জামিলুর রহমান সাহেবের বাড়িতে আজ ভয়াবহ উত্তেজনা। তিনি অফিসে যাননি। বারান্দার বেতের চেয়ারে বসে আছেন। হাতে মোটা একটা দড়ি। তার সামনের টেবিলে চা দেয়া হয়েছে। তিনি চা খাচ্ছেন না। চা ঠান্ডা হচ্ছে। আজ টোকন-শোভন দুই ভাইকে শাস্তি দেয়া হবে। এই শাস্তি মাঝে মধ্যেই দেয়া হয়। শাস্তি প্রক্রিয়া ভয়াবহ।

ফাতেমা চিন্তিত মুখে হাঁটাহাঁটি করছেন। শোভন টোকনকে ঘরে ঢুকিয়ে তালা মেরে দেয়া হয়েছে। যথা সময়ে তালা খুলে জামিলুর রহমান সেই ঘরে দড়ি হাতে ঢুকবেন। ভেতর থেকে দরজা বন্ধ করে দেবেন। পরের এক ঘণ্টা ভেতর থেকে পশুর গোংগানীর মত শব্দ আসবে।

ফাতেমা স্বামীর সামনে দাঁড়ালেন। নিচু গলায় বললেন, চা ঠান্ডা হয়ে গেছে। আরেক কাপ বানিয়ে দেব?

'জামিলুর রহমান বললেন, না।'

'ওরা কি করেছে।'

'কি করেছে তোমার জানার দরকার নেই।'

ফাতেমা প্রায় ফিস ফিস করে বললেন, ছেলেমানুষ।

জামিলুর রহমান বললেন, দু'দিন পর এস.এস.সি পরীক্ষা দেবে। ছেলেমানুষ মোটেই না। দাড়ি গোঁফ উঠে গেছে–ছেলেমানুষ কি?

তুমিতো সকালে চা খাও নি। চা বানিয়ে দিচ্ছি, চা খাও, তারপর যা ইচ্ছা কর। তুমি বাবা, তুমিতো শাসন করতেই পার। আমার এই অনুরোধটা রাখ।

জামিলুর রহমান বললেন, যাও, চা আন। ফাতেমাকে যত বোকা মনে হয় তত বোকা তিনি বোধ হয় না। চা বানানোর কথা বলে তিনি সময় নিচ্ছেন। যত সময় যাবে রাগ তত পড়বে। চা বানিয়ে সুপ্রভার হাতে দিয়ে পাঠাতে হবে। মানুষটা এক মাত্র সুপ্রভার সঙ্গে সহজভাবে কথা বলে। সুপ্রভা হাত নেড়ে নেড়ে কি সব গল্প করে–মানুষটা আগ্রহ নিয়ে শুনে। সুপ্রভাকে বলতে হবে মজার কোন দীর্ঘ গল্প সে যেন শুরু করে।

ফাতেমা নিজেই চা বানাতে গেলেন। অনেক দিন চুলার পাশে যান না। শরীর ক্রমেই ভারী হয়ে যাচ্ছে। আগুনের আঁচ আজকাল আর সহ্য হয় না। মাথা দপ দপ করে।

তালাবন্ধ ঘরের খাটে শোভন টোকন বসে আছে। শোভনকে মোটেই চিন্তিত মনে হচ্ছে না। তবে টোকন ভয় পেয়েছে। তার মধ্যে ছটফটানির ভাব স্পষ্ট। সে বারবারই বন্ধ দরজার দিকে তাকাচ্ছে।

তাদের অপরাধ মোটামুটি গুরুতর। এই অপরাধ আগে কয়েকবার করেছে, ধরা পড়ে নি। আজ সকালে ধরা পড়ে গেছে। ধরা পড়ার কোন কারণ ছিল না। দুই ভাইয়ের হিসেবে সামান্য গন্ডগোল হয়ে গেছে।

জামিলুর রহমান সকালবেলা বাথরুমে অনেকখানি সময় কাটান। তিনি খবরের কাগজ নিয়ে বাথরুমে ঢুকেন এবং কাগজ শেষ করে বের হন। খুব কম করে হলেও পনেরো মিনিট সময় লাগে। বাবার কোটের পকেট থেকে মানিব্যাগ বের করে কিছু টাকা সরানোর জন্যে এই সময়টা যথেষ্ট। তারা তাই করল। কিন্তু সামান্য গন্ডগোল হয়ে গেল। মানিব্যাগ থেকে টাকা বের করার সময় জামিলুর রহমান শোবার ঘরে ঢুকলেন। জামিলুর রহমান বললেন, তোরা আয় আমার সঙ্গে। তারা বাবার সঙ্গে গেল। এইখানে আরো একটা ভুল করা হল। তারা দৌড়ে পালিয়ে যেতে পারত। পালিয়ে যাওয়া হল না। জামিলুর রহমান দুই ছেলেকে ঘরে ঢুকিয়ে বাইরে থেকে তালা দিয়ে দিলেন।

শোভনের পানির পিপাসা পেয়েছে। শাস্তি কখন শুরু হবে বলা যাচ্ছে না, পানি খেয়ে নিতে পারলে ভাল হত। পেছনের দিকের জানালাটা খোলা। সেই জানোলা দিয়ে এক জগ পানি যদি কেউ দিত। শোভন খাট ছেড়ে জানালার পাশে এসে দাঁড়াল। জানালায় লম্বা করে শিক বসানো। একটা শিক বাঁকানো কোন কঠিন কাজ না। শাবল দিয়ে চাড় দিলেই শিক বাঁকবে। দারোয়ান ভাইয়ের ঘরে শাবল আছে।

জানালার পাশে ইমনের মুখ দেখা গেল। ভয়ে তার মুখ সাদা হয়ে গেছে। টোকন-শোভন দুই ভাইই তার খুব প্রিয় মানুষ। রাতে সে এই ঘরে তাদের সঙ্গে ঘুমায়। এদের ভয়াবহ শাস্তি কিছুক্ষণের মধ্যে শুরু হবে। ভাবতেই তার বুক শুকিয়ে আসছে। এর আগের বার শোভন অজ্ঞান হয়ে পড়েছিল। ডাক্তার আনতে হয়েছে, স্যালাইন দিতে হয়েছে। আজও নিশ্চয়ই সে রকম হবে।

'ইমন!'

'হুঁ।'

'যা–চট করে এক জগ পানি নিয়ে আয়।'

ইমন ছুটে গেল পানি আনতে। পানির জগ শিকের ফাঁক দিয়ে ঢুকছে না। সে জগ বদলে দু'টা পানির বোতল নিয়ে এল। শোভন বলল, বাবা কি করছে রে?

'চা খাচ্ছেন।'

'হাতে দড়ি আছে?'

'হুঁ।'

'তুই একটা কাজ কর। দারোয়ান ভাইয়ের ঘর থেকে শাবলটা নিয়ে আয়। শাবল দিয়ে শিকে চাড় দিয়ে শিক বাঁকিয়ে ফেলবি। আমরা পগার পার হয়ে যাব। পারবি না?'

'পারব।'

'তাহলে দেরি করিস না।'

ইমন শাবল আনতে ছুটে গেল। জানালার শিক বাঁকানোর কাজটা খুব সহজেই হয়ে গেল। দুই ভাই মুহূর্তের মধ্যেই উধাও হয়ে গেল।

জামিলুর রহমান তালা খুলে কিছুক্ষণ চুপ করে থেকে শীতল গলায় ডাকলেন, ইমন।

ইমন ফ্যাকাশে মুখে ঘরে ঢুকল। জামিলুর রহমান বললেন, তুই কাঁপছিস কেন? তুই কি করেছিস? ওদের সাহায্য করেছিস?

ইমন হ্যাঁ সূচক মাথা নাড়ল।

'কি ভাবে সাহায্য করেছিস?'

'শাবল এনে দিয়েছি।'

'সার্ট খোল।'

ইমন সার্ট খুলল।

বিছানায় উপুড় হয়ে থাক। আজ তোকে এমন একটা শিক্ষা দেব যে, জীবনে কখনো অপরাধীকে সাহায্য করবি না।

জামিলুর রহমান ভেতর থেকে দরজা বন্ধ করে দড়ি হাতে নিলেন। ইমন দাঁত কামড়ে পড়ে আছে। তার মনে হচ্ছে কিছুক্ষণের মধ্যেই সে মারা যাবে। দরজা বন্ধ। ইচ্ছা থাকলেও কেউ তাঁকে বাঁচানোর জন্যে আসবে না। প্রচন্ড শারীরিক যন্ত্রণার সময় কোন প্রিয়জনকে ডাকতে ইচ্ছা করে। ইমন ফিস ফিস করে ডাকছে–ছোট চাচা। ও ছোট চাচা। বাতাস কেটে দড়ি শাঁ শাঁ শব্দে নিচে নেমে আসছে। এই শব্দে ইমনের ডাকাডাকি চাপা পড়ে যাচ্ছে। ইমন অজ্ঞান হয়ে যাবার আগমুহূর্তে দেখল– জানালার শিক ধরে মিতু এসে দাঁড়িয়েছে। মিতুর গোলাকার মুখ লালচে হয়ে আছে। মিতু তীব্র স্বরে– সারা বাড়ি কাঁপিয়ে চিৎকার করে বলল– বাবা বাবা।

৭০

এরপরে কি ঘটেছে ইমনের মনে নেই।

সন্ধ্যাবেলা ফিরোজ এসে হতভম্ব! ইমন অর্ধচেতনের মত পড়ে আছে। তার সারা গায়ে ব্যাণ্ডেজ। শরীরে জ্বর। ঠোঁট কেটে ফুলে উঠেছে।

ফিরোজ বলল, তোর কি হয়েছে?

ইমন বলল, কিছু হয় নি।

'কিছু হয়নি মানে? কে তোকে মেরেছে?'

'বড় মামা।'

'তোর বড় মামা কি পাগল? এইভাবে কেউ কাউকে মারে? সে পেয়েছে কি? বাড়িতে জায়গা দিয়ে মাথা কিনে নিয়েছে? তোর এখানে থাকতে হবে না। তুই চলতো।'

'কোথায় যাব?'

'আমার সঙ্গে যাবি। আমার মেসে থাকবি। মেসে থেকে পড়াশোনা করবি। তোকে আমি এই বাড়িতে রাখব না।'

'মা যেতে দেবে না ছোট চাচা।'

'যেতে দেবে না মানে? অবশ্যই যেতে দিতে হবে। আমি ভাবীর সঙ্গে কথা বলছি।'

ফিরোজ দোতলায় উঠে গেল। সুরাইয়া দোতলার বারান্দায় টুলের উপর বসে ছিলেন। তাঁর হাতে একটা বই। বইটার নাম স্বপ্ন তথ্য। স্বপ্নের ব্যাখ্যা দেয়া। স্বপ্নের ব্যাখ্যা পড়তে তাঁর ভাল লাগে। ফিরোজকে দেখে তিনি বই বন্ধ করলেন। তাঁর চোখে ঈষৎ বিরক্তি দেখা গেল।

'ভাবী কেমন আছেন?'

'ভাল।'

'ইমনের কি অবস্থা আপনি দেখেছেন?'

'দেখিনি– শুনেছি। অপরাধ করেছে–শাস্তি পেয়েছে।'

'এইভাবে কেউ কাউকে মারে?'

'ভাইজানের রাগ বেশী। তিনি যা করেছেন, ঠিকই করেছেন। শাসনের দরকার আছে। শুধু আদরে কিছু হয় না।'

'ভাবী, আমিতো ইমনকে এখানে রাখব না।'

'তুমি তাকে রাখা না রাখার কে? তুমি তাকে কোথায় নিয়ে রাখতে চাও? তোমার মেসে? খামাখা রাগ দেখিও না। খামাখা আদরও দেখিও না।'

'ভাবী, আমি কোন রাগ দেখাচ্ছি না। আমার মনটা খুব খারাপ হয়েছে।'

'এইসব মন খারাপের কোন দাম নেই। মাসে দুই মাসে একবার আসবে। সাথে থাকবে সস্তার কিছু খেলনা। খানিকক্ষণ কচলা-কচলি করে চলে যাবে। এইসব আদরের মানে কি?'

'ভাবী আপনি আমার উপর কেন রাগ করছেন বুঝতে পারছি না।'

'আমি রাগ করছি নাতো। তোমার উপর রাগ করব কেন?'

ফিরোজ হতাশ গলায় বলল, ভাবী, আজ রাতটা আমি এই বাড়িতে থেকে যাব। ওর খুব জ্বর। ইমনের সঙ্গে ঘুমিয়ে থাকি। ওর পাশে কারোর থাকা দরকার।

সুরাইয়া স্বপ্ন তথ্যের বই খুলতে খুলতে শুকনো গলায় বললেন, বাড়তি আদর দেখানোর কোন দরকার নেই। ওদের কপালে অনাদর লেখা–আমি চাই ওরা যেন অনাদরেই মানুষ হয়।

'আপনি কি ইমনকে দেখেছেন?'

'না।'

'আপনার কি উচিত না, ওর পাশে কিছুক্ষণের জন্যে হলেও বসা।'

'শোন ফিরোজ, আমার কি উচিত বা অনুচিত এই উপদেশ তুমি আমাকে দিতে এসো না। আমি কাউকে উপদেশ দেই না। আমিও চাই না কেউ আমাকে উপদেশ দিক। এক কাজ কর আজ তুমি চলে যাও। অন্য একদিন এসো। আজ তুমি উত্তেজিত। আমি নিজে সারাক্ষণ উত্তেজনার মধ্যে থাকি, অন্যের উত্তেজনা আমার ভাল লাগে না।'

'চলে যেতে বলছেন?'

'হ্যাঁ, চলে যেতে বলছি।'

'জামিল ভাইয়ের সঙ্গে একটু কথা বলে যাই।'

'অবশ্যই তুমি তার সঙ্গে কথা বলবে না।'

সুরাইয়া স্বপ্নের বই খুলে বসলেন। সাপ দেখলে, শত্রু বৃদ্ধি পায়, সাপ কামড়াতে দেখলে, অসুখ হয়। সাপ মারতে দেখা শুভ–শত্রু বিনাস হয়। সাপ ও সাপিনিকে শঙ্খ লাগা অবস্থায় দেখলে– ধন প্রাপ্তি কিংবা পুত্র সন্তান প্রাপ্তি।

ইমনের জ্বর কমেছে। দুপুরে একশ দুই ছিল, এখন একশ। ঘুমের ওষুধ দেয়ার কারণে সে সন্ধ্যা পর্যন্ত ঘুমিয়েছে। সারাদিনে কিছু খায়নি। কিছুক্ষণ আগে এক বাটি স্যুপ খেয়েছে। তার মাথার কাছে সুপ্রভা বসে আছে। সুপ্রভা তাকে গল্পের বই পড়ে শুনাচ্ছে। ইমনের গল্প শুনতে মোটেও ভাল

লাগছে না। বেচারী এত আগ্রহ নিয়ে পড়ছে বলে ইমন কিছু বলছে না। সুপ্রভা মাথা দুলিয়ে দুলিয়ে পড়ছে। ইমনের মনে হল– তার বোনটা ঐতো কিছুদিন আগেই হামাগুড়ি দিত– আজ এত বড় হয়ে গেছে। ভাইকে বই পড়ে শুনাচ্ছে– কি আশ্চর্য। সুপ্রভা রিনরিনে গলায় পড়ছে– লালমোহন গাঙ্গুলী ওরফে জটায়ু চোখের সামনে থেকে বইটা সরিয়ে ফেলুদার দিকে ফিরে বললেন, 'রামমোহন রায়ের নাতি ছিল সেটা জানতেন?' ফেলুদার মুখের উপর রুমাল চাপা, তাই সে শুধু মাথা নাড়িয়ে না জানিয়ে দিল।

সুরাইয়া আয়নার সামনে বসে আছে। তার চোখে মুখে হতভম্ব ভাব। আয়নায় স্পষ্ট দেখা যাচ্ছে সিঁথির কাছের কিছু চুল তামাটে হয়ে আছে। কি ভয়ংকর কথা! চুল পেকে যাচ্ছে? না-কি হলুদ-টলুদ জাতীয় কোন রঙ লেগেছে? হলুদ রঙ লাগবে কিভাবে? কত বছর হল সে রান্না ঘরে যায় না। সুরাইয়া তীক্ষ্ণ গলায় ডাকলেন– সুপ্রভা!

সুপ্রভা দরজা ধরে দাঁড়াল। সে আজ শখ করে তার মা'র শাড়ি পরেছে। নীল শাড়িতে সাদা সাদা বুটি। শাড়িটা যে এত সুন্দর আগে বোঝা যায় নি। পরার পর বোঝা যাচ্ছে। শাড়ি পরার জন্যে তাকে এত বড় লাগছে যে মনেই হচ্ছে না তার বয়স মাত্র তের। মনে হচ্ছে তরুণী এক মেয়ে যে সুযোগ পেলেই সবার চোখ এড়িয়ে তার ছেলে বন্ধুর সঙ্গে টেলিফোনে গল্প করে। সুপ্রভা এম্নিতেই দেখতে সুন্দর-শাড়ি পরায় আজ তাকে অন্যরকম সুন্দর লাগছে। একটু আগে মিতু তাকে দেখে বলেছে–সুপ্রভা, খবর্দার শাড়ি পরবি না। হিংসায় আমার শরীর জ্বলে যাচ্ছে। কিছুক্ষণের মধ্যে দেখবি সারা গায়ে ফোসকা উঠে যাবে।

সুরাইয়া মেয়েকে দেখে বলল, সুপ্রভা দেখতো আমার মাথার চুল পেকে যাচ্ছে নাকি?

সুপ্রভা বলল, হুঁ।

'হুঁ আবার কি ধরনের কথা। হয় বল হ্যাঁ, নয় বল না। চুল পেকেছে?'

সুপ্রভা ক্ষীণ গলায় বলল, হ্যাঁ।

সুরাইয়া তীব্র গলায় বলল, চুল পাকবে কেন? এখনই কেন চুল পাকবে?

সুপ্রভা এই প্রশ্নের কি জবাব দেবে বুঝতে পারছে না। চুল পেকে গেলে সে কি করবে? সেতো আর একশ বছরের পুরানো ঘি মায়ের মাথায় মাখিয়ে তাঁর চুল পাকায় নি। এম্নিতেই সে মায়ের ভয়ে অস্থির হয়ে থাকে–আজ সকাল থেকে ভয় বেশী লাগছে কারণ বান্ধবীর জন্মদিনে যাবার কথা যখন বলা হয়েছে মা বিশ্রী করে তাকিয়েছেন, কিছু বলেন নি। অথচ আগে ভাগে কথা ঠিক হয়ে আছে সবাই দল বেঁধে শাড়ি পরে যাবে। রাতে ঐ বাড়িতে

থাকবে। সারা রাত গল্প করবে। তাদের বাড়িতে লেজার ডিস্ক প্লেয়ার আছে। সেই লেজার ডিস্কে ছবি দেখা হবে। যে ছবি দেখা হবে সেই ছবিও এনে রাখা হয়েছে, Sound of Music.

'শাড়ি পরেছিস কেন?'

সুপ্রভা খুবই অবাক হল। সে মা'কে জানিয়েই শাড়ি পরেছে। আলমিরা থেকে মা নিজেই শাড়ি বের করে দিয়েছেন। এখন হঠাৎ এই কথা কেন?

শাড়ি পরার এইসব ঢং কোত্থেকে শিখলি? তুই কোথায় আছিস তুই জানিস না। পরের বাড়িতে দাসীর মত পড়ে আছিস–রঙ করতে লজ্জা লাগে না–বেহায়া মেয়ে?'

সুরাইয়া দম নেবার জন্যে থামলেন। সুপ্রভা ভাবল এই ফাঁকে সে সরে যাবে। তবে এই কাজটা করাও ঠিক হবে না। সবচে ভাল হয় সে যদি মা'কে রাগ ঝাড়ার পুরো সুযোগটা দেয়।

'ঢং এর মেয়ে। ঢংতো ষোল আনার উপর দু'আনা আঠারো আনা শিখেছিস। যা শেখার তাতো শিখছিস না। অংকে পেয়েছিস এগারো। এমন কোন মেয়ে আছে যে অংকে এগারো পায়? বল, আছে কোন মেয়ে? দে, কথার জবাব দে। চুপ করে থাকলে টেনে জিভ ছিড়ে ফেলব?'

সুপ্রভা মনে মনে মায়ের কথার জবাব দিল। এই কাজটা সে ভাল পারে। মা যখন প্রশ্ন করতে থাকেন তখন সে শান্ত ভঙ্গিতে দাঁড়িয়ে থাকে ঠিকই তবে মনে মনে প্রতিটি প্রশ্নের জবাব দেয়। যে কোন প্রশ্নই মা তিনবার চারবার করে করেন। মা'র একই প্রশ্নের জবাব সুপ্রভা ভিন্ন ভিন্ন ভাবে দেয়। তার বেশ মজা লাগে।

'কি সার্কাসের সংএর মত দাঁড়িয়ে আছিস কেন? কথার জবাব দে? আছে কোন মেয়ে যে অংকে এগারো পায়?'

সুপ্রভা মনে মনে বলল, হ্যাঁ মা আছে। নন্দিতা বলে একটা মেয়ে আমাদের ক্লাসে আছে। সে পেয়েছে নয়। তোমার যদি বিশ্বাস না হয় তুমি নন্দিতার কাছে টেলিফোন করে জেনে নিতে পার। ওরা দারুণ বড়লোক। ওদের বাড়িতে তিনটা টেলিফোন। নন্দিতাও আজ জন্মদিনে যাবে। নন্দিতা পরবে লাল সিল্কের শাড়ি। রাজশাহী সিল্ক। সেরিকালচার বোর্ডে তার এক মামা চাকরি করেন তিনি এনে দিয়েছেন।

সুরাইয়া বললেন–তুই এক্ষুণি শাড়ি খোল। বই খাতা নিয়ে বোস। ইমনকে বল অংক দেখিয়ে দিতে।

সুপ্রভা মনে মনে বলল, দুপুর বেলা বই নিয়ে বসব কেন মা? ইমন ভাইয়াকেও অংক দেখিয়ে দিতে বলা যাবে না। তার জ্বর। সে বিছানায় শুয়ে

কোঁ কোঁ করছে। শাড়ি খুলে ফেলতে বলছ খুলে ফেলছি কিন্তু কোন কাপড়টা পরব তাও বলে দাও। যা পরব সেটা নিয়েইতো তুমি কথা শুনাবে। এত কথা শুনতে কারোর ভাল লাগে না। বাবা যে বাড়ি ছেড়ে পালিয়ে গেছে, আমার ধারণা তোমার কথা শুনে পালিয়ে গেছে। এবং সে নিশ্চয়ই লক্ষ্মী টাইপ কোন একটা মেয়েকে বিয়ে করেছে যে মেয়ে দশটা কথার উত্তরে একটা কথা বলে। তোমার মত ক্যাট ক্যাট করে না।

সুপ্রভা মা'র সামনে থেকে সরে গেল। তাকে দেখে মনেও হবে না সে মনে দুঃখ পেয়েছে বা মন খারাপ করেছে। বরং মনে হবে একটু আগে তার জীবনে মজার একটা ঘটনা ঘটেছে। সেই আনন্দেই সে ঝলমল করছে। সুপ্রভা একতলায় মিতুর ঘরে ঢুকল। রাতে সে মিতুর সঙ্গে ঘুমায়। মিতুর ঘরটাই তার ঘর। মিতু আপার ঘরে থাকতে তার ভালই লাগে। তবে আরো ভাল লাগতো যদি তার নিজের কোন ঘর থাকতো। পুরো ঘরটা সে সাজাতো নিজের মত করে। ঘরে খাট রাখত না। নন্দিতার মত মেঝেতে একটা ফোম বিছিয়ে রাখতো। নিজের একটা সিডি প্লেয়ার থাকতো। সারাক্ষণ গান শুনত।

মিতু কাঁচাকলার ভর্তা বানাচ্ছিল। কাঁচাকলা কুচিকুচি করে কেটে তার সঙ্গে তেঁতুল, কাঁচামরিচ, লবণ মিশিয়ে ভর্তা। কাঁচাকলার কষের সঙ্গে পরিমাণ মত তেঁতুল মিশাতে পারলে অসাধারণ একটা জিনিস তৈরী হয়। তেঁতুলের পরিমাণ ঠিক করাটাই জটিল। বেশী হলেও ভাল লাগবে না, কম হলেও ভাল লাগবে না। যে কোন ধরনের ভর্তা বানানোর ব্যাপারে মিতু মোটামুটি একজন বিশেষজ্ঞ। সুপ্রভা মিতুকে ডাকে "ভর্তা রাণী"।

সুপ্রভা হাত বাড়িয়ে বলল, দেখি আপা কেমন হয়েছে?

মিতু বিরক্ত গলায় বলল, আগে বানানো হোক তারপর দেখবি। তুই যা চট করে রান্নাঘর থেকে ধনে পাতা নিয়ে আয়। অল্প ধনে পাতা কচলে দিয়ে দি।

'ধনে পাতা দিও না আপা। কলা ভর্তায় ধনে পাতার গন্ধ ভাল লাগে না।'

'তোকে মাতব্বরী করতে হবে না। যা করতে বলছি কর।'

সুপ্রভা ধনে পাতা আনতে গেল। মিতু কি মনে করে যেন মুখ টিপে হাসল। সব মানুষের কিছু বিচিত্র স্বভাব আছে। মিতুরও আছে। তার বিচিত্র স্বভাবের একটা হচ্ছে যখন একা থাকে তখনই সে মুখ টিপে হাসে। আশেপাশে কেউ থাকলেই সে গম্ভীর। তখন তাকে দেখলে মনে হবে কাজ ছাড়া সে কিছু বুঝে না। কাজের বাইরের সব কিছুই তার অপছন্দ।

৭৬

সুপ্রভা ধনে পাতা নিয়ে উপস্থিত হল। মিতু বলল, ইমনের জ্বর কত জানিস?

'না।'

'একশ চার। আমি ঠিক করেছি ওর গায়ে পানি ভর্তি একটা কাপ ঘন্টা খানিক বসিয়ে রাখব। জ্বরের তাপে পানি গরম হবে। সেই পানি দিয়ে আমি চা বানিয়ে খাব।'

সুপ্রভা খিল খিল করে হাসতে লাগল। মিতু আপাকে এই জন্যেই তার এত ভাল লাগে। গম্ভীর মুখে এমন মজার মজার কথা বলবে যে হাসতে হাসতে পেটে ব্যথা শুরু হয়। হাসি দেখে মিতু আপা আবার বিরক্ত হয়ে ধমক দেয়। কি আশ্চর্য মেয়ে, নিজেই হাসাবে আবার নিজেই ধমকাবে।

'সুপ্রভা হাসি থামা। বিশ্রী শব্দ করে হাসছিস কি ভাবে? তুই তো হায়না না, মানুষ। তোর হাসি শুনে মনে হচ্ছে একটা মহিলা হায়না হাসছে। হাসি বন্ধ কর।'

সুপ্রভা হাসি বন্ধ করতে চেষ্টা করছে, পারছে না। মিতু আপাকে দেখতে সুন্দর লাগছে। মিতু আপা কোন রকম সাজগোজ করে না, অথচ তাকে দেখে মনে হয় সবসময় বাইরে যাবার জন্যে সেজে আছে।

'সুপ্রভা আয় একটা কাজ করি–ইমনের কাছে একটা উড়ো চিঠি পাঠাই।'

'কি উড়ো চিঠি?'

'প্রেমের চিঠি। কোন একটা মেয়ে লিখেছে এ রকম। ভুল বাংলায় আজে বাজে টাইপ। চিঠি পড়ে তার আত্মা কেঁপে উঠবে। কাউকে বলতেও পারবে না, মুখ শুকনা করে ঘুরবে। আমরা দূর থেকে মজা দেখব। আইডিয়াটা কেমন?'

'ভাল। খুব ভাল।'

'চিঠিটা আমরা পোষ্ট অফিস থেকে রেজিষ্ট্রি করে পাঠাব।'

'চিঠিটা কে লেখবে? তুমি? তোমার হাতের লেখাতো চিনে ফেলবে।'

'আমার চার-পাঁচ রকম হ্যাণ্ড রাইটিং আছে। চেনার কোন উপায়ই নেই।'

'তাহলে আপা চল লিখে ফেলি।'

'বললেইতো লিখে ফেলা যায় না, চিন্তা ভাবনা করে লিখতে হবে। রাতে লিখব। শুরুটা হবে কিভাবে জানিস–ওগো আমার প্রাণপাখি বুলবুলি।'

সুপ্রভা আবারো খিল খিল করে হেসে উঠল। মিতু বিরক্ত গলায় বলল, বললাম না হায়নার মত হাসবি না।

'হাসি আসলে কি করব?'

'হাসি আসলে হাসি চেপে রাখবি। হাসলে মেয়েদের যত সুন্দর লাগে হাসি চেপে রাখলে তারচে দশগুণ বেশী সুন্দর লাগে।'

'তোমাকে কে বলেছে?'

'আমাকে কিছু বলতে হয় না। আমি হচ্ছি সবজান্তা। সব কিছু জানি। এবং ম্যানেজ মাষ্টার–সব কিছু ম্যানেজ করতে পারি।'

'তুমি কি মা'কে বলে আমার বান্ধবীর বাসায় যাবার ব্যাপারটা ম্যানেজ করতে পারবে? আজ রাতে ওর বাসায় থাকার কথা।'

'অবশ্যই ম্যানেজ করতে পারব। আমার কাছে এটা কোন ব্যাপার না।'

'তাহলে তুমি আমাকে যাবার ব্যবস্থা করে দাও।'

'আমি কেন করে দেব? তোর সমস্যা তুই দেখবি।'

সুপ্রভা মন খারাপ করা গলায় বলল, আপা আমার মাঝে মাঝে মনে হয় তুমি খুব কঠিন হৃদয়ের মহিলা।

মিতু সহজ গলায় বলল, ভুল বললি। আমি কঠিন হৃদয়ের মেয়ে, এটা মাঝে মাঝে মনে হবার ব্যাপার না। সব সময় মনে হবার ব্যাপার।

মিতু উঠে দাঁড়াল। মিতুর সঙ্গে সঙ্গে সুপ্রভাও উঠে দাঁড়াল। মিতু বিরক্ত গলায় বলল তুই ছায়ার মত সারাক্ষণ আমার সঙ্গে সঙ্গে থাকিসনাতো। বিরক্ত লাগে।

'তুমি যাচ্ছ কোথায়? ছাদ পিছল হয়ে আছে আপা ছাদে যেও না। রেলিং নেই ছাদ, ধপাস করে পড়বে।'

'পড়ি যদি সেটা আমার সমস্যা। তোর সমস্যা না।'

মিতু ছাদের দিকেই যাচ্ছে। যাবার আগে সে ফুপুর সঙ্গে দু' একটা কথা বলে যাবে বলে ঠিক করল। শক্ত কিছু কথা। এই মহিলাকে তার ইদানীং অসহ্য বোধ হচ্ছে। মুশকিল হচ্ছে আগ বাড়িয়ে কঠিন কথা শুরু করা যায় না। ফুপু তার সঙ্গে কখনো কঠিন কিছু বলেন না। বললে সুবিধা হত। কোমর বেঁধে ঝগড়া করা যেত।

সুরাইয়া মিতুকে দেখে সহজ গলায় বলল, কি ব্যাপার মিতু?

মিতু বলল, কলার ভর্তা বানিয়েছি। খাবে?

'না।'

'খেয়ে দেখ না। ভাল হয়েছে।'

'ইচ্ছে করছে না। তোর ইউনিভার্সিটি কেমন লাগছে?'

'ভালও লাগছে না, মন্দও লাগছে না–সমান সমান লাগছে।'

'আশ্চর্য, ঐ দিন দেখেছি লাল হাফ প্যান্ট পরে ঘুরে বেড়াচ্ছিস– আজ একেবারে ইউনিভার্সিটি।'

'লাল হাফপ্যান্ট?'

'হ্যাঁ, লাল হাফপ্যান্ট। আমার সব পরিষ্কার মনে আছে। আমাকে দেখে জিভ বের করে ভেংচি কাটলি।'

'তোমার পুরানো দিনের কথা খুব মনে থাকে। তাই না ফুপু?'

'হ্যাঁ, মনে থাকে।'

'ফুপু তোমাকে একটা কথা বলার জন্যে এসেছি। আমিতো কাউকেই কোন অনুরোধ টনুরোধ করি না। তোমাকে করছি।'

'কি অনুরোধ?'

'সুপ্রভার এক বান্ধবীর জন্মদিন। সুপ্রভার খুব ইচ্ছা জন্মদিনে যায়। ওকে যেতে দিও।'

'যেতে চাইলে যাবে। যেতে না দেবার কি আছে?'

'রাতটা ঐ বাড়িতে থাকবে। বান্ধবীরা মিলে হৈ চৈ গল্প গুজব করবে। সকালে চলে আসবে। আমি বিকেলে দিয়ে আসব সকালে নিয়ে আসব। কাল আমার ক্লাস নেই।'

'ঠিক আছে।'

'ফুপু কলা ভর্তা একটু খেয়ে দেখ না। ভাল লাগবে। একটু মুখে দিলেই আরো খেতে চাইবে।'

সুরাইয়া খানিকটা ভর্তা হাতে নিলেন তবে মুখে দিলেন না। মিতু চলে গেল ছাদে। সুপ্রভার অনুমতি এত সহজে আদায় হয়ে যাবে সে ভাবে নি। তার ধারণা ছিল অনেক যুক্তি টুক্তি দাঁড়া করাতে হবে। আজ মনে হয় ফুপুর মনটা কোন কারণে ভাল।

ছাদে এখনো রেলিং হয় নি। প্রতি বছর জামিলুর রহমান একবার করে বলেন–এই শীতে রেলিং দিয়ে দেব। খোলা ছাদ কখন কি হয়। শীত চলে যায় রেলিং দেয়া হয় না।

বর্ষার পানিতে শ্যাওলা পড়ে ছাদ পিছল হয়ে আছে। বুড়ো আঙ্গুল টিপে টিপে হাঁটতে হয়। যে কোন মুহূর্তে ছাদ থেকে মাটিতে নেমে আসার সম্ভাবনা মাথায় নিয়ে হাঁটতে মিতুর অদ্ভুত ভাল লাগে। এটা এক ধরনের পাগলামীতো বটেই। মিতুর ধারণা সব মানুষের মধ্যে কিছু কিছু পাগলামী আছে–তার মধ্যেও আছে। এটা নিয়ে মাথা ঘামানোর কিছু নেই। তার পাগলামী ক্ষতিকারক পাগলামী না। আজ সে ছাদে হাঁটাহাঁটি করল না। চিলেকোঠায় চলে গেল।

জামিলুর রহমান সাহেব সিঁড়ির পাশে এই ঘরটা বানিয়েছিলেন বাড়ির চাকর বাকরদের থাকার জন্যে। ঘরটা মিতু নিয়ে নিয়েছে। দু'টা নাম্বারিং লক দিয়ে ঘরটা তালা দেয়া। দু' দু'টা তালা দেখে ধারণা হতে পারে ঘর

ভর্তি মিতুর শখের জিনিস পত্র। আসলে ঘরটা প্রায় খালি। একটা চৌকি আছে। চৌকিতে পাটি পাতা। কোন বালিশ নেই। চৌকির পাশে ছোট্ট টেবিল। টেবিলে কিছু খাতা পত্র। কয়েকটা বল পয়েন্ট। দু'টা ফাউন্টেন পেন। কয়েকটা পেনসিল। টেবিলের সঙ্গে কোন চেয়ার নেই, কারণ চেয়ার বসানোর জায়গা নেই। মিতু চৌকিতে বসেই গুটগুটি করে খাতায় কি সব লেখে। তবে বেশীর ভাগ সময় দরজা বন্ধ করে চৌকিতে শুয়ে থাকে। মাথার কাছের ছোট্ট জানালা দিয়ে হুহু করে হাওয়া খেলে। জানালা দিয়ে আকাশ দেখা যায়। মনে হয় বাতাসটা আকাশ থেকে সরাসরি আসছে।

আজ মিতু দরজা বন্ধ করে ইমনকে উড়ো চিঠি লিখতে বসল। রুলটানা কাগজে লিখলে ভাল হত–এখানে রুল টানা কাগজ নেই। কিছু আনিয়ে রাখতে হবে।

মিতুর চিঠিটা হল এ রকম–

৭৮৬

হে আমার প্রাণসখা বুলবুল!

জানগো তোমাকে আমি প্রত্যহ কলেজে যাইতে দেখি এবং বড় ভাল লাগে। I love you very very much. Too much. So many love.

তোমার সঙ্গে কবে আমার পরিচয় হইবে? আমি বড়ই নিঃসঙ্গ। এখানে নতুন আসিয়াছি–কাহারো সঙ্গে পরিচয় হয় নাই। আগে যেখানে ছিলাম সেখানে দুইটা অফার ছিল। তবে আমার পছন্দনীয় নহে। আমি দেখিতে মোটামুটি সুন্দরী তবে একটু শর্ট। হাই হিল পরিলে বোঝা যায় না। সবাই বলে আমার চোখ খুবই সুন্দর। তুমি যেদিন বলিবে সেদিন আমার জীবন ধন্য হইবে।

জানগো তুমি রাস্তা দিয়ে হাঁটার সময় কুজো হয়ে হাঁট কেন? আমার বান্ধবীরা তোমাকে নিয়া হাসাহাসি করে। তাহারা তোমাকে দেখাইয়া আমাকে বলে–"ঐ দেখ তোর কুজো বর যাচ্ছে।" ঠাট্টা করিয়া বর বলে তবে ইনশাল্লাহ একদিন তুমি নিশ্চয়ই আমার বর হইবে। ইহা আমার বিশ্বাস। I Love Love Love You You You Many hundrad Kiss. এবার ৫০ + ৩০,

B দায়

Your WIFE

"A"

চিঠি শেষ করে মিতু অনেকক্ষণ খিল খিল করে হাসল না। এই কাগজে চিঠি লিখলে হবে না–রুল টানা কাগজ আনাতে হবে এবং আরো কাঁচা হাতে লিখতে হবে। চিঠি হাতে পেয়ে ইমনের মুখের ভাব কি রকম হবে কল্পনা করতেই ভাল লাগছে। আজই যদি চিঠিটা দেয়া যেত ভাল হত। রেজিষ্ট্রি করে পাঠালে চিঠি আসতে আসতে সাতদিনের মত লাগবে। সাত দিন ধৈর্য ধরে অপেক্ষা করতে হবে। উপায় নেই।

সুপ্রভা শাড়ি বদলেছে–এখন তাকে বাচ্চা একটা মেয়ে বলেই মনে হচ্ছে। এখন মনে হচ্ছে শাড়ি না পরলেই তাকে ভাল দেখায়। সুরাইয়া বিছানায় আধশোয়া হয়ে খবরের কাগজ পড়ছিলেন। মেয়েকে দেখে কাগজ নামিয়ে বললেন, সুপ্রভা কাছে আয়।

সুপ্রভা মা'র কাছে গেল। সে কিঞ্চিৎ আতংকিত। যদিও আতংকিত হবার মত কিছু করেনি। শাড়ি খুলে ফেলতে বলা হয়েছে–সে তা করেছে। অংক নিয়ে বসা হয়নি। যার কাছে বসার কথা সে জ্বরে আধমরা হয়ে আছে। কাজেই তার পক্ষে কিছু যুক্তি আছে।

'বিকেলে তোর বন্ধুর বাড়িতে দাওয়াত!'

'হুঁ।'

'রাতে হুল্লোড় করার জন্যে থেকে যাবার কথা?'

'হুঁ।'

'তুই যেতে চাচ্ছিস?'

'হুঁ।'

'সুপারিশের জন্যে মিতুকে পীর ধরেছিস? হুল্লোড় করতে লজ্জা লাগে না?'

সুপ্রভা মনে মনে বলল, মোটেই লজ্জা লাগে না। বরং ভাল লাগে। ইচ্ছা করে সারাদিন হুল্লোড় করি।

'বাসা থেকে যদি বের হোস আমি তোর ঠ্যাং ভেঙ্গে দেব, বদ মেয়ে কোথাকার। কতবড় সাহস পীর ধরেছে। পীরকে দিয়ে সুপারিশ করায়। আজ থেকে রাতে তুই আমার সঙ্গে ঘুমাবি।'

'না। তোমার সঙ্গে ঘুমাব না।'

বলেই সুপ্রভা চমকে উঠল। তার ধারণা ছিল কথাগুলি সে মনে মনে বলেছে–এখন দেখা যাচ্ছে মনে মনে বলেনি, শব্দ করেই বলেছে। পেনসিলে আঁকা ছবি পছন্দ না হলে রাবার দিয়ে ঘসে তুলে ফেলা যায়।

অপছন্দের কথা মুছে ফেলার কোন ব্যবস্থা নেই, থাকলে সুপ্রভার জন্যে খুব ভাল হত।

সুরাইয়া বিছানা থেকে নেমে মেয়ের চুলের মুঠি ধরলেন। তারপরই দেয়ালে মাথা ঠুকে দিলেন। তীব্র যন্ত্রণায় সুপ্রভা কিছুক্ষণের জন্যে চোখে অন্ধকার দেখল। তার কপালের চামড়া কেটে গেছে। গলগল করে রক্ত পড়ছে। সুরাইয়া মেয়েকে ছেড়ে দিলেন। তিনি রক্ত সহ্য করতে পারেন না। সুপ্রভা হাত দিয়ে কপাল চেপে ঘর থেকে বের হয়ে গেল।

জামিলুর রহমান একতলার বারান্দায় চিন্তিত মুখে হাঁটাহাঁটি করছেন। সম্প্রতি তিনি ট্রান্সপোর্টের ব্যবসা শুরু করেছেন। তাঁর কাছে খবর এসেছে তাঁর একটা ট্রাক দাউদকান্দির কাছে এক মহিলাকে ধাক্কা দিয়ে মেরে ফেলেছে। ট্রাকের ড্রাইভার পলাতক। পুলিশ ট্রাক জব্দ করে থানায় নিয়ে গেছে।

ট্রাক উদ্ধারের ব্যবস্থা করতে হবে। মামলা মোকদ্দমায় টাকা যাবে। নানান ঝামেলা। ট্রান্সপোর্টের ব্যবসায় তাঁর আসাটা খুবই অনুচিত হয়েছে। বয়স হয়েছে। ব্যবসাপাতি এখন গুটিয়ে আনার সময়, তা না করে তিনি শুধু বাড়িয়েই চলছেন।

সুপ্রভাকে দেখে তিনি অবাক হয়ে বললেন, কি হয়েছে রে?

সুপ্রভা বলল, পড়ে গিয়ে ব্যথা পেয়েছি। মনে হয় কপাল ফেটে গেছে।

'সারাদিন আছিস দৌড়ের উপর ব্যথাতো পাবিই। দেখি হাত নামা, কপালের অবস্থা দেখি।'

সুপ্রভা হাত নামাল। জামিলুর রহমান আঁৎকে উঠলেন। গম্ভীর গলায় বললেন, আয় আমার সঙ্গে ডাক্তারের কাছে নিয়ে যাই। সুপ্রভা বাধ্য মেয়ের মত বড় মামার পেছনে পেছনে রওনা হল।

জামিলুর রহমান সুপ্রভাকে পছন্দ করেন। শুধু পছন্দ না, বাড়াবাড়ি ধরনের পছন্দ। তিনি তাঁর এই পছন্দের ব্যাপারটা সযতনে গোপন রাখেন। সুপ্রভার সঙ্গে দেখা হলেই ধমকের সুরে কথা বলার চেষ্টা করেন। ভুরু কুঁচকে তাকান। তারপরেও মনে হয় হৃদয়ের গোপন ভালবাসার ব্যাপারটা ঠিক গোপন রাখতে পারেন না। খুব হাস্যকর ভাবে মাঝে মাঝে তা প্রকাশ হয়ে পড়ে। তিনি তাতে অত্যন্ত অপ্রস্তুত বোধ করেন।

সুপ্রভাও তার রসকষহীন কাঠখোট্টা বড় মামাকে খুবই পছন্দ করে। যে দিন কোন কারণে আগেই স্কুল ছুটি হয়ে যায় সে অবধারিত ভাবে চলে যায় তার বড় মামার পুরানো পল্টনের অফিসে। জামিলুর রহমান অসম্ভব বিরক্ত হয়ে বলেন, অফিসে কি? তুই অফিসে আসিস কেন? তোকে কতবার নিষেধ করেছি অফিসে আসতে?

'এক্ষুণি চলে যাব মামা।'

'একা একা মেয়েদের এখানে সেখানে যাওয়া আমার অপছন্দ। তুই এসেছিস কি ভাবে? রিকশায় না হেঁটে?'

'হেঁটে।'

'ফ্যানের নিচে বোস—আর কোনদিন যদি অফিসে আসিস আমি কিন্তু সত্যি সত্যি আছাড় দেব।'

'আচ্ছা দিও, বড় মামা কোক খাব।'

'কোক খাবার জন্যে এসেছিস?'

'হুঁ।'

'আমার কাছ থেকে টাকা নিয়ে যাবি। এরপর থেকে স্কুলেই কোক কিনে খাবি। অফিসে আসবি না।'

'আচ্ছা।'

জামিলুর রহমান বিরক্ত মুখে ভাগনিকে কোক এনে দেন। আগে দোকান থেকে আনাতে হত, এখন আনাতে হয় না। সুপ্রভা মাঝে মাঝে অফিসে এসে কোক খেতে চায় শুধুমাত্র এই কারণে তিনি অফিসের জন্যে একটা ফ্রিজ কিনেছেন। ফ্রীজ ভর্তি কোকের ক্যান। স্নেহ-মমতা-ভালবাসা এই ব্যাপারগুলি আসলেই খুব অদ্ভুত। কোন জাগতিক নিয়মকানুনের ভেতর এদের ফেলা যায় না। জামিলুর রহমান এই মেয়েটিকে কেন এত পছন্দ করেন তা তিনি নিজে কখনো বলতে পারবেন না।

সুপ্রভার কপালে দু'টা স্টিচ লাগল। ফেরার পথে জামিলুর রহমান সারাপথ ভাগ্নিকে বকতে বকতে এলেন। বকা এবং উপদেশের কম্বিনেশন।

'সারাদিন ছোটাছুটি লাফালাফি করবি—ব্যথাতো পাবিই। নিয়ম নীতির ভেতর চলতে হয় না? এতবড় যে পৃথিবী সেও নিয়মের ভেতর দিয়ে চলে— সূর্যের চারদিকে একই পথে ঘুরে। পৃথিবী কি লাফালাফি ঝাপাঝাঁপি করে?'

সুপ্রভা বলল, মামা তুমি এমন অদ্ভুত ধরনের কথা বলবেনাতো। আমার হাসি আসছে। আমি কি পৃথিবী না-কি যে লাফালাফি ঝাঁপাঝাঁপি করব না?

জামিলুর রহমানের ইচ্ছা করছে মেয়েটাকে কোন ভাল উপহার কিনে দিতে যাতে তার মনটা খুশী হয়। কাজটা করতে লজ্জা পাচ্ছেন। কিছু কিছু মানুষ স্নেহ এবং ভালবাসাকে চরিত্রের বিরাট দুর্বলতা মনে করেন। সেই দুর্বলতা প্রকাশিত হয়ে পড়লে তাদের লজ্জার সীমা থাকে না।

মিতু বলল, কিরে তোর কপালে ব্যান্ডেজ কেন?

সুপ্রভা হাসি মুখে বলল, কপাল ফাটিয়ে ফেলেছি। এইজন্যে কপালে ব্যান্ডেজ।

'কপাল ফাটালি কি ভাবে?'

'সিঁড়ি দিয়ে নামছি হঠাৎ রেলগাড়ি ঝমাঝম, পা পিছলে আলুর দম।'

'ফাটা কপাল নিয়ে জন্মদিনে যাচ্ছিস?'

'যাচ্ছি না। আপা।'

'যাচ্ছিস না?'

'না। মাথায় ব্যান্ডেজ নিয়ে জন্মদিনে যাবার দরকার কি?'

মিতু এক দৃষ্টিতে তাকিয়ে আছে। তার চোখ তীক্ষ্ণ। ভুরু কুঁচকে আছে। মনে হচ্ছে সে রেগে যাচ্ছে। সুপ্রভা বলল, এই ভাবে তাকিয়ে আছ কেন? মিতু বলল, সুপ্রভা তুই আমার সঙ্গে মিথ্যা কথা বলবি না। কেউ মিথ্যা কথা বললে আমি সঙ্গে সঙ্গে টের পাই। এখন বল কপাল কি ভাবে ফাটল?

'মা ধাক্কা দিয়ে ফেলে দিয়েছে।'

'ধাক্কা দিলেন কেন?'

'বান্ধবীর জন্মদিনে যেতে চাচ্ছিলাম–এই জন্যে।'

'এই কারণে জন্মদিনে যেতে চাচ্ছিস না?'

'হুঁ।'

'কাপড় পর–আমি তোকে দিয়ে আসব।'

'আপা থাক, আমার এখন যেতে ইচ্ছে করছে না।'

'কোন কথা না, আমি যেতে বলছি তুই যাবি।'

'আপা শোন, মা পরে বিরাট ঝামেলা করবে।'

'করুক ঝামেলা।'

'আপা প্লীজ, আমি যাব না।'

'সুপ্রভা, তুই আমার সঙ্গে ভবিষ্যতে আর কোন দিন কথা বলবি না, এবং অবশ্যই রাতে আমার সঙ্গে ঘুমুবি না।'

সুপ্রভা, তাকিয়ে রইল। মিতু এখনো একদৃষ্টিতে তাকিয়ে আছে। রাগে এখন তার শরীর কাঁপতে শুরু করেছে। সুপ্রভা বুঝতে পারছে না–মিতু আপা এত অল্পতে এমন রেগে যায় কেন।

'সুপ্রভা।'

'জ্বি।'

'আমার ঘর থেকে তোর বালিশ, জিনিস পত্র সরিয়ে নিয়ে যা। আমি ঠাট্টা করছি না। আই মিন ইট।'

'তোমার সঙ্গে কথাও বলতে পারব না?'

'না।'

'লাস্ট একটা প্রশ্ন কি করতে পারি? ভাইয়াকে যে একটা উড়ো চিঠি দেবার কথা ছিল, সেই চিঠিটা কি লেখা হয়েছে?'

মিতু প্রশ্নের জবাব না দিয়ে চলে গেল। সুপ্রভার খুব মন খারাপ লাগছে। রাতে মা'র সঙ্গে ঘুমুতে হবে ভাবতেই জ্বর এসে যাচ্ছে।

ঠিক সন্ধ্যার আগে আগে ইমনের ঘুম ভাঙ্গল। বিকেলে ঘাম দিয়ে তার জ্বর সেরেছে। সকাল থেকে কিছু খায়নি-ক্ষিধেও হয়নি। জ্বর সারার সঙ্গে সঙ্গে ক্ষিধেয় পেট মোচড়াতে লাগল। গরম ভাত, ডিমভাজা এবং শুকনো মরিচ ভাজা দিয়ে ভাত খেতে ইচ্ছে করল। সে যদি বিখ্যাত কোন ব্যক্তি হত তাহলে ইন্টারভ্যুতে জিজ্ঞেস করত–"আপনার প্রিয় খাবার কি?" সে বলত চিকন চালের গরম ভাত, নতুন আলু দিয়ে শিং মাছের ঝোল।

সে বিখ্যাত কেউ নয়। ইচ্ছে করলেই সে তার পছন্দের খাবার খেতে পারে না। তার জ্বর এখন সেরেছে, প্রচন্ড ক্ষিধে লেগেছে–উপায় নেই। বিকেলে এই বাড়িতে ভাত থাকে না। দুপুরের খাবার শেষ হলেই বাড়তি ভাতে পানি দিয়ে দেয়া হয়। পরদিন সকালে তিনটা কাজের মেয়ে নাশতা হিসেবে পান্তা ভাত খায়। বিকেলে কাজের সময় তাদের কাছে চাইলেও তারা তার জন্যে গরম ভাত রাঁধবে না। মিতুকে কি বলে দেখবে? মিতুকে বললে সে ড্রাইভার পাঠিয়ে শিং মাছ কিনিয়ে আনবে। আবশ্যি নাও আনতে পারে। মিতুর কোন ঠিক ঠিকানা নেই। হয়ত বলবে, শিং মাছ খেতে হবে না। এক গ্লাস দুধ খেয়ে শুয়ে থাক।

ক্ষিধে কমাবার জন্যে ইমন পুরো দু'গ্লাস পানি খেয়ে ফেলল। পানিতে তিতকুটে স্বাদ–তার মানে জ্বর ভাব পুরো সারেনি। খালি পেটে পানি বেশি খেলে-নেশা নেশা ভাব হয়। ঘুম পায়। ইমন আবারো শুয়ে পড়ল। বিছানার চাদর এবং কাঁথাটা বদলাতে পারলে ভাল হত। চাদরে এবং কাঁথায় জ্বর জ্বর গন্ধ। অসুখ সেরে যাবার পরে অসুখের গন্ধ নিয়ে শুয়ে থাকতে ভাল লাগে না। যদি লাগে তাহলে বুঝতে হবে অসুখ সারে নি। ইমনের শুয়ে থাকতে ভালই লাগছে। বৃষ্টির মত ঝমাঝম শব্দ হচ্ছে। অথচ বৃষ্টি হচ্ছে না। শব্দটা আসছে কোত্থেকে?

ইমনের ঘরটা বেশ বড়। তবে ঘরটা তার একার না-জামিলুর রহমানের দুই ছেলে শোভন এবং টোকনের একই শোবার ঘর। শোভনকে আপাতত বাড়ি থেকে বের করে দেয়া হয়েছে বলে ঘরটা এখন ইমনের। দুই ভাইয়ের বয়স পঁচিশ। যমজ হলেও এদের চেহারা এবং স্বভাব চরিত্র আলাদা। শোভন ঠান্ডা স্বভাবের। টোকন উগ্র। দু'জন সারাক্ষণই একসঙ্গে থাকে। শোভনকে বের করে দেয়া হয়েছে বলে টোকনও বের হয়ে গেছে। এরা জগন্নাথ কলেজে বাংলায় অনার্সে ভর্তি হয়ে কিছুদিন ক্লাস করেছিল। এখন কি করে বা কি করে না পুরোটাই রহস্যে ঘেরা। ইমন দুই ভাইকেই বেশ পছন্দ করে। যে সব রাতে তারা থাকে না সেই সব রাতে একা একা ঘুমুতে ইমনের একটু ভয় ভয়ও লাগে। শোভনকে কেন বাড়ি থেকে বের করে দেয়া হয়েছে ইমন জানে না। তার বড় মামা এক রাতে তার ঘরে এসে বলেছেন, শোভন যদি রাতে বিরাতে তার ঘরে থাকতে আসে আমাকে খবর দিবি। যত রাতই হোক আমাকে খবর দিবি। এই বাড়ির ত্রিসীমানায় তার আসা নিষিদ্ধ। ইমন শুধু হ্যাঁ সূচক মাথা কাত করেছে, বেশি কিছু জিজ্ঞেস করার সাহস তার হয় নি। জামিলুর রহমান ইমনের ঘর থেকে শোভনের খাটের তোষক চাদর সব সরিয়ে নিয়েছেন। শোভনের আলমিরা খুলেও জিনিসপত্র সরানো হয়েছে। টোকনের খাট বিছানা সব ঠিক আছে। ইমন শুয়ে আছে টোকনের খাটে।

সন্ধ্যাবেলা ইমনের ঘুম ভাঙ্গল মশার কামড়ে। মশা কামড়ে তার মুখ ফুলিয়ে ফেলেছে। ঘর অন্ধকার। মনে হচ্ছে গভীর রাত। দরজা জানালা বন্ধ বলে বোঝাই যাচ্ছে না মাত্র সন্ধ্যা। গভীর রাত ভেবেই ইমনের একটু ভয় ভয় করতে লাগল। তার বাথরুমে যাওয়া দরকার। খাট থেকে নেমে বাতি জ্বালিয়ে বাথরুমে যেতেই ভয় লাগছে। মনে হচ্ছে খাট থেকে নামলেই খাটের নিচ থেকে হামাগুড়ি দিয়ে কেউ একজন এসে শীতল হাতে তার দু'পা জড়িয়ে ধরবে। এই ভয় শৈশবের ভয়। শৈশবের কিছু কিছু ভয় মানুষের সঙ্গে থেকে যায়। মানুষের বয়স বাড়ে, শৈশবের অনেক কিছুই তাকে ছেড়ে যায়–ভয়টা ছাড়ে না। ভয় পেলে অবধারিত ভাবে ইমনের ছোট চাচার কথা মনে পড়ে। ছোট চাচার সঙ্গে তার দেখা হয় না প্রায় ছয় বছর। দাদীর মৃত্যুর পর পর হুট করে তিনি একদিন চলে যান সিঙ্গাপুর, সেখান থেকে মালয়েশিয়া, মালয়েশিয়া থেকে সুইডেন। তার শেষ পিকচার কার্ডটা সুইডেন থেকে পাঠানো। সুন্দরী নীলচোখা এক মেয়ে বরফ দিয়ে তুষার মানব বানাচ্ছে। পিকচার কার্ডের উল্টোদিকে এলোমেলো ভঙ্গিতে লেখা–

ইমন,

এখানে তেমন সুবিধা করতে পারছি না। স্পেনে এক বাঙ্গালী পরিবার থাকে। তাদের সঙ্গে ভাল যোগাযোগ হয়েছে। তারা স্পেনে যেতে আমাকে উৎসাহিত করছেন। কি করব বুঝতে পারছি না। আমার সিদ্ধান্ত চিঠি দিয়ে জানাব। সুইডেনের ঠিকানায় আপাতত কোন চিঠি দিবি না, কারণ আমি আগামীকাল বাসা বদলাব। সুপ্রভাকে আমার স্নেহ দিবি। সে কত বড় হয়েছে?

ইতি তোর ছোট চাচা

ছোট চাচার কাছ থেকে আসা এই শেষ চিঠি। ইমনের ছোট চাচার কর্মকান্ডে সবচে বেশি আনন্দিত হয়েছেন সুরাইয়া। তিনি গম্ভীর গলায় এখন প্রায়ই বলেন–

বাড়ি ঘর ছেড়ে পালিয়ে যাওয়া হচ্ছে তোদের বংশগত রোগ। তোর বাপ যেমন উধাও হয়েছে, তোর চাচাও তাই করেছে। তোদের পূর্ব পুরুষের উদাহরণ খুঁজলে দেখবি তারাও এই কান্ড করেছে। তোদের গুষ্টিই হল ভবঘুরের গুষ্টি। আমি যে গোড়া থেকেই বলছি–তোদের বাবা ভাল আছে, যথা সময়ে উপস্থিত হবে। এই কথাটা প্রমাণ হলতো?

মাঝে মাঝে ইমনের মনে হয়-মা'র কথা শেষটায় সত্যি সত্যি ফলে যাবে। কোন এক গভীর রাতে বাবা এসে উপস্থিত হবেন।

ইউনিভার্সিটির ভর্তি ফরমে বাবার নাম লিখতে হয়। সেখানে সে লিখেনি মরহুম হাসানুজ্জামান। মরহুম শব্দ লিখতে তার ইচ্ছে করে না। বাবা যদি কোনদিনই না ফেরে তাহলে হয়ত সে কোনদিনই লিখতে পারবে না বাবা মরহুম হাসানুজ্জামান। ইমনের বয়স যখন আশি হয়ে যাবে তখন কি পারবে? না, তখনো পারবে না। অদ্ভুতভাবে একজন মরণশীল মানুষ অমর হয়ে যাচ্ছে।

খুট করে দরজা খুলল। সুপ্রভা মাথা বের করে বলল, ভাইয়া ঘর অন্ধকার করে বসে আছ কেন? জ্বর কমেছে?

ইমন বলল, হুঁ।

'কিছু খাবে? ক্ষিধে লেগেছে? স্যুপ খাবে?'

'স্যুপ?'

'আমার জন্যে বড় মামা স্যুপ আনিয়েছেন। আমার খেতে ইচ্ছা করছে না, তোমাকে গরম করে এনে দেব?'

'দে।'

'ভাইয়া তোমার মুখ কেমন যেন ফুলে লাল হয়ে আছে। মনে হয় হাম উঠেছে।'

'হাম না, মশা কামড়েছে।'

'বাতি কি নিভিয়ে দিয়ে যাব না জ্বালা থাকবে?'

'জ্বালা থাকুক।'

'মিতু আপা কি তোমার ঘরে এসেছিল?'

'না।'

ইমন বোনের ব্যান্ডেজ করা কপাল দেখছে। এর মধ্যে একবারও জিজ্ঞেস করেনি কপালে কি হয়েছে। সুপ্রভার ধারণা তার মা যেমন অদ্ভুত, তার ভাইয়াও অদ্ভুত। জগতের কোন কিছুতেই তার কিছু হয় না। সুপ্রভা যদি কোন কারণে হঠাৎ মরে যায়, সেই খবর ভাইয়ার কাছে পৌঁছলে সে এসে উঁকি দিয়ে দেখবে তারপর নিজের ঘরে ঢুকে দরজা টরজা বন্ধ করে বই নিয়ে বসবে। অন্যের বেলাতে সে যেমন উদাসিন তার নিজের বেলাতেও উদাসিন। প্রচন্ড জ্বর হলেও কাউকে বলবে না, আমার জ্বর। কাঁথা গায়ে দিয়ে চুপচাপ শুয়ে থাকবে। ক্ষিধে লাগলে বলবে না, আমার ক্ষিধে লেগেছে। সবচে যেটা ভয়ংকর–মুখে হাসি নেই। কত মজার মজার ঘটনা চারপাশে ঘটছে, সে দেখবে কিন্তু হাসবে না। সুপ্রভার প্রায়ই ইচ্ছে করে এমন অদ্ভুত কিছু তাদের সংসারে ঘটুক যা দেখে ইমন হো হো করে হেসে উঠবে। সেই হো হো হাসির ছবি সে চট করে ক্যামেরায় তুলে ফেলবে।

'ভাইয়া!'

'হুঁ।'

'সুনামগঞ্জের পাগলা পীর সাহেবের কথা তোমার বিশ্বাস হয়?'

'তার কোন কথা?'

'ঐ যে সে মা'কে বলে গেল, বাবা বেঁচে আছেন, তোমার যেদিন বিয়ে হবে সেইদিন ফিরে আসবেন।'

'না। পীররা এই জাতীয় কথা সব সময় বলে।'

'দিন তারিখ মিলিয়ে বলে না। তারা বলে ফিরে আসবে, কবে আসবে তা বলে না। পাগলা পীর সাহেব কিন্তু কবে ফিরবেন তা বলেছেন।'

'এই পীর অন্যদের চেয়ে বোকা।'

'আমার কেন জানি মনে হয় পীর সাহেবের কথা সত্যি হবে। তোমার যেদিন বিয়ে হবে সেদিন বাবা সত্যি সত্যি উপস্থিত হবেন।'

'উপস্থিত হলেতো ভালই।'

সুপ্রভা খানিকক্ষণ ইতস্তত করে বলল, সবচে ভাল হয় তুমি যদি এখন বিয়ে করে ফেল। বাবাকে আমরা তাহলে তাড়াতাড়ি পেয়ে যাব। তুমি যত দেরিতে বিয়ে করবে বাবাকে তত দেরিতে পাব।

ইমন তার বোনের দিকে তাকাল, কিছু বলল না। তার তাকানো দেখে বোঝা যাচ্ছে প্রসঙ্গটা তার মনে ধরছে না। সুপ্রভা অন্য প্রসঙ্গে চলে গেল। চোখ মুখ গম্ভীর করে বলল, শোভন ভাইয়ারা কি রাতে মাঝে মধ্যে আসে?

'না।'

'আমার সঙ্গে একদিন দেখা হয়েছিল। আমি রিকশা পাচ্ছিলাম না। রিকশার জন্যে দাঁড়িয়েছিলাম হঠাৎ দেখি লাল রঙের একটা গাড়ি এসে একেবারে আমার গা ঘেসে থেমেছে। প্রথমতো আমি ভয়ই পেয়ে গেলাম, তারপর দেখি পেছনের সিটে টোকন ভাইয়া, আর শোভন ভাইয়া। আমাকে দেখেই শোভন ভাই দিলেন এক ধমক, এখানে দাঁড়িয়ে আছিস কেন? শোভন ভাইয়ার কি যে স্বভাব, এমন ঠান্ডা মানুষ অথচ ধমক ছাড়া কথা বলতে পারে না। আমি বললাম, রিকশার জন্যে দাঁড়িয়ে আছি। তারপর বললাম, শোভন ভাইয়া তোমার সাথে যখন গাড়ি আছে তখন গাড়ি করে আমাকে নামিয়ে দাও। শোভন ভাইয়া বললেন, আমার ঠেকা পরেছে। বলেই হুস করে গাড়ি নিয়ে চলে গেলেন। দু'জনই দাড়ি রেখেছে, মুখ ভর্তি দাড়ি। দেখে চেনাই যায় না। চেহারা একদম বদলে গেছে। ছেলেদের কত মজা, ইচ্ছা করলেই দাড়ি রেখে তারা চেহারা বদলে ফেলতে পারে। আমরা মেয়েরা সেটা পারি না। ঠিক না ভাইয়া?'

'হুঁ।'

'মেয়েদেরও দাড়ি গোঁফ গজানোর সিস্টেম থাকলে ভাল হতো। হতো না ভাইয়া?'

'কি জানি। বুঝতে পারছি না।'

'আমার কথা শুনতে কি তোমার বিরক্ত লাগছে?'

'না।'

'তাহলে এ রকম বিরক্ত বিরক্ত ভাব করে বসে আছ কেন?'

ইমন জবাব দিল না। সুপ্রভা তার সঙ্গে প্রচুর কথা বলে। ইমনের ইচ্ছা করে কথা বলতে। কেন জানি বলা হয় না। সে শুধু শুনেই যায়। সুপ্রভার কপালে ব্যান্ডেজ। কি ভাবে ব্যথা পেল জানতে ইচ্ছা করছে কিন্তু জানার জন্যে প্রশ্ন করতে ইচ্ছে করছে না। ইমন যখন ঠিক করল এখন সে জানতে চাইবে তখনি সুপ্রভা চলে গেল। ইমনের মনে হল ভালই হয়েছে, প্রশ্ন করতে হল না।

রাতে সুপ্রভা মা'র সঙ্গে ঘুমুতে এল। বালিশ নিয়ে এসে ঝুপ করে বিছানায় পড়ে গেল। পড়ার সময় শব্দ একটু বেশি হল। আতংকে সুপ্রভা কিছুক্ষণ চুপ করে রইল–এই বোধ হয় মা একটা ধমক দিলেন। সুরাইয়া ধমক দিলেন না, বরং উলটো হল, স্বাভাবিক গলায় বললেন, সুপ্রভা আয় চুল বেঁধে দেই। রাতে টানটান করে চুল বেঁধে না দিলে চুল বড় হয় না।

সুপ্রভা মা'র কাছে চুল বাধতে গেল। মা'র মেজাজ এখন মনে হচ্ছে ভাল। এই ভালটা কতক্ষণ থাকবে বলা যায় না। এমন কোন যন্ত্রপাতি যদি থাকত যা আগে ভাগে মেজাজের খবর জানায়–তাহলে খুব ভাল হত। যন্ত্রটা সুপ্রভা ফিট করে রাখত। যন্ত্র আগে ভাগে ওয়ার্নিং দিচ্ছে–

চার নম্বর দূরবর্তী বিপদ সংকেত। সাবধানে কথা বলতে হবে। সামনে না যাওয়াই ভাল। দূরে দূরে থাকুন।

দশ নম্বর মহা বিপদ সংকেত। আশ্রয় কেন্দ্রে আশ্রয় নিন। মিতুর কাছে, কিংবা বড় মামার কাছে চলে যান।

'সুপ্রভা!'

'কি মা।'

'এখন থেকে রাতে আমার সঙ্গে ঘুমুবি।'

সুপ্রভার মুখ শুকিয়ে গেল। মা পেছন থেকে চুল আচড়াচ্ছেন বলে শুকনো মুখ দেখতে পেলেন না। সুপ্রভা নকল খুশী খুশী গলায় বলল, আচ্ছা।

একা ঘুমুলে হঠাৎ হঠাৎ খুব ভয়, লাগে। পরশু রাতে খুব ভয় পেয়েছি।

সুপ্রভা কিছু বলল না। মা কেন ভয় পেয়েছেন জানতে ইচ্ছে করছে না। টান টান করে বেণী বাঁধছেন তার কষ্ট হচ্ছে কিন্তু মুখে বলতে পারছে না।

'পরশু রাতে কি হয়েছে শোন। হঠাৎ ঘুম ভাঙ্গল, শুনি বৃষ্টি হচ্ছে। মাথার কাছের জানালা দিয়ে হাওয়া আসছে, বৃষ্টির ছাটও আসছে। ভাবলাম উঠে গিয়ে জানালা বন্ধ করি। উঠতে ইচ্ছে করছিল না, তখন ভাবলাম তোর বাবাকে বলি জানালা বন্ধ করতে।'

সুপ্রভা বিস্মিত হয়ে বলল, বাবাকে বলি মানে? বাবা কোথায়?

'এটাইতো কথা। আমি পরিষ্কার দেখছি তোর বাবা উল্টো দিকে মুখ করে আমার পাশে ঘুমিয়ে আছে। সব সময় যেভাবে ঘুমায় সেই ভাবে ঘুমুচ্ছে, বালিশ থেকে মাথা নেমে গেছে। হাঁটু চলে এসেছে বুকের কাছে। চাদরটা কোমর পর্যন্ত দেয়া। সব কিছু এত পরিষ্কার যে বাস্তবও এত পরিষ্কার না। তোর বাবা যে হারিয়ে গেছে তার কোন খোঁজ নেই এইসব কিছুই তখন আমার মনে নেই। আমি হাত বাড়িয়ে তাকে ডাকতে যাব তখন বজ্রপাত হল, আমি চমকে উঠলাম হঠাৎ মনে পড়ল আরে তাইতো তোর

বাবাকে এখানে দেখব কেন? তখন দেখি কিছু নেই। বিছানা খালি। প্রচন্ড ভয় পেয়েছিলাম।'

'ভয় পাবারই কথা। আমারতো শুনেই ভয় লাগছে। বুক ধ্বক ধ্বক করছে।'

সুরাইয়া সহজ গলায় বললেন, বিছানায় তোর বাবাকে শুয়ে থাকতে দেখা নতুন কিছু না। আমি প্রায়ই দেখি।

'কি বলছ তুমি?'

'তোর যখন দুই মাস বয়স তখন পর পর কয়েক রাত দেখেছি।'

সুপ্রভা মনে মনে বলল, মা তোমার মাথা খারাপ। পুরোপুরি খারাপ। রাতে তোমার সঙ্গে ঘুমুতে এই জন্যেই আমার ভয় লাগে। কোন একদিন তুমি হয়ত আমাকে ভূত মনে করে গলা টিপে ধরবে। কোন পীর ফকিরের কাছ থেকে তোমার জন্যে তাবিজ আনা উচিত কিংবা ডাক্তার দিয়ে চিকিৎসা করানো উচিত। ছেলে পাগলের চেয়ে মেয়ে পাগল ভয়ংকর।

সুপ্রভার স্কুলের আশে পাশে একটা মেয়ে পাগল থাকে। সে প্রায়ই হাতে একটা থান ইট নিয়ে মানুষজনকে তাড়া করে। সুপ্রভা আর মিনা একদিন স্কুল ছুটির পর আসছিল পাগলিটা হঠাৎ থান ইট হাতে তাদের তাড়া করল। সুপ্রভা এক সময় হুমড়ি খেয়ে পড়ে গেল। কি আশ্চর্য কান্ড পাগলিটা এসে তাকে টেনে তুলে গম্ভীর গলায় বলল, সাবধানে চলবি। বলেই সে ইট হাতে তাড়া করতে লাগল মিনাকে। তার মা পাগল হয়ে গেলে কি এই রকম কান্ড কারখানা করবে? থান ইট নিয়ে তাড়া করবে তাকে আর ভাইয়াকে। কি ভয়ংকর!

'সুপ্রভা।'

'জ্বি মা।'

'তোর নাম তোর বাবার রাখা এটা কি জানিস।'

'বাবা কিভাবে রাখবেন? আমার জন্মই হল তার নিখোঁজ হবার পর।'

'ইমন যখন আমার পেটে তখন তোর বাবার ধারণা হল আমার মেয়ে হবে। সেই মেয়ের নাম কি রাখা হবে তার জন্যে সে অস্থির হয়ে পড়ল। অফিস থেকে প্রতিদিনই একটা দু'টা নাম নিয়ে ফেরে। রাতে ঘুমুতে যাবার সময় বলে–এই নামটা তোমার কেমন লাগে। আমি শুধু হাসি।'

'হাস কেন?'

'তোর বাবার কান্ড দেখে হাসি। এ রকম গম্ভীর মানুষ অথচ ভেতরে ভেতরে ছেলেমানুষ। শেষটায় নাম ঠিক করল সুপ্রভা। আমার সুরাইয়া থেকে সু নিয়ে সুপ্রভা।'

সুপ্রভা হাই তুলতে তুলতে বলল, তোমার সুরাইয়া থেকে সু নিয়ে আর বাবার হাসানুজ্জামানের হা নিয়ে 'সুহা' নাম রাখলে ভাল হত। নতুন ধরনের হত।

'সুহার কি কোন অর্থ আছে না-কি?'

'তাহলে হাসু। হাসুর অর্থ আছে–যে হাসে। আর আমিতো সে রকমই-সব সময় হাসি।'

'তুই সব সময় হাসিস?'

'হুঁ। স্কুলে আমার নাম কি জান মা? আমার নাম মিস এল জি।'

'এলজি মানে?'

'এলজি হল লাফিং গ্যাসের সংক্ষেপ। আমাদের ক্লাসের আরেকটা মেয়ে আছে তার নাম মিস এইচ এম।'

'এইচ এম মানে?'

'এইচ এম মানে হনুমানমুখী। ওর মুখটা দেখতে হনুমানের মত।'

'তোরা কি স্কুলে পড়াশোনা বাদ দিয়ে সব সময় ঠাট্টা ফাজলামী করিস?'

সুরাইয়ার গলা কেমন যেন কঠিন হয়ে আসছে। কথা বার্তা আর চালানো ঠিক হবে না। বিপদ মাপার যন্ত্রটায় একটু পর পর লালবাতি জ্বলছে। বিপদ মাপা যন্ত্র বলছে–দুই নম্বর সতর্ক সংকেত। ঘুমিয়ে পড়ার ভান কর। সুপ্রভা ঘুমের ভান করল। ভারী নিঃশ্বাস ফেলা শুরু করল। ঘুমের ভান সে খুব ভাল করতে পারে। ঘুমের মধ্যে মানুষ যেমন বিড়বিড় কথা বলে সে তাও পারে। মনে হয় বড় হলে সে খুব নামকরা অভিনেত্রী হবে।

দরজায় খুট খুট শব্দ। ইমন ঘুমিয়ে পড়েছিল, খুটখুট শব্দে ঘুম ভাঙ্গল। দরজার ও পাশ থেকে টোকনের গলা শোনা গেল, ইমন দরজা খোল। রাত দু'টা না বাজতেই ঘুমিয়ে পড়লি পরীক্ষায় ফার্স্ট সেকেন্ড হবি কীভাবে।

ইমন দরজা খুলল। দুই ভাই হাসি মুখে দাঁড়িয়ে। কাউকেই চেনা যাচ্ছেনা। মাথার চুল প্রায় কদম ছাট করা। দু'জনেই দাঁড়ি রেখেছে। গোঁফ রেখেছে। শোভন বলল, চিনতে পারছিস? আমরাই আমাদের চিনিনা তুই চিনবি কি ভাবে? যা ফ্রীজ খুলে দেখ খাবার টাবার কিছু আছে কি না। ক্ষিধেয় জীবন যাচ্ছে।

ইমন বলল, রাতে থাকবে?

শোভন বলল, এখনো বুঝতে পারছি না। হেভী একটা গোসল দেব। সাত দিন গোসল করিনি। গা থেকে পাঁঠার গন্ধ আসছে। কাছে আয় শুঁকে দেখ।

শোভন হাসছে, তার সঙ্গে টোকনও হাসছে। ইমনেরও খুব মজা লাগছে। ইমনের মনে হচ্ছে এই দুই ভাইতো আসলে সুখেই আছে। মনের সুখে ঘুরে বেড়াচ্ছে। যা করতে ইচ্ছা হয় করছে। এই দাড়ি রেখে ফেলছে, এই মাথা কামিয়ে ফেলছে। ঘর বাড়ির সঙ্গে কোন সম্পর্ক নেই। ফ্রীজে বাসি খাবার যা পাওয়া যাবে তাই খাবে। ইচ্ছা হলে ঘুমুবে, ইচ্ছা না হলে রাতেই চলে যাবে।

শোভন বাথরুমে ঢুকে পড়েছে। বাথরুমের দরজা খোলা। শাওয়ার ফুল স্পীডে ছেড়েছে। ঝড়ের মত শব্দ হচ্ছে। ইমনের দায়িত্ব ফ্রীজ থেকে খাবার আনা। ইমন যাচ্ছে না। কারণ শোভন যখন বাথরুমে গোসল করে তখন ইমন বাথরুমের আশে পাশে থাকতে খুব পছন্দ করে। শোভনের স্বভাব হচ্ছে গায়ে পানি ঢালতে ঢালতে গান করা। কোন গানই সে পুরোটা জানে না। দুই লাইন, চার লাইনের গান। এই এক লাইনের রবীন্দ্র সংগীত-কুসুমে কুসুমে চরণ চিহ্ন... তারপরই হিন্দী বাচুপানকে দিন ভুলানা দেনা...

ইমনের ধারণা বাংলাদেশে শোভন ভাইয়ার চেয়ে ভাল গানের গলা আর কারোর নেই।

শোভন বাথরুম থেকে চেঁচিয়ে বলল, ইমন তোকে না খাবারের ব্যবস্থা করতে বললাম, তুই দাঁড়িয়ে আছিস কেন?

'যাচ্ছি। ঐ গানটা গাও না–'

'কোনটা?'

'বাকের ভাইয়ের গানটা–হাওয়ামে উড়ত যায়ে...'

'কথা ভুলে গেছি। তোকে যা করতে বলছি কর। যদি দেখিস ফ্রীজে কিছু নেই তাহলে কাঁচা ডিম নিয়ে আসবি। কাঁচা ডিম লবণ দিয়ে খেতে মারাত্মক টেস্ট।'

ইমন তবুও যাচ্ছে না। শোভন ভাইয়া বাকের ভাইয়ের গানের এক দু'লাইন অবশ্যই গাইবে। তারপর সে যাবে।

শোভন শীষ দিতে দিতে হাওয়ামে উড়তা যায়ে গানটা ধরল। ইমনের রীতিমত ঈর্ষা হচ্ছে–কাউকে কাউকে আল্লাহ এত ক্ষমতা দিয়ে পাঠান কেন?

ফ্রীজে অনেক খাবার ছিল। সকালের নাস্তা খিচুড়ি রাতেই রেধে ফ্রীজে ঢুকিয়ে রাখা হয়েছে। খিচুড়ির সঙ্গে গোশত। জমে শক্ত হয়ে আছে। দুই ভাই তাই খুব তৃপ্তি করে খেল।

ইমন বলল, তোমরা কি আজ রাতেই চলে যাবে?

টোকন হ্যাঁ সূচক মাথা নাড়ল। শোভন বলল, তোর কাছে একটা জিনিস রেখে যাব। কাপড় দিয়ে মোড়া। খবর্দার খুলে দেখবি না ভেতরে কি। সাবধানে রাখবি।

ইমন বলল, আচ্ছা।

'ইউনিভার্সিটিতে তোর কোন সমস্যা হচ্ছে নাতো?'

'কি সমস্যা?'

'ইউনিভার্সিটিটা হয়েছে রাজনীতির আখড়া। এ ওকে মারছে, ও তাকে ধমকাচ্ছে। তোকে যদি কেউ কিছু বলে আমাদের বলিস ভুড়ি গালিয়ে পেটের ফোটকা বের করে ফেলব।'

ইমন হাসছে। শোভন বিরক্ত গলায় বলল, হাসছিস কেন?

ইমন বলল, মানুষের ফোটকা থাকে না। ফোটকা থাকে মাছের।

শোভন বলল, নাড়ি ভুড়ি এবং ফোটকা একই জিনিস।

খাওয়া শেষ করে দুই ভাই রাত তিনটার দিকে চলে গেল। বাকি রাতটা ইমনের ঘুম হল না। তার বার বার মনে হল সে একটা ভুল করেছে। তারও উচিত ছিল এই দু'জনের সঙ্গে চলে যাওয়া।

অনেকক্ষণ ধরে টেলিফোন বাজছে।

মিতু টেলিফোনের পাশেই, ভুরু কুঁচকে আছে। ক্রিং ক্রিং শব্দটা থামলে তার ভুরু মসৃণ হবে। যে টেলিফোন করেছে সে একসময় বিরক্ত হয়ে হাল ছেড়ে দেবে– মিতুর তাই ধারণা। ইদানীং খুব আজে বাজে কল আসছে। কথা বার্তার ধরণ থেকে মনে হয় নাইন টেনের ছাত্র। কুৎসিত বাক্য মুখে ঠিকমত আসছে না, আবার বলার ইচ্ছাও আছে। মিতুর ধারণা চার পাঁচজনের একটা দল আছে। কুৎসিত কথা একজন বলে অন্যরা হাতে মুখ চাপা দিয়ে খিক খিক করে হাসে। যেমন একজন বলল, "আচ্ছ আপা আপনার বুকের সাইজ কত? ব্রার নাম্বার কত থার্টি ফোর, না থার্টি সিক্স?" চারদিকে শুরু হল খিক খিক হাসি। এই জাতীয় একটা বাক্যেই সারাদিনের জন্যে মেজাজ খারাপ হয়ে থাকে। মিতু প্রতিজ্ঞা করেছে সে টেলিফোন ধরবে না।

আজ যে টেলিফোন করেছে তার ধৈর্য অসীম। সে বিরক্ত হয়ে লাইন কেটে দিচ্ছে না। ধরেই আছে। কিছুক্ষণ বিরতি নেয় আবার করে। মিতু শেষটায় চোখ মুখ কঠিন করে রিসিভার হাতে নিল। ওপাশ থেকে মিষ্টি এবং কোমল গলায় একটি মেয়ে বলল–এটা কি ইমন ভাইয়াদের বাড়ি?

মিতু বলল, হ্যাঁ।

'আপনি কে?'

'আমি ইমনের বড়বোন।'

'আপা স্লামালিকুম।'

'ওয়ালাইকুম সালাম।'

'ইমন ভাইয়া কি বাসায় আছে?'

'তুমি একটু ধরে থাক, আমি দেখছি ও আছে কি-না। তোমার নাম কি?

'নবনী।'

'নবনী বললেই সে তোমাকে চিনবে?'

'জ্বি।'

'আচ্ছা তুমি ধরে থাক।'

মিতু ইমনের ঘরে ঢুকল। ইমন পড়ছিল, মিতুকে দেখে শুধু তাকাল, কিছু বলল না।

মিতু বলল, দিনের বেলা দরজা জানালা বন্ধ করে তুই পড়িস কীভাবে? অন্ধকারে চোখের বারোটা বাজবে।

ইমন কিছু বলল না। প্রশ্ন না করলে সে জবাব দেয় না। এখনো তাকে কোন প্রশ্ন করা হয় নি। মিতু বলল, চা খাবি? ইমনের চা খাবার কোন ইচ্ছা নেই তবু সে হ্যাঁ সূচক মাথা নাড়ল। ইমন লক্ষ্য করেছে সে চা খেতে চাইলেই মিতু ট্রেতে করে দু'কাপ চা নিয়ে আসে। ইমনকে এক কাপ দিয়ে নিজে এক কাপ নেয়। চা খাবার সময়টা পা দুলিয়ে দুলিয়ে গল্প করে। মিতুর সেই গল্পগুলি হয় খুব মজার। চা খেতে ইচ্ছে না হলেও শুধুমাত্র গল্প শোনার লোভে ইমন চা খেতে চায়।

মিতু আবার এসে টেলিফোন ধরল।

'হ্যালো নবনী!'

'জ্বি আপা।'

'ইমনতো বাসায় নেই– মনে হয় সেলুনে চুল কাটাতে গেছে।'

'ও আচ্ছা।'

'তাকে কি কিছু বলতে হবে?'

'জ্বি না, কিছু বলতে হবে না।'

'নবনী নামের একটা মেয়ে টেলিফোন করেছিল এটা বলব? না-কি কিছুই বলব না।'

'আচ্ছা, বলতে পারেন।'

'আমি কি বলব তোমাকে টেলিফোন করতে?'

'জ্বি না, দরকার নেই।'

'তবু সে হয়তো তোমাকে টেলিফোন করতে চাইবে তখন কি নিষেধ করব?'

'জ্বি না, নিষেধ করার দরকার নেই।'

'ও কি তোমার টেলিফোন নাম্বার জানে?'

'আমি একবার কাগজে লিখে দিয়েছিলাম।'

'এক কাজ করতে পার আমাকে টেলিফোন নাম্বার দিতে পার। ও যদি আগের নাম্বার ভুলে গিয়ে থাকে আমি দিতে পারব। তুমি বল আমি লিখে নিচ্ছি। আর আমার নিজেরো টেলিফোনে কথা বলতে ভাল লাগে। মাঝে মাঝে আমিও কথা বলতে পারি।'

‘আশ্চর্যতো, আপনার সঙ্গে আমার খুব মিল। সামনা সামনি কথা বলতে আমার ভাল লাগে না। টেলিফোনে কথা বলতে ভাল লাগে।’

‘তাহলে তুমি নিশ্চয়ই খুব রূপবতী। একমাত্র রূপবতীদেরই সামনা সামনি কথা বলতে ভাল লাগে না।’

‘আপা আমি খুব রূপবতী না, মোটামুটি।’

‘কোন ক্লাসে পড়?’

‘ক্লাস টেন। এবার এস.এস.সি দেব।’

‘ইমনের সঙ্গে পরিচয় হল কি ভাবে?’

‘উনিতো আমার স্যার। সপ্তাহে তিনদিন আমাকে অংক করান।’

‘ও আচ্ছা। ইমন আমাদের কিছু বলেনি। স্যারকে ভাইয়া ডাক?’

‘স্যার ডাকতে ভাল লাগে না, এই জন্যে ভাইয়া ডাকি। আপা টেলিফোন নাম্বারটা লিখে রাখুন। আমার এক্ষুণি টেলিফোন ছেড়ে দিতে হবে। মা আসবে। আমি সারাক্ষণ টেলিফোনে কথা বলিতো, এটা মা'র খুব অপছন্দ।’

নবনী টেলিফোন নাম্বার বলল। মিতু লিখে রাখল না। টেলিফোন নাম্বার মনে রাখার ব্যাপারে তার ভাল দক্ষতা আছে। একবার কোন নাম্বার শুনলে তার সারাজীবন মনে থাকে। পড়াশোনা তেমন মনে থাকে না। মিতুর ধারণা টেলিফোন অপারেটরের চাকরি সে খুব ভাল করবে।

মিতু দু'কাপ চা নিয়ে ইমনের ঘরে ঢুকল। চায়ের কাপ ইমনের দিকে বাড়িয়ে দিতে দিতে বলল, তারপর তোর খবর কি?

ইমন বলল, ভাল।

‘কেমন ভাল? মোটামুটি না খুব ভাল?’

ইমন কিছু বলল না। মিতুর সঙ্গে সে খুব বেশী কথাবার্তায় যায় না। মেয়েটাকে তার একটু ভয় ভয় লাগে। তার সব সময় মনে হয় এই মেয়েটার সামনে যেই দাঁড়ায় তার সব রহস্য ফাঁস হয়ে পড়ে। মিতু কিছু বিশেষ ক্ষমতায় মনের সব কথা বুঝে ফেলে।

‘ইমন সাহেব?’

‘হুঁ।’

‘তুই কি প্রাইভেট টিউশানি করিস না-কি?’

‘হুঁ।’

‘কাউকেতো কিছু বলিস নি।’

‘বলার কি আছে?’

‘তাও ঠিক, বলার কি আছে। কত টাকা দেয়?’

'এক হাজার টাকা।'

'মাত্র?'

'এক হাজার টাকা মাত্র হবে কেন?'

'আমার কাছেতো মাত্র বলেই মনে হচ্ছে। তোর মত ব্রিলিয়ান্ট একজন ছাত্র বাসায় গিয়ে পড়াচ্ছিস! ওরা কি নাশতা দেয়?'

'হ্যাঁ দেয়।'

'ভাল নাশতা?'

ইমন বলল, এত কথা জিজ্ঞেস করছিস কেন?

মিতু সেই প্রশ্নের উত্তর না দিয়ে গলা নিচু করে বলল, তোর ছাত্রী দেখতে কেমন?

ইমন বলল, দেখতে ভাল।

'পুতুল পুতুল চেহারা?'

'পুতুল পুতুল চেহারা কি-না আমি জানি না। কোন চেহারাকে পুতুল পুতুল চেহারা বলে?'

'আমার দিকে দেখা। আমার চেহারা, পুতুল পুতুল না। আমার মধ্যে কোন মায়া নেই। আমি হচ্ছি কঠিন একটা মেয়ে।'

মিতুকে এখন সত্যি কঠিন দেখাচ্ছে। ইমন বিস্মিত হয়ে তাকিয়ে আছে। মিতুর চেহারার এই হঠাৎ পরিবর্তনের কারণ সে ধরতে পারছে না। মিতু নিজেও বুঝতে পারছে না সে হঠাৎ এমন রেগে গেছে কেন। নবনী নামের একটা মেয়েকে ইমন পড়ায় এটাই কি রাগের কারণ? এর মধ্যে রাগের কি আছে? ইমন পড়ার খরচ চালানোর জন্যে এটা করতেই পারে। করাটাই স্বাভাবিক। খবরটা গোপন রাখার জন্যে কি মিতু রাগ করেছে? তাওতো না। গোপন করা ইমনের স্বভাব। কোন কিছুই সে বলে না। তার বেশীর ভাগ খবর জানা যায় অন্যের মাধ্যমে।

'ইমন, আজ বিকেলে কি তোর টিউশানি আছে?'

'না।'

'আজ বিকেলে তুই আমার সঙ্গে বনানী মার্কেটে যাবি। আমার এক বান্ধবীর হঠাৎ বিয়ে ঠিক হয়ে গেছে। ওর বিয়ের গিফট কিনব।'

'আজতো যেতে পারব না।'

'কেন যেতে পারবি না?'

'আজি বিকেলে আমি আমাদের ক্লাসের এক ছেলের কাছে যাব। ওর সঙ্গে কথা হয়ে আছে।'

'আজ না গিয়ে কাল যাবি। তোর এপয়েন্টমেন্টতো আর প্রাইম মিনিস্টারের এপয়েন্টমেন্ট না যে রদবদল করা যাবে না।'

'ওর একটা কম্পিউটার আছে। আমি ওর কম্পিউটারে ল্যাবের কাজগুলি দেখি।'

'আরেক দিন দেখবি। একদিন প্র্যাকটিক্যাল না দেখলে কিছু হয় না।'

'আচ্ছা।'

মিতু উঠে দাঁড়াল এবং তীব্র গলায় বলল, তোর যেতে হবে না। ঘর থেকে বের হবার সময় সে এত দ্রুত বের হল যে দরজায় বাড়ি খেয়ে মাথা ফুলে গেল। অন্য যে কোন ছেলে হলে পুরো ঘটনার আকস্মিকতায় হকচকিয়ে যেত। ইমনের বেলায় তার ব্যতিক্রম হল। সে সঙ্গে সঙ্গে বই নিয়ে বসল। বই এ সে ঠিক মন বসাতে পারল না। এই বই এর ফাঁকেই একটা রেজিস্ট্রি চিঠি লুকানো আছে। চিঠিটা গত সপ্তাহে এসেছে। চিঠির হাতের লেখা অপরিচিত। চিঠির ভাষা অশালীন কিন্তু চিঠিটা যে পাঠিয়েছে সে পরিচিত। চিঠিটার লেখক মিতু এই ব্যাপারে সে একশ ভাগ নিশ্চিত। চিঠির একটা লাইন হচ্ছে– "জনগো তুমি রাস্তা দিয়ে হাঁটার সময় কুজো হয়ে হাঁট কেন?" এই লাইনটাই বলে দিচ্ছে চিঠি মিতুর লেখা। মিতু তাকে কয়েকবার বলেছে–"এই তুই রাস্তা দিয়ে হাঁটার সময় কুঁজো হয়ে হাটিস কেন? তোকে দেখলে মনে হয় হানচব্যাক অব নটরডাম।"

মিতুর উদ্দেশ্য যদি হয় মজা করা তাহলে সে এই লাইনটি লিখে নিজেকে স্পষ্ট করে তুলল কেন? না-কি মিতু চাচ্ছে চিঠি পড়ে সে যেন পত্র-লেখক কে তা ধরতে পারে? মাঝে মাঝে ইমনের মনে হয় এই ব্যাপার নিয়ে সে মিতুর সঙ্গে কথা বলে, তারপরই মনে হয়, কথা বলে কি হবে? ইমন বই এর ভাঁজ থেকে আবার চিঠিটা বের করল। রুল টানা কাগজে মজার একটা চিঠি। আচ্ছ এমন কি হতে পারে যে এটা তাকে খুব চিন্তা ভাবনা করে লেখা মিতুর প্রথম প্রেম পত্র। এর একটা জবাব পাঠিয়ে দিলে কেমন হয়? রেজিস্ট্রি করা জবাব। সম্বোধন হবে "আমার প্রাণ পাখি বুলবুলি।" চিঠিটা হবে অবিকল আগের চিঠির কপি। আগের চিঠিতে যেখানে জান লেখা সেখানে সে লিখবে 'জানে'র স্ত্রী লিংগ জানি। শুধু চিঠির শেষে নামের জায়গায় লিখবে–ইতি, হানচব্যাক অব নটরডাম।

ছিঃ এইসব সে কি ভাবছে। ইমন বই এ মন দেবার চেষ্টা করল। মন বসছে না। মিতুর সঙ্গে গল্প করতে ইচ্ছে করছে। এই ইচ্ছাটা তার প্রায়ই হয়। মাঝে মাঝে এত প্রবল হয় যে সে আতংকগ্রস্থ হয়ে পড়ে। কয়েকবার সে স্বপ্নে মিতুকে দেখেছে। মানসিক ভাবে সে নিশ্চয়ই অসুস্থ নয়ত এমন স্বপ্ন দেখত না। একটা স্বপ্ন ছিল ভয়াবহ– সে খাটে বসে বই পড়ছে। অনেক রাত। মিতু ঘরে ঢুকে বলল, এই শোন চোখ বন্ধ কর। ইমন বলল, কেন? মিতু বলল, কেন মানে? আমি ঘুমাব না?

'ঘুমুলে চোখ বন্ধ করতে হবে কেন?'

'আমি কি শাড়ি পরে ঘুমুতে যাব না-কি? নাইটি পরে ঘুমুব।'

ইমন চোখ বন্ধ করল। এর মধ্যেও পিট পিট করে তাকাল। সত্যি মিতু খুব স্বাভাবিক ভঙ্গিতে শাড়ি খুলে নাইটি পরে বিছানায় উঠে এসে বলল, ঘুমুতে এসো। এত বেশী পড়াশোনা করার দরকার নেই। শেষে আইনস্টাইন হয়ে যাবে।

ইমন স্বপ্নের মধ্যেই বুঝতে পারছে– মিতু তাকে তুই তুই করে বলছে না। মিতু তার স্ত্রী। স্ত্রীরা স্বামীকে তুই করে বলে না।

স্বপ্নটা দেখার পর প্রায় এক সপ্তাহ ইমন মিতুর দিকে চোখ তুলে তাকাতে পারে নি। তার কাছে মনে হয়েছে– মিতুর চোখে চোখ পড়লেই মিতু সবকিছু বুঝে যাবে।

একদিন মিতু নিজেই বলল, এই শোন, তুই আমাকে দেখলেই এমন পাস কাটিয়ে চলে যাস কেন? তোর সমস্যাটা কি? আমাকে তুই ভয় পাস না-কি?

'ভয় পাব কেন?'

'ভয় কেন পাবি সেটাতো আমি জানি না। তোর ভাব ভঙ্গি দেখে মনে হয়– হয় তুই আমাকে ভয় পাস, আর নয়তো তুই আমার প্রেমে পড়েছিস। প্রেমের প্রাথমিক পর্যায়ে ছেলেরা এমন করে।'

'তুই প্রেম বিশারদও হয়েছিস না-কি?'

'আমি সর্ববিদ্যা বিশারদ। আমার মাছির মত ত্রিশ হাজার চোখ।'

ইমন বলল, চোখ বেশী থাকার সমস্যাও আছে। চোখ যত বেশী ভিশন তত পুওর। প্রকৃতি একটা দিলে আরেকটা দেয় না।

'প্রকৃতি যাকে দেবার তাকে উজার করেই দেয়। যাকে দেবার না তাকে কিছুই দেয় না। এই জন্যেই একজন হয় রবীন্দ্রনাথ একজন হয় ঠেলাগাড়ির ড্রাইভার মুকাদ্দেছ।'

মিতুর মন সচরাচর খারাপ হয় না। আর খারাপ হলেও তা বোঝা যায় না। আজ মিতুর মন বেশ খারাপ। ইমনের ঘর থেকে বের হয়ে সে প্রথমে ছাদে গেল। বেশীক্ষণ থাকল না, প্রায় সঙ্গে সঙ্গেই নেমে এল। তার মন খারাপ কি-না তা বোঝার উপায় হচ্ছে–সে রান্নাঘরে কি-না। যদি দেখা যায় সে রান্নাঘরে ঢুকে কোন একটা রান্না নিয়ে ব্যস্ত তাহলে বোঝা যাবে তার মন বিশেষ খারাপ।

মা'র ঘরের পাশ দিয়ে রান্নাঘরে যাবার সময় ফাতেমা খুশী খুশী গলায় ডাকলেন, মিতু শুনে যা। তাঁর খুশীর প্রধান কারণ হচ্ছে সুনামগঞ্জ থেকে

পাগলা পীর সাহেব এসেছেন। আজ রাতে তিনি থাকবেন। নানান বিষয়ে গণা গুনবেন। বর্তমানে তিনি ফাতেমার ঘরে আছেন। ফাতেমার সঙ্গে পীর সাহেব ধর্ম বোন পাতিয়েছেন।

মিতু মা'র ঘরে উঁকি দিতেই পীর সাহেব মুখ ভর্তি হাসি দিয়ে বললেন–আম্মাজীর মুখ মলিন কেনে? মিতু পীর সাহেবকে সম্পূর্ণ অগ্রাহ্য করে মা'র দিকে তাকিয়ে বলল, মা ডাকছ কেন?

ফাতেমা ঝলমলে গলায় বললেন, পীর সাহেবকে দিয়ে তোর বিয়ের গনাটা গনিয়ে নে। কোথায় বিয়ে হবে কবে হবে সব বলে দেবেন।

মিতু বলল, আমার কোথায় বিয়ে হবে, কবে হবে, আমি জানি। পীর সাহেবকে গুনে বের করতে হবে না।

পীর সাহেব মনে হল মিতুর কথা শুনে মজা পেয়েছেন। খিক খিক করে হাসছেন।

পীর সাহেবের বয়স চল্লিশের মত। দাড়ি গোঁফ নেই। সার্ট পেন্ট পরেন। মজার মজার কথা বলেন। তাঁর ভবিষ্যৎ গণার পদ্ধতিটাও একটু ভিন্ন। এক টুকরা শাদা কাগজ নিয়ে নানান চিহ্ন আঁকেন। তারপর সুনামগঞ্জের ভাষায় হাসিমুখে বলেন– দরখাস্ত পেশ করেন।

অর্থাৎ কি জানতে চান বলুন।

যখন কিছু জানতে চাওয়া হয় তখন কিছুক্ষণ চোখ বন্ধ করে নিজের মনে বিড়বিড় করেন। শাদা কাগজে আরো কিছু আঁকি বুকি কাটেন। তারপর বলেন, বিসমিল্লাহ বইল্যা আংগুল ফেলেন।

তখন বিসমিল্লাহ বলে আঁকি বুকি কাটা কাগজে আংগুল ফেলতে হয়। আংগুল ফেলা মাত্র পীর সাহেব হড়বড় করে প্রশ্নের জবাব দিতে থাকেন।

মিতুর ধারণা এই মানুষ পীর ফকির কিছু না– অতি ধুরন্ধর। মানুষের প্রশ্ন থেকেই জবাবটা কি হলে ভাল হয় সেটা আঁচ করে নেয়। সেই দিকেই সে অগ্রসর হয়। মিতুর ধারণা সত্যি হবার সম্ভাবনা আছে। এই মুহূর্তে পীর সাহেব ফাতেমার প্রশ্নের উত্তর দিচ্ছেন। ফাতেমা বললেন, ভাই আমার ছেলে দুইটা সম্পর্কে বলেন। একজনের নাম শোভন একজনের নাম টোকন।

পীর সাহেব বললেন, ভইন দরখাস্ত পেশ করেন। হাই কোর্টে দরখাস্ত দেন।

ফাতেমা বললেন, ওরা আছে কেমন?

পীর সাহেব বললেন, ভাল আছে। খুব ভাল আছে।

ফাতেমা বললেন, কোন বিপদে পড়বেনাতো?

প্রশ্ন থেকে পীর সাহেব বিপদের আঁচ পেলেন। তিনি হাসিমুখে বললেন, বিপদের মধ্যেইতো আছে। নতুন কইরা পড়ব কি?

ফাতেমা পীর সাহেবের আধ্যাত্মিক ক্ষমতায় অভিভূত হলেন।

'বিপদ থেকে উদ্ধারের পথ কি?'

পীর সাহেব কাগজে আঁকি বুকি কাটতে লাগলেন। ফাতেমাকে দিয়ে তিনি কয়েকবার তর্জনী দিয়ে কাগজ ছোঁয়ালেন। প্রতিবারই তাঁর মুখ গম্ভীর থেকে গম্ভীরতর হল। যেন জবাবটা পাচ্ছেন।

'মাথার মধ্যে চাপ পড়তাছেগো ভইন। চা খাব। চা খাওনের পর আরেকবার চেষ্টা কইরা দেখব।'

এ বাড়িতে পাগলা পীর সাহেব এলে সবচে উত্তেজিত অবস্থায় যে থাকে তার নাম সুপ্রভা। সে সারাক্ষণ পীর সাহেবের সঙ্গেই থাকে। পীর সাহেবকে ডাকে পীর মামা। আজ সুপ্রভার দেখা পাওয়া যাচ্ছে না। স্কুল থেকে ফিরে সে আতংকে অস্থির হয়ে আছে। তার কিছুই ভাল লাগছে না। স্কুল থেকে ফিরে সে ভাত খায়–ভাত খেতে পারে নি। খাবার নাড়াচাড়া করে রেখে দিয়েছে। কারণ সে ভয়ংকর বিপদে পড়েছে। এই বিপদ থেকে সে কি ভাবে উদ্ধার পাবে তা জানে না। দোয়া ইউনুস ক্রমাগত পড়তে থাকলে বিপদ থেকে উদ্ধার পাওয়া যায়। দোয়া ইউনুস সে ক্রমাগত পড়ে যাচ্ছে। বিপদ থেকে উদ্ধারের কোন পথ দেখছে না। স্কুলে সে তার গলার চেইনটা হারিয়ে ফেলেছে। এক ভরী সোনার চেইন সুরাইয়া তার মেয়ের গলায় পরিয়ে দিয়েছিলেন । সোনার গয়না পরে স্কুলে যাওয়া এমনিতে নিষেধ। আজ ছিল প্রাইজ ডিস্ট্রিবিউশন। সেই উপলক্ষে কিছু সাজগোজ করার অনুমতি ছিল। এই অনুমতি কাল হয়েছে। চেইন যে হারিয়েছে এটা সে টের পেয়েছে স্কুল থেকে আসার পর। স্কুলে থাকার সময় টের পাওয়া গেলে মাঠে যেখানে সবাই মেয়েরা মিলে দৌড়াদৌড়ি করেছিল সেখানে খোঁজা যেত।

সুপ্রভা দোয়া পড়েই যাচ্ছে। দোয়া যদি কবুল হয় তাহলে জিনিসটা কি ভাবে পাওয়া যাবে সে বুঝতে পারছে না। হঠাৎ দেখা যাবে হারানো চেইন তার গলায় দুলছে? নাকি হঠাৎ স্কুলের দারোয়ান চাচা বাসায় উপস্থিত হয়ে বলবে–আপামনি আপনার চেইন পাওয়া গেছে। সমস্যা হচ্ছে স্কুলের দারোয়ানতো তার বাসার ঠিকানা জানে না।

জামিলুর রহমান লক্ষ্য করলেন সুপ্রভা সিঁড়ি ঘরের অন্ধকারে দাঁড়িয়ে ফুঁপিয়ে কাঁদছে। তিনি কাছে এগিয়ে গেলেন। গম্ভীর গলায় বললেন, কাঁদছিস কেন?

সুপ্রভা জবাব না দিয়ে ছুটে এসে তার বড় মামাকে জড়িয়ে ধরল।

জামিলুর রহমান বিরক্ত গলায় বললেন, কান্না বন্ধ করে বল সমস্যাটা কি। মা বকা দিয়েছে?

'না।'

'তাহলে হয়েছে টা কি?'

সুপ্রভা ফুঁপাতে ফুঁপাতে তার সমস্যার কথা বলল। জামিলুর রহমান বললেন, কাপড় বদলে চল আমার সঙ্গে?

'কোথায় যাব?'

'চল দেখি সমস্যার সমাধান করা যায় কি না। কেঁদেতো তুই আমার পাঞ্জাবী ভিজিয়ে ফেলেছিস। কান্না বন্ধ কর।'

জামিলুর রহমানের মত কৃপণ মানুষ সুপ্রভাকে নিয়ে অনেক দোকান ঘুরে ঠিক আগের চেইনের মত দেখতে একটা চেইন কিনে দিলেন। সুপ্রভা বলল, মামা এটাতো বেশী চকচক করছে। মা যদি বুঝে ফেলে।

'বুঝবে না। তোর মা খুঁটিয়ে আজকাল কিছুই দেখে না।'

'মামা একটা কাজ করলে কেমন হয়— চেইনটা নিয়ে তেঁতুল দিয়ে ধোয়া শুরু করি। মা'র সামনে ধুই। মা বুঝবে যে ধোয়ার জন্যে পরিষ্কার হয়েছে।'

'বুদ্ধিটা খারাপ না।'

'মামা কোক খাব।'

'কোক-ফোক না। আজে বাজে জিনিস খেয়ে শরীর নষ্ট।'

কোকের একটা ক্যান জামিলুর রহমান কিনে দিলেন। কোক খেতে খেতে সুপ্রভা ফিরছে। হড়বড় করে অনবরত কথা বলছে। বড় মায়া লাগছে জামিলুর রহমান সাহেবের।

জামিলুর রহমান সাহেব দশটার আগেই অফিসে চলে আসেন। অফিসের কর্মচারীদের দশটার সময় আসার কথা—ওরা তা করে কি-না সেটাই তার দেখার উদ্দেশ্য। মালিক দশটার আগেই চলে আসেন, কর্মচারীদের এই বোধটা মাথায় থাকলে তারাও সকাল সকাল আসবে। ঘটনা সে রকম ঘটে না; সবাই সবার ইচ্ছামত হেলতে দুলতে এসে উপস্থিত হয়। কেউ সাড়ে দশটায় কেউ এগারোটায়। এসেই চায়ের অর্ডার। যেন অফিসে এসেছে চা খেতে। বারোটা বাজতেই অফিসের পিওন সামছু মিয়া বের হয়ে যায় সিঙ্গাড়া আনতে। রাস্তার মোড়ে বিসমিল্লাহ রেস্টুরেন্টে সিঙ্গাড়া ভাজা হয়। সামছু মিয়া গরম সিঙ্গাড়া নিয়ে আসে। জামিলুর রহমান সাহেবের ধারণা ছিল সিঙ্গাড়া তারা নিজের টাকায় কিনে এনে খায়। কিছুদিন হল জেনেছেন ঘটনা তা না। খরচ যায় অফিস থেকে। ক্যাশিয়ার বিনয় বাবু সিঙ্গাড়ার দাম অফিস খরচে ঢুকিয়ে দিচ্ছেন।

অফিসের হিসাবপত্র জামিলুর রহমান সাহেব খুব খুটিয়ে দেখেন না। হিসাবপত্র ঠিক থাকলেই হল। তিনি দেখেন ব্যাংকে জমা টাকার হিসাব। মাঝে মাঝে ক্যাশিয়ার বিনয় বাবু যখন বলেন, স্যার প্যাটি ক্যাশে টাকা নাই তখন চোখে চশমা দিয়ে প্যাটিক্যাশের বই এ চোখ বুলিয়ে যান। তাঁর প্রায়ই মনে হয়— মাসে মাসে ন' হাজার টাকা বাড়ি ভাড়া দিয়ে এমন একটা অফিস না হলেও তাঁর চলত। হিসাব নিকাশ যা আছে নিজেই করতে পারতেন। যোগ এবং বিয়োগ অংক। যোগ বিয়োগ এমন কিছু জটিল অংক না। তার জন্যে মাইনে দিয়ে ক্যাশিয়ার পোষার দরকার কি? অফিস ম্যানেজার, ম্যানেজারের এসিসটেন্ট, সাইকেল পিওন, সাধারণ পিওন সবই বাহুল্য। লাভের গুড় এরাই চেটেপুটে খেয়ে ফেলছে। শুধু গুড় খেয়েই তৃপ্ত না। বেলা বারোটার সময় বিসমিল্লাহ রেস্টুরেন্টের সিঙ্গাড়াও খাচ্ছে।

আজ অফিসে আসতে জামিলুর রহমান সাহেবের বেশ দেরী হল। পাগলায় ইটের ভাটা দেয়ার একটা পরিকল্পনা তার আছে। ঢাকা শহরে লোকজন পাগলের মত বাড়িঘর বানাচ্ছে। যত একতলা বাড়ি আছে সব

ভেঙ্গে রাতারাতি সেখানে দশতলা বারতলা এপার্টমেন্ট হাউস হচ্ছে। ইটের দাম বাড়ছে হু হু করে। ইটের ভাটিগুলি ইট সাপ্লাই দিয়ে কুল পাচ্ছে না। ব্যবসার এই লাইনটা ধরা দরকার। এসব ব্যাপারে কারো সঙ্গে যে পরামর্শ করবেন তাঁর সে উপায় নেই। বুদ্ধিদাতা কাছের মানুষ তার কেউই নেই। ফাতেমার সঙ্গে ব্যবসা সম্পর্কে কোন কথা তার কখনোই হয়নি। ফাতেমা রাতে ঘুমুতে যাবার সময় স্বামীর সঙ্গে যে সব গল্প করেন তার বেশীর ভাগই রোগ ব্যাধি সম্পর্কে। শরীর ম্যাজ ম্যাজ করছে, হজম হচ্ছে না, চোখ ব্যথা হচ্ছে—রোদে তাকালে চোখ জ্বালা করে চশমা নিতে হবে, এইসব। জামিলুর রহমান শুনে যান, হুঁ হাঁ করতে করতে এক সময় ঘুমিয়ে পড়েন। ছেলেমেয়ে কারো সঙ্গেই তাঁর কথাবার্তা হয় না। এরা যখন ছোট ছিল তখন তিনি ছিলেন তাঁর ব্যবসা নিয়ে ব্যস্ত। একা মানুষের জন্যে এত বড় ব্যবসা দাঁড় করানো ভয়াবহ ব্যাপার। তিনি সেই ভয়াবহ কান্ডটা শান্তভাবে করেছেন। তা করতে গিয়ে সংসার থেকে দূরে সরে যেতে হয়েছে। মিতু, টোকন, শোভন এদের সঙ্গে দিনের পর দিন দেখাই হয় নি। বাসায় যখন ফিরেছেন তখন গভীর রাত। বাচ্চারা সবাই ঘুমিয়ে। তিনি ঘুম থেকে উঠে দেখেছেন– বাচ্চারা স্কুলে। আজ তাদের সঙ্গে তাঁর দূরত্ব অসীম। মিতু হয়ত বারান্দায় দাঁড়িয়ে আছে, তিনি বারান্দায় চেয়ার পেতে বসেছেন, মিতু তাকে দেখবে কিন্তু কিছু বলবে না।

একবার এ রকম তিনি বারান্দায় বসে ছিলেন। অপেক্ষা করছেন ম্যানেজারের জন্যে। ম্যানেজার এসে তাকে নিয়ে যাবে। তখন অদ্ভুত একটা ব্যাপার ঘটল, মিতু এক কাপ চা নিয়ে এসে বলল, বাবা তোমার চা।

তিনি বিস্মিত হয়ে বললেন, চা চাইনিতো।

মিতু বলল, আমি বানিয়েছি, খাও।

তিনি চায়ে চুমুক দিলেন। তাঁর খুবই লজ্জা লজ্জা করতে লাগল। যেন মিতুর এই হঠাৎ মমতা গ্রহণ করার যোগ্যতা তাঁর নেই। তিনি একটা অন্যায় করছেন। চায়ের জন্যে মেয়েকে ধন্যবাদ জাতীয় কিছু বলা দরকার। কি ভাবে বলবেন তিনি ভেবে পেলেন না। বাইরের কাউকে থ্যাংক য়্যু বলা যায়, নিজের মেয়েকে কি বলা যায়? চা খুব ভাল হয়েছে এই জাতীয় কথা বলা যায়। কথাগুলি গুছিয়ে বলার আগেই মিতু চলে গেল। কথাগুলি বলা হল না।

জামিলুর রহমান সাহেব বুঝতে পারছেন ছেলেমেয়েদের সঙ্গে তার দূরত্ব কমানোর এখন সময় হয়ে এসেছে। বয়স হয়েছে, ঘুম কমে গেছে। বাড়িতে পা দিলেই ক্লান্তি লাগে। এই ক্লান্তি দূর করার জন্যে পরিবারের

মানুষদের আশে পাশে দরকার। তা ছাড়া তিনি তাঁর এক জীবনে কি করলেন না করলেন তাও তাদের জানা দরকার। কোন একদিন ঘুমের মধ্যে হঠাৎ মারা যাবেন এরা কেউ জানতেও পারবে না, তার কত টাকা কোথায় খাটছে, কি কি ব্যবসা আছে, কয়টা ব্যাংকে একাউন্ট আছে। তাদের সম্ভবত ধারণা তিনি কষ্টে সৃষ্টে কোনমতে একটা ব্যবসা চালিয়ে যাচ্ছেন। ব্যবসার লাভে তিনতলা একটা বাড়ি হয়েছে–তাও পুরোটা শেষ হয়নি–ছাদে রেলিং হয়নি, দালান রং করা হয় নি। ব্যবসায় আয় যা হচ্ছে তা দিয়ে অফিস খরচ চালাতেই তিনি হিমসিম খাচ্ছেন। হঠাৎ করে ট্রাক কিনে ঝামেলায় পড়েছেন–লসের উপর লস যাচ্ছে।

ফাতেমা একবার বলেছিলেন, গাড়ি না-কি খুব সস্তা হয়েছে। সবাই গাড়ি কিনছে। তুমি একটা গাড়ি কিনতে পার না? তিন লাখ টাকা দিলেই না-কি একটা রিকন্ডিশান্ড গাড়ি পাওয়া যায়। তিনি কিছু বলেননি। শুধু অদ্ভুত দৃষ্টিতে স্ত্রীর মুখের দিকে কিছুক্ষণ তাকিয়েছিলেন। ফাতেমা এর পর আর গাড়ি প্রসঙ্গে কোন কথা বলেন নি।

কিছুদিন হল তাঁর গাড়ি কিনতে ইচ্ছে করছে। নিজের জন্যে না, বাড়ির জন্যে। হঠাৎ ঝকঝকে একটা নতুন গাড়ি দেখলে তাঁর ছেলেমেয়েদের মুখের ভাব কি হয় তা তাঁর দেখার ইচ্ছা। এই ইচ্ছা তিনি চাপা দিয়ে রেখেছেন– গাড়ি কেনার অর্থই হচ্ছে গাড়ির সঙ্গে যন্ত্রণা কেনা। ড্রাইভার রাখা। ড্রাইভারের বেতন। সেই বেতনে তার চলবে না, সে তেল চুরি করবে। নতুন চাকা বিক্রি করে পুরানো চাকা লাগিয়ে রাখবে। তার ছিঁড়ে রেখে বলবে গাড়ি নষ্ট গ্যারেজে নিতে হবে। সেই গ্যারেজের সঙ্গে বন্দোবস্ত করা থাকবে। ফিফটি ফিফটি শেয়ার। হাজার টাকার কাজ করালে ড্রাইভার পেয়ে যাবে পাঁচ'শ। কি দরকার?

ঢাকা শহর হচ্ছে রিকশার শহর। একেকটা শহরের সঙ্গে একেক জিনিস মানায়। ঢাকার সঙ্গে মানায় রিকশা। তিনি নিজে রিকশায় চলাফেরা করেন। তাঁর ভালই লাগে। গাড়িতে ছোটাছুটির দরকার কি? স্লো এন্ড স্টেডি উইনস দি রেস। দৌড় যখন শুরু হয় তখন খরগোস জেতে না, জেতে কচ্ছপ। তিনি জন্ম থেকেই কচ্ছপ।

ইটের ভাটির ব্যাপারে এক দালালের সঙ্গে কথা বলার জন্যে গোপীবাগ গিয়েছিলেন। দালাল শব্দটা শুনলেই মনে হয়– আজেবাজে টাইপ মানুষ, যার কাজই লোক ঠকানো। জামিলুর রহমান সাহেব খুব ভাল করে জানেন দালালদের ক্ষমতা কি পরিমাণ হতে পারে। ভাল একজন দালাল ধরা মানে ষোল আনা কাজের আট আনা কমপ্লিট। তিনি যে দালালের কাছে

গিয়েছিলেন তার নাম মোখলেস। পঞ্চাশের কাছাকাছি বয়স। ধূর্ত চেহারা। দুই চোখে সন্দেহ এবং অবিশ্বাস ছাড়া আর কিছুই নেই। শুরুতে সে কথাবার্তা শুরু করল তাচ্ছিল্যের ভঙ্গিতে। জামিলুর রহমান সেই তাচ্ছিল্য গায়ে মাখলেন না।

'ইটের ভাটি দিতে চান?'

'জ্বি।'

'কয়লার না গ্যাসের?'

'গ্যাসের। কয়লা ব্যবহারতো নিষিদ্ধ।'

'কোন কিছুই নিষিদ্ধ না। বাংলাদেশে সবই সিদ্ধ। কোনটা বেশী সিদ্ধ। কোনটা অল্প সিদ্ধ।'

'ইটের ভাটির ব্যবসা আগে কখনো করেছেন?'

'না।'

'নতুন নামবেন?'

'জ্বি।'

মোখলেস অনেক সময় নিয়ে বিড়ি ধরাল। কোমরের লুংগীর খুঁট থেকে পানের বাটি বের করে জর্দা ভর্তি পান মুখে দিল। চোখ বন্ধ করে পান চিবুতে লাগল। জমিলুর রহমান সাহেব অপেক্ষা করতে লাগলেন।

'এক সপ্তাহের নোটিশে দেড় কোটি টাকা ক্যাশ বাইর করতে পারবেন?'

জামিলুর রহমান শীতল গলায় বললেন, পারব।

'আমার খোঁজ আপনি কার কাছে পাইছেন?'

'কার কাছে খোঁজ পেয়েছি এটা জানা কি আপনার দরকার?'

'না, দরকার নাই। আপনে পনেরো দিন পরে আবার আসেন। এই পনেরো দিনে আমি খোঁজ খবর করব।'

জামিলুর রহমান উঠে দাঁড়ালেন। মোখলেসও তাঁর সঙ্গে ঘর থেকে বের হল। জামিলুর রহমানকে রিকশা খুঁজতে দেখে বিস্মিত হয়ে বলল, গাড়ি আনেন নাই?

'আমার গাড়ি নাই। আমি রিকশায় চলাফেরা করি।'

মোখলেস বলল, আমার প্রাইভেট বেবী আছে। আপনেরে দিয়া আসুক।

'দরকার নেই। পেট্রোলের গন্ধ আমার সহ্য হয় না।'

'স্যার, আপনার ঠিকানা দিয়ে যান।'

'পনেরো দিন পর আমি নিজেই আসব। তখন ঠিকানা দেব।'

'জ্বি আচ্ছা।'

মোখলেসের কাছ থেকে আসতে গিয়েই অফিসে তাঁর দেরী হল। তিনি অফিসে পৌঁছলেন বারোটার দিকে। অফিসে পৌঁছেই মনে হল কোন একটা ঝামেলা হয়েছে সবার মুখ থমথমে। অফিসের পিওন দৌড়ে তাঁর ঘর খুলে দিল। ফ্যান ছেড়ে দিল। পিরিচ দিয়ে ঢাকা ঠান্ডা এক গ্লাস পানি টেবিলে রাখল। অফিসে পা দিয়েই তিনি ঠান্ডা এক গ্লাস পানি খান।

পানির গ্লাস শেষ করে তোয়ালে দিয়ে মুখ মুছতে মুছতে জামিলুর রহমান বললেন–সামছু মিয়া, কি ব্যাপার?

'ক্যাশিয়ার সাব আপনেরে বলব।'

'তুমি বললে কোন অসুবিধা আছে? ঘটনা কি আগে তুমি বল– তারপর ক্যাশিয়ারের কাছ থেকে শুনব।'

'আমি কিছু জানি না স্যার। ঘটনার সময় আমি বাইরে ছিলাম। ম্যানেজার সাব আমারে চিঠি পোস্ট করতে বলেছিলেন। আমি গিয়েছি চিঠি পোস্ট করতে। তখন ঘটনা ঘটেছে।'

'ঘটনাটা কি?'

'ছোট সাব এসেছিল।'

'ছোট সাব মানে কে? শোভন?'

'জ্বি।'

'তারপর?'

'আপনে ক্যাশিয়ার সাবরে জিগান।'

'তোমাকে জিজ্ঞেস করছি তুমি বল–শোভন এসে টাকা চাইল?'

'জ্বে।'

'টাকা নিয়ে চলে গেছে?'

'জ্বে।'

'কত টাকা?'

'প্যাটি ক্যাশে যত ছিল সবই নিছে।'

'কত ছিল?'

'মনে হয় তিরিশ হাজার। আইজ একটা পেমেন্ট দেওনের কথা। চেক ক্যাশ করাইছে।'

'শোভন একা এসেছিল?'

'জ্বে না। টোকন ভাইয়াও ছেল। গাড়িতে বইস্যা ছেল। নামে নাই। নামছে খালি শোভন ভাইয়া।'

'শোভন টাকা চেয়েছে আর বিনয় বাবু আয়রণ সেইফ খুলে টাকা দিয়ে দিয়েছে?'

'উনি দিতে চান নাই। ম্যানেজার সাব উনারে দিতে বলছেন। ম্যানেজার সাব খুব ভয় পাইছেন।'

'ভয় পেয়েছে। কেন? শোভন পিস্তল বের করেছিল?'

'জ্বি।'

'আচ্ছা যাও।'

'ক্যাশিয়ার সাবরে আসতে বলি?'

'কাউকে আসতে বলতে হবে না। যখন ডাকব তখন আসবে।'

'স্যার, চা বানায়ে দিব?'

'না। দরজা লাগিয়ে দিয়ে যাও।'

সামছু দরজা লাগিয়ে ভীত মুখে বের হয়ে গেল। জামিলুর রহমান চুপচাপ চেয়ারে বসে রইলেন। তাঁর বুকে চিনচিনে ব্যথা হচ্ছে–শরীর ঘামছে। হার্ট এ্যাটাকের প্রাথমিক পর্যায় নাতো? না, তা না। এরকম তাঁর আগেও কয়েকবার হয়েছে। চুপচাপ বসে থাকলে ঠিক হয়ে যাবে। এখন তাঁর করণীয় কি? পুলিশে খবর দেবেন? পুলিশকে বলবেন, আমার দুই ছেলে এসে ডাকাতি করেছে। আর্মড রোভারী। সঙ্গে পিস্তল ছিল। না, তা করা যাবে না। জামিলুর রহমান তাঁর মন অন্যদিকে ফেরাবার চেষ্টা করছেন– পারছেন না। না পারলেও চেষ্টা করতে হবে। আজকের কাগজ পড়া হয় নি। কাগজ পড়া যেতে পারে। তিনি বেল টিপলেন। সামছু ঢুকল। তিনি বললেন, দেখি আজকের কাগজটা দেখি।

'চা দিব স্যার?'

'দাও, চা দাও।'

বুকের চিনচিন ব্যথাটা মনে হয় কমে আসছে। ব্যথা পুরোপুরি কমুক তখন বিনয়ের সঙ্গে কথা বলা যাবে। তিনি সিঙ্গাড়ার গন্ধ পেলেন। বারোটা বেজে গেছে। অফিসে সিঙ্গাড়া চলে এসেছে। কি এমন জিনিস যে প্রতিদিন খেতে হয়? তিনি নিজে আজ একটা খেয়ে দেখবেন না-কি?

ফাতেমার মেজাজ আজ খুব চড়ে গেছে। মেজাজ চড়ার মত তেমন কোন বড় ঘটনা ঘটে নি। মাঝে মাঝে অতি তুচ্ছ ব্যাপারে তাঁর মাথায় রক্ত উঠে যায়। তখন তিনি কি বলেন বা কি করেন নিজেই জানেন না। এখন তাঁর চোখ রক্ত বর্ণ, কথা জড়িয়ে যাচ্ছে। তিনি সুপ্রভার দিকে তর্জনী উচিয়ে বলছেন, তোর মা'কে বল এক্ষুণি বাড়ি থেকে বের হতে। এক্ষুণি। অনেক দিন ফকির খাওয়ানো হয়েছে আর না। হোটেলের ফ্রি খাওয়া, ফ্রি থাকা যথেষ্ট হয়েছে। এখন পথে নামতে বল। গতর খাটিয়ে খেয়ে দেখুক কেমন লাগে।

এইখানে থেমে গেলে হত, তিনি এখানে থামলেন না। পথে নেমে কি ভাবে জীবন যাপন করলে খেয়ে পরে বাঁচা যায় তা বলতে শুরু করলেন। ইঙ্গিত টিঙ্গিতের ধার ধারলেন না। ভয়াবহ কথা বলতে শুরু করলেন।

মা-মেয়ে ঠোঁটে লিপস্টিক মেখে চন্দ্রিমা উদ্যানে হাঁটবি, কাস্টমার চলে আসবে। কোলে করে নিয়ে যাবে। কোলে কোলে থাকবি। সুখে ভাড়া খাটবি। এইখানেতো কোলে করে কেউ রাখে না–পথে নামলেই কোল পাবি।

সুপ্রভা ভয়ে এবং লজ্জায় থারথার করে কাঁপছে। মনে মনে বলছে, "আল্লা তুমি মামীকে থামাও। তুমি দয়া করে মামীকে থামাও।" মামীর কথা শুনে সে যতটা ভয় পাচ্ছে, তারচে বেশী ভয় পাচ্ছে– মা এখন কি করবে এই ভেবে। ফাতেমার প্রতিটি শব্দ সুরাইয়ার কানে যাচ্ছে। সুরাইয়া খুব সহজ পাত্র না। চুপচাপ সব হজম করবে এই প্রশ্নই আসে না।

সুপ্রভার ধারণা কিছুক্ষণের মধ্যেই তার মা বলবেন, সুপ্রভা ইমনকে বল একটা বেবীটেক্সি ডাকতে। আমরা চলে যাব। সুপ্রভা যদি বলে, মা কোথায় যাব? তিনি অবশ্যই বলবেন, চন্দ্রিমা উদ্যানে। ভাড়া খাটব। এখন বাজে রাত দশটা। বড় মামাও বাসায় নেই। উপায়টা কি হবে? মিতু আপা আছেন। মা'র চিৎকার কথাবার্তা তিনি সব শুনছেন। কিন্তু কিছুই বলছেন না।

সুপ্রভা দেখল, মিতু আপা মগভর্তি চা নিয়ে ছাদে উঠে যাচ্ছে। এখন মা যদি সত্যি সত্যি বেবীটেক্সি আনায় তাহলে কেউ থাকবে না মা'কে বুঝিয়ে দু'টা কথা বলার। সুপ্রভার চিৎকার করে কাঁদতে ইচ্ছে করছে। কাঁদছে না। ভয়ে। কাঁদলে বড় মামী আরো রেগে যেতে পারেন।

যে ঘটনা থেকে এই অগ্ন্যুৎপাত সেই ঘটনা খুবই সামান্য। ফাতেমার পায়ে পানি এসে পা ফুলে গেছে। কাজের মেয়েকে বলেছেন এক গামলা গরম পানি এনে দিতে। গরম পানিতে পা ডুবিয়ে বসে থাকবেন। সে পানি আনতে অনেক দেরী করল। কারণ সে সুরাইয়াকে দোতলায় ভাত দিতে গিয়েছিল। ফাতেমা বললেন, "ভাত ঘরে দিয়ে আসতে হবে কেন নিচে নেমে খেতে পারে না?" কাজের মেয়ে বলল, আম্মা আমি ছোটমুখে অত বড় কথা বলি ক্যামনে? ভাত চায় ভাত দিয়া আসি, চা চায় চা দিয়া আসি, ফিরিজের ঠাণ্ডা পানি চায়, পানি দিয়া আসি। আমার কাম হইছে সিঁড়ি বাওয়া। আম্মা, আমারে ক্ষ্যামা দেন। চাকরি অনেক করছি, আর না।

ফাতেমার বারুদের বস্তায় আগুন লেগে গেল। প্রথমে গরম পানির গামলা লাথি মেরে উল্টে দিলেন। শুরু করলেন চিৎকার। দুর্ভাগ্যক্রমে সুপ্রভা তখন তার সামনে। সে সরে পরতে চেয়েছিল, ফাতেমা কঠিন গলায় বললেন, খবর্দার মেয়ে নড়বি না। খবর্দার বললাম।

ফাতেমার চিৎকার থামার পর সুপ্রভা খুব সাবধানে দোতলায় উঠল। মা'র ঘরে উঁকি দিল। মা রাতের খাওয়া শেষ করেছেন। দেয়ালে হেলান দিয়ে খাটে বসে আছেন। তাঁকে দেখেই বোঝা যাচ্ছে, চিৎকার চেঁচামেচি সবই কানে গেছে। তাঁর চোখ মুখ অস্বাভাবিক শান্ত। এই অস্বাভাবিক শান্ত ভাবটা মারাত্মক। আজ খুবই ভয়ংকর কিছু ঘটবে। সুরাইয়া মেয়ের দিকে তাকিয়ে অত্যন্ত স্বাভাবিক গলায় বললেন, সুপ্রভা রাতের খাওয়া খেয়েছিস?

সুপ্রভা ভয়ে ভয়ে বলল, হুঁ।

'ইমন! ইমন খেয়েছে?'

'হুঁ।'

'আমাকে একটু পান সুপারি এনে দেতো, পান খেতে ইচ্ছে করছে। চুন আলাদা করে আনবি।'

'আচ্ছা।'

সুপ্রভা পান আনতে নিচে গেল। মা'র ব্যাপারটা এখনো কিছু বোঝা যাচ্ছে না। অতি স্বাভাবিক আচরণ করছেন সেটাই অস্বাভাবিক। সুপ্রভার ভয় লাগছে। মিতু আপাকে ছাদ থেকে ডেকে নিয়ে আসতে ইচ্ছে করছে। মিতু আপা আশেপাশে থাকলেও একটা ভরসা।

পিরিচে করে দু'টা বানানো পান সুপ্রভা মা'র জন্যে এনেছে। এক পাশে চুন, আরেক পাশে মৌরী, দু'টা এলাচ। যেন পিরিচের দিকে তাকালেই মা'র মনটা ভাল হয়।

'সুপ্রভা!'

'জ্বি মা।'

'ইমন কি করছে?'

'পড়ছে।'

'ওকে একটু ডাকতো। ওর সঙ্গে কথা আছে।'

'আচ্ছা।'

'তোর বড় মামা কি বাসায় আছে?'

'জ্বি না।'

'ভাইজান কখন ফিরেন?'

'এগারোটার মধ্যে সব সময় ফিরেন।'

'এখন ক'টা বাজে।'

'দশটা দশ।'

'তুই ইমনকে খবর দে।'

সুপ্রভা ভাইকে ডাকতে গেল। তাকে বলে দিতে হবে যে তার সম্পর্কে মা'কে সে একটা মিথ্যা কথা বলেছে। সে বলেছে ভাইয়া ভাত খেয়েছে। আসলে তারা দু'জনের কেউই ভাত খায়নি।

ইমন পর্দা সরিয়ে মা'র ঘরে ঢুকল। শান্ত গলায় বলল, মা ডেকেছ?

সুরাইয়া বললেন, "চেয়ারটায় বোস।" ইমন বসল। সুরাইয়া হতভম্ব হয়ে দেখলেন, ইমনের বসার ভঙ্গি অবিকল তার বাবার মত। শুধু যে বসার ভঙ্গি তাই না, তাকানোর ভঙ্গিও সে রকম। ঐতো ভুরু কুঁচকে আছে। কপালের চামড়ায় সূক্ষ্ম ভাজ পড়েছে। এই বয়সেই কেমন গম্ভীর গম্ভীর ভাব। গলার স্বরটাও কি তার বাবার মত? কখনো সে ভাবে লক্ষ্য করা হয় নি। একদিন ইমনকে বলতে হবে টেলিফোনে তার সঙ্গে কথা বলতে। টেলিফোনের কথা শুনে বলতে পারবেন ইমনের গলার স্বর তার বাবার মত কি-না!

'ইমন!'

'জ্বি।'

'তোর মামী যে সব কথাবার্তা বলছিল শুনছিলি।'

'হুঁ।'

'ভুরু কুঁচকে আছিস কেন? ভুরু সোজা করে কথা বল। তোর মামীর কথা শুনেছিস?'

'শুনেছি।'

'এরপরেও কি আমাদের এ বাড়ীতে থাকা উচিত?'

'হ্যাঁ উচিত।'

'সুরাইয়া বিস্মিত হয়ে বললেন, উচিত কেন?'

'উচিত কারণ আমাদের যাবার কোন জায়গা নেই।'

সুরাইয়া তীক্ষ্ণ গলায় বললেন, যাবার জায়গা থাকতেই হবে –রাস্তায় থাকব। রাস্তায় মানুষ বাস করে না?

'পাগলের মত কথা বললেতো মা হবে না।'

'পাগলের মত কথা? কোন কথাটা পাগলের মত বললাম?'

'বেশীর ভাগ কথাই তুমি পাগলের মত বল।'

'তোর ধারণা আমি পাগল?'

ইমন কিছু বলল না। চুপ করে রইল। সুরাইয়া চোখ মুখ লাল করে বললেন–খবর্দার চুপ করে থাকবি না। তোর ধারণা আমি পাগল? বল, আমি পাগল?

'কিছুটা পাগলামী তোমার মধ্যে আছে।'

'এত বড় কথা তুই বলতে পারলি? পাগল যদি হয়েই থাকি কেন পাগল হয়েছি তুই জানিস না? কথার জবাব দে। চুপ করে থাকবি না।'

'কথার জবাব দেবার কিছু নেই। কথার জবাব দেয়া মানে– কথার পিঠে কথা বলা। আমি একটা কথা বলব, তুমি তার উত্তরে পাঁচটা কথা বলবে। আবার আমি বলব... লাভ কি?'

'লাভ কি মানে, তুই কি সব সময় লাভ-লোকসান দেখে চলিস? তুই কি লাভ-লোকসানের দোকান খুলেছিস? একজন আমাকে আর আমার মেয়েকে বেশ্যা বলবে তারপরেও তার বাড়িতে আমি থাকব? কোন যুক্তিতে থাকব?'

'যুক্তি একটাই আমাদের যাবার জায়গা নেই। তা ছাড়া মামী রেগে গিয়ে কি বলেছেন সেটা বড় কথা না। রেগে গেলে আমরা সবাই কুৎসিত সব কথা বলি। মামী যেমন বলেন, তুমিও বল।'

'আমি বলি? কখন বলেছি? কি বলেছি?'

'কখন বলেছ, কি বলেছ সে সবতো মা আমি লিখে রাখি নি। তবে অনেকবারই অনেক কুৎসিত কথা বলেছ। যখন বলেছ তখন লজ্জায় মরে যেতে ইচ্ছা করেছে।'

'ইচ্ছে করেছে যখন তখন মরে গেলেই পারতিস। ছাদে উঠে ছাদ থেকে ঝাঁপ দিলেই পারতি। সেটা দিতে সাহস হয় না? মেনী বিড়াল হয়ে থাকতে ভাল লাগে।'

'তুমি কুৎসিত কথা বলা শুরু করেছ মা।'

'কথায় কথায় মা ডাকবি না। তোর মত ছেলের মুখ থেকে মা ডাক শুনতে চাই না। তোর জ্ঞান বেশী হয়ে গেছে। তুই মহাজ্ঞানী হয়ে যাচ্ছিস। মহাজ্ঞানী পুত্রের আমার দরকার নেই। শোন মহাজ্ঞানী, আমি এই বাড়িতে থাকব না।'

'কোথায় যাবে?'

'কোথায় যাব সেটাও জানার দরকার নেই। সুপ্রভাকে নিয়ে আমি এখন, এই মুহূর্তে বিদেয় হব। তোর মামী যদি আমার পায়ে এসেও পড়ে থাকে তারপরেও থাকব না।'

'ঠিক আছে।'

'অবশ্যই ঠিক আছে। তুই এখন আমার সামনে থেকে যা। দয়া করে একটা বেবীটেক্সি এনে দে।'

'আচ্ছা।'

ইমন মা'র ঘর থেকে বের হল। সুরাইয়া কাঁদতে শুরু করলেন। তিনি শব্দ করে কাঁদছেন, তাঁর হাত পা কাঁপছে। দরজার আড়াল থেকে সুপ্রভা দেখছে। কিন্তু মা'কে শান্ত করার জন্যে এগিয়ে আসছে না। তার শুধু মনে হচ্ছে পরিস্থিতি নিয়ন্ত্রণের বাইরে চলে যাচ্ছে। সুরাইয়া তীক্ষ্ণ গলায় ডাকলেন, সুপ্রভা সুপ্রভা। সুপ্রভা জবাব দিল না। সুরাইয়া বিছানা থেকে নামলেন। চটি পায়ে দিলেন। গায়ে একটা চাদর দিলেন, আর তখনি ইমন ঘরে ঢুকে বলল, মা তোমার বেবীটেক্সি এনেছি। তুমি যদি যেতে চাও যাও। আর যদি যেতে না চাও আমি বেবীটেক্সি বিদায় করে দেব। মা একটা কথা, তুমি কিন্তু একা যাবে। তোমার সঙ্গে সুপ্রভা যাবে না।

সুরাইয়া অবাক হয়ে দেখলেন, ইমন কঠিন গলায় কথা বলছে। ঐতো সেদিন এতটুক বাচ্চা ছিল— বিছানা ভিজিয়ে সেই ভেজা বিছানায় শুয়ে থাকত। একটু কাঁদতো না। ঠান্ডা লেগে জ্বর বাঁধাতো। একবার একটা উড়ন্ত মাছি হাত বাড়িয়ে খপ করে ধরে মুখে পুরে দিল। কিছুতেই আর মুখ খুলে না। অনেক সাধ্য সাধনা করে মুখ খুলানো হল— কি কান্ড! মুখ খুলতেই মাছি উড়ে বাইরে চলে গেল। আর মাছির শোকে ইমনের সে কি কান্না।

সুরাইয়া একাই বেবীটেক্সিতে উঠলেন। সুপ্রভা কাঁদো কাঁদো গলায় বলল, মা একটা কথা শুনবে? সুরাইয়া তীব্র গলায় বললেন, "খবর্দার কোন কথা না। খবর্দার।" তিনি বেবীটেক্সিওয়ালাকে বেবীটেক্সি চালাতে বললেন। বেবিটেক্সিওয়ালা বলল, কই যাইবেন?

তাইতো তিনি কোথায় যাবেন? অনেক চেষ্টা করেও তিনি কোন ঠিকানা মনে করতে পারলেন না। এমন কেউ কি আছে যার কাছে আজ রাতটা কাটানো যায়? থাকার তো কথা। তাঁর দূর সম্পর্কের এক খালা–মিলি খালা থাকেন যাত্রাবাড়িতে। মিলি খালার সঙ্গে এক সময় ভাল যোগাযোগ ছিল। যাত্রাবাড়িতে তাঁর বাসায় সুরাইয়া কয়েকবার গিয়েছে। কিন্তু এখন খুঁজে ঠিকানা বের করতে পারবে না। কলেজ জীবনের কয়েকজন ঘনিষ্ঠ বান্ধবী ছিল। তারা এখন কে কোথায় আছে কিছু জানেন না। আগে যে বাড়িতে থাকতেন সেই বাড়িতে গেলে কেমন হয়? বাড়িওয়ালার স্ত্রীকে যদি বলেন, আজ রাতটা আমি আপনার বাড়িতে থাকব, তিনি নিশ্চয় তাকে বের করে দেবেন না। আগের বাড়ির ঠিকানা তিনি জানেন।

বেবীটেক্সিওয়ালা আবারো বলল, কই যাইবেন?

তিনি বললেন, মালিবাগ।

'তিরিশ টাকা ভাড়া পরব।'

'তিরিশ টাকাই দেব।'

তাঁর সঙ্গে টাকা আছে। খুব বেশী না তবে আছে। সাতশ টাকার মত আছে। কিছু ভাংতিও থাকার কথা। আগের বাড়িওয়ালার বাড়িতে না গিয়ে কোন একটা হোটেলে কি উঠা যায় না? মাঝারি মানের কোন হোটেল। খুবই কি অস্বাভাবিক হবে। একা মেয়ে দেখে হোটেলওয়ালা কি তাকে ঘর দেবে না? আচ্ছা বেবিটেক্সিওয়ালাকে যদি বলেন, "ভাই শুনুন, আজকের রাতটা আমি আপনার ফ্যামিলির সঙ্গে কাটিয়ে দিতে চাই। সকালবেলা আমি জায়গা খুঁজে নেব।" তখন কি হবে?

খুবই আশ্চর্যের ব্যাপার দীর্ঘদিন তিনি যে বাড়িতে ছিলেন– সেই বাড়ি খুঁজে পেলেন না। গলিতে ঢোকার মুখে মদিনা কাবাব হাউস বলে একটা দোকান ছিল। সেটা নেই। গলিটাও অন্য রকম লাগছে।

বেবিটেক্সিওয়ালা বলল, খালাম্মা বাড়ির নম্বর কত? তিনি বাড়ির নম্বর বলতে পারলেন না। বাড়িওয়ালার নামও মনে নেই।

আকাশের অবস্থা ভাল না। মেঘ ডাকছে। বোঝাই যাচ্ছে বৃষ্টি হবে। শ্রাবণ মাসের শুরু। রোজই বৃষ্টি হবার কথা। কয়েকদিন খরা গেল আজ

মনে হয় আকাশ ভেঙ্গে বৃষ্টি নামবে। বৃষ্টি নামার আগে আগে কোন একটা আশ্রয়ে চলে যাওয়া উচিত। সেই আশ্রয়টা কি? বেবিটেক্সিওয়ালা বিরক্ত মুখে বলল– খালাম্মা আর কত ঘুরমু।

সুরাইয়া বললেন, কমলাপুর রেল স্টেশনে চল।

'ঐদিকে বেবি যাইব না।'

'পথের মাঝখানে আমি কোথায় নামব?'

বৃষ্টির ফোঁটা পড়তে শুরু করেছে। ঠান্ডা হাওয়া দিচ্ছে। সুরাইয়ার মনে হল তাঁর জ্বর আসছে। জ্বর না এলে অল্প হাওয়াতেই এমন কেঁপে কেঁপে উঠতেন না।

'খালাম্মা আমি কমলাপুর যামু না। ভাড়া মিটাইয়া দেন।'

সুরাইয়ার মনে হল তিনি বিপদে পড়েছেন। আশ্চর্যের ব্যাপার হচ্ছে বিপদে পড়লেও তিনি অস্থির বোধ করছেন না। বরং ভাল লাগছে। খুব খারাপ সময়ের পরপরই খুব ভাল সময় আসে। এটা জগতের নিয়ম। বেবিটেক্সিওয়ালা রাস্তার মাঝখানে তাকে নামিয়ে দেবে। তিনি বৃষ্টিতে ভিজতে থাকবেন। পথে পানি জমে যাবে। পানি ভেঙ্গে তিনি এগুতে থাকবেন। কোন খোলা ম্যানহোলে হুঁচট খেয়ে তিনি নোংরা পানিতে পড়ে যাবেন। তাঁর হাত থেকে ছিটকে হ্যান্ডব্যাগটা পড়ে যাবে। তিনি আর সেই ব্যাগ খুঁজে পাবেন না। নোংরা কাদা পানিতে তাঁর শরীর মাখামাখি হয়ে যাবে। তখন দেখবেন-গুন্ডা টাইপের কিছু মানুষ দূর থেকে তাঁকে দেখছে। তাদের মধ্যে একজন পানিতে ছপছপ শব্দ তুলে এগিয়ে আসছে। এরচে খারাপ অবস্থাতো কিছু হতে পারে না। এ রকম খারাপ অবস্থার পরই ভাল অবস্থা আসে। সেই ভাল অবস্থাটা কি?

বৃষ্টি জোরেসোরে নেমেছে। বেবিটেক্সিওয়ালা তাকে নামিয়ে দেয়নি। বরং বেবিটেক্সি চালিয়ে নিয়ে যাচ্ছে। মনে হয় কমলাপুর রেলস্টেশনের দিকেই নিয়ে যাচ্ছে। তিনি কিছু জিজ্ঞেস করলেন না। নিয়ে যাক, যেখানে খুশি নিয়ে যাক। বেবিটেক্সি থেকে বৃষ্টি দেখতে তাঁর ভাল লাগছে। শীত ভাবটা যদিও আরো প্রবল হয়েছে। আচ্ছা, আজ রাতে তাঁর জীবনের বিস্ময়কর কোন ঘটনা ঘটবে নাতো? কমলাপুর রেল স্টেশনে নেমেই যদি দেখেন ইমনের বাবা ট্রেন থেকে নেমেছে। রিকশা খুঁজছে। ঝড় বৃষ্টির রাত বলে রিকশা পাচ্ছে না। তাদের বেবিটেক্সি থামতে দেখেই মানুষটা এগিয়ে এল। তাকে সম্পূর্ণ অগ্রাহ্য করে বেবিটেক্সিওয়ালার সঙ্গে কথা বলছে, ভাড়া যাবে।

'কোথায় যাবেন?'

'মালিবাগ যাব।'

'মালিবাগের কোন খানে?'

'রোলক্রসিং পার হয়ে গলিতে ঢুকতে হবে। গলির মোড়ে একটা কাবাবের দোকান আছে- মদিনা কাবাব হাউস নাম। কাবাব হাউস পার হয়ে অল্প একটু গেলেই হবে।'

তখন পেছনের সীট থেকে সুরাইয়া বলবে- তোমার কি বাড়ির নাম্বার মনে আছে? বাড়ির নাম্বার কিংবা বাড়িওয়ালার নাম? মনে না থাকলে বাড়ি খুঁজে পাবে না।

তখন মানুষটা দারুণ অবাক হয়ে বলবে, আরে সুরাইয়া তুমি! তুমি কোত্থেকে?

সুরাইয়া ক্লান্ত ভঙ্গিতে বলবেন, জানি না কোত্থেকে।

মানুষটা বলবে, তুমি এরকম কেঁপে কেঁপে উঠছ কেন? জ্বর না-কি?

বলেই হাত বাড়িয়ে কপাল ছুঁয়ে আঁৎকে উঠে বলবে-তোমারতো গায়ে অনেক জ্বর। শাড়িও ভিজিয়ে ফেলেছ।

সুরাইয়া বলবে, এই শাড়িটা দেখে তুমি কি কিছু বলতে পারবে? কোন স্মৃতি কি তোমার মনে পড়ে?

'কিছু মনে পড়ছে নাতো।'

'মনে করার চেষ্টা কর। আচ্ছা, আমি তোমাকে সাহায্য করি তারিখটা হচ্ছে ১৫ই আগস্ট। তোমার জন্মদিন।'

'কিছুই মনে পড়ছে না।'

'আরো একটু চিন্তা কর। তোমার জন্মদিনে আমি তোমাকে একটা উপহার দিলাম। তুমি প্যাকেট খুলে দেখলে এই শাড়িটা। তুমি বিস্মিত হয়ে বললে- "এটা আমার উপহার? শাড়ি?" আমি বললাম, হুঁ। তুমি অবাক হয়ে তাকালে। তখন আমি বললাম, শাড়িটা তোমাকে দিলেও পরব আমি। এবং এই শাড়ি পরে সুন্দর হয়ে তোমার সামনে উপস্থিত হব। কাজেই উপহারটা তোমার জন্যই হল, তাই না? তুমি চেয়ে বললে, হ্যাঁ। অবশ্যই আমার জন্যে।'

এই শাড়ি আমি বৎসরে শুধু একবারই পরি। তোমার জন্মদিনে। পনেরোই আগস্ট। আজ পনেরোই আগস্ট। মজার ব্যাপার কি জান, আজ যে তোমার জন্মদিন-তোমার ছেলেমেয়েরা তা জানে না। আজকের মত দিনে তাদের কারণে আমি বাড়ি থেকে বের হয়ে এসেছি। এসে অবশ্যি ভালই হয়েছে। তোমার সঙ্গে দেখা হয়ে গেল।

সুপ্রভা কাঁদছে। ইমন গম্ভীর মুখে বসে আছে। বোনকে সান্ত্বনা দিয়ে কোন কথা বলছে না। কিছুক্ষণ আগে মিতু এসেছিল। সে কিছুক্ষণ বসে উঠে চলে গেছে। সুপ্রভা কাঁদতে কাঁদতে বলল, ভাইয়া, মা এখন কোথায়?

ইমন বলল, আমি কি করে বলব কোথায়?

'তোমার দুঃশ্চিন্তা হচ্ছে না?'

'হচ্ছে।'

'খুঁজতে যাবে না।'

'কোথায় খুঁজব?'

সুপ্রভা চোখ মুছছে। ইমন বোনের দিকে তাকিয়ে আছে। তার চোখ মুখ কঠিন। তাকে দেখে মনে হচ্ছে সে খুব রেগে আছে।

'ভাইয়া বাইরে খুব ঝড়-বৃষ্টি হচ্ছে।'

'বর্ষাকালে ঝড়-বৃষ্টিতো হবেই।'

'তোমার একটুও দুঃশ্চিন্তা লাগছে না?'

'সুপ্রভা শোন, মায়ের পাগলামী যত দিন যাচ্ছে তত বাড়ছে। কেউ মা'কে কিছু বলছে না। মা'কে বলা উচিত না? সেই বলাটাই বলেছি। মা আজ একটা ধাক্কার মত খাবে। এতে তাঁর লাভ হবে।'

'ক্ষতিওতো হতে পারে।'

'হ্যাঁ, ক্ষতিও হতে পারে। এই রিস্ক আমাদের নিতেই হবে। মা বাস করছে কল্পনার জগতে। মা'র জগতের সঙ্গে বাস্তবের জগতের কোন মিল নেই। বাস্তব পৃথিবীটা কেমন তাঁর দেখা উচিত।'

'তুমি টিচারদের মত করে কথা বলবে নাতো ভাইয়া। আমার ভাল লাগছে না। তুমি এ রকম শান্ত ভঙ্গিতে কি ভাবে বসে আছ আমি সেটাই বুঝতে পারছি না। তুমি সত্যি মা'কে খুঁজতে যাবে না?'

'না।'

'আমি বড় মামাকে নিয়ে মা'র খোঁজে যাব।'

'বড় মামা সকালবেলা চিটাগাং গিয়েছে। আজ রাতে ফিরবেন না।'

'ও।'

'সুপ্রভা শোন, তুই আমার সামনে বসে কাঁদবি না দেখতে খারাপ লাগছে।'

সুপ্রভা উঠে চলে গেল। যে ভঙ্গিতে গেল তাতে মনে হল এক্ষুণি সে একাই বাড়ি থেকে বের হয়ে যাবে। সে গেল দোতলার বারান্দায়। রেলিং ধরে দাঁড়িয়ে থাকল। তার চোখে মুখে বৃষ্টি পড়ছে। বৃষ্টির পানিতে এবং চোখের জলে একাকার হয়ে যাচ্ছে।

অনেকক্ষণ ধরে টেলিফোন বাজছে। মিতু উঠে গিয়ে রিসিভার হাতে নিয়ে হ্যালো বলতেই ওপাশ থেকে টেলিফোন রেখে দিল। কিছুক্ষণ পর আবার টেলিফোন। মিতু রিসিভার হাতে নিয়েই বলল, কে নবনী?

ওপাশে কিছুক্ষণের জন্যে নীরবতা। তারপরই নবনীর বিস্মিত গলা–আপনি মিতু আপা তাই না? কি করে বুঝলেন আমি টেলিফোন করেছি?

'আমার ই এস পি পাওয়ার আছে। আমি আগে ভাগে অনেক কিছু বুঝতে পারি।'

'যান। আপনি ঠাট্টা করছেন।'

'মোটেই ঠাট্টা করছি না। মাঝে মাঝে আমি পারি–প্রমাণ দেব?'

'দিনতো।'

'এই মুহূর্তে তুমি একটা সাদা ড্রেস পরে আছ–শাড়ি পরেছ, না সালোয়ার কামিজ পরেছ তা বলতে পারছি না–তবে পোশাকের রঙ শাদা। হয়েছে?'

'হয়নি।'

'ও আচ্ছা। আমি সব সময় বলতে পারি না। মাঝে মাঝে পারি।'

'বলুনতো আমি কানে কি রঙের পাথরের দুল পরেছি।'

'বলতে পারছি না।'

'সবুজ পাথরের দুল। পান্নার ইমিটেশন। আমার বড় চাচা অস্ট্রেলিয়ায় থাকেন। ইমিগ্রান্ট। উনি দেশে বেড়াতে এসেছেন। কারো জন্যে কিছু আনেন নি শুধু আমার জন্যে সবুজ পাথরের দুল এনেছেন। প্রথমে আমি ভেবেছিলাম রিয়েল, পরে জানলাম ইমিটেশন।'

'তোমার একটু মন খারাপ হল?'

'জ্বি। তবে মন খারাপ ভাব বেশীক্ষণ থাকে নি। দুল জোড়া যে কি সুন্দর। দেখলেই আপনার মাথা ঘুরে যাবে।'

'আচ্ছা একদিন দেখব।'

'আপা শুনুন– আপনি কি করে বললেন যে আমি শাদা কাপড় পরে আছি।'

'আমিতো বলতে পারিনি।'

'না, পেরেছেন। আমি আসলে মিথ্যা করে বলেছি পারেন নি। আমি শাদা সালোয়ার কামিজ পরেছি। এই সেটটা আমার মা আমাকে কিনে দিয়েছেন। গতবার আমরা দিল্লী গেলাম। দিল্লী থেকে কেনা। দিল্লীতে একটা আন্ডারগ্রাউন্ড মার্কেট আছে। পালিকা বাজার। মা পছন্দ করে কিনেছেন– আমার দু'চক্ষের বিষ। শাদা রঙ হচ্ছে বিধবার রঙ, তাই না আপা। আমার ফেভারিট কালার কি জানেন– আমার ফেভারিট কালার হচ্ছে রেড। আমি একটা বই এ পড়েছি লাল রঙ যাদের প্রিয় তারা মানুষ হিসেবে

খুব ভাল হয়। আপা শুনুন, আমার এখন টেলিফোন রেখে দিতে হবে। আপনি কি আমার জন্যে ছোট্ট একটা কাজ করে দিতে পারবেন?'

'হ্যাঁ পারব। ইমনকে কিছু বলতে হবে?'

'জ্বি। আগামী পরশু উনার আমাকে পড়াতে আসার কথা–ঐদিন আমার ছোট খালার ছেলের বার্থডে। আমাকে বার্থডেতে যেতে হবে।'

'ইমনকে বলব সে যেন তোমাকে পড়াতে না যায়?'

'না না, আমি পড়া মিস দিতে চাই না। এম্নিতেই আমি খুব খারাপ ছাত্রী। আপনি শুধু বলবেন উনি যেন একটু দেরী করে আসেন।'

'একটু দেরী মানে কতক্ষণ দেরী? এক ঘণ্টা?'

'আচ্ছ একঘণ্টা। আপা আসলে আমি জন্মদিনে যেতেই চাচ্ছিলাম না– কিন্তু আমার ঐ কাজিন আমাকে খুব পছন্দ করে। খুব পছন্দ করে শুনে আপনি আবার অন্য কিছু ভেবে বসবেন না, ওর বয়স হল সাত বছর।'

'ও আচ্ছা।'

'তাহলে আপা আমি এখন রাখি? আপনার সঙ্গে কথা বলতে আমার এত ভাল লাগে। মনে হয় কতদিনের যে চেনা। আচ্ছা আপা আপনাদের ওদিকে কি বৃষ্টি হচ্ছে?'

'হচ্ছে।'

'আমাদের এদিকেও হচ্ছে। বর্ষাকাল আমার কাছে জঘন্য লাগে– বৃষ্টি, বৃষ্টি, বৃষ্টি। তবে সবচে জঘন্য লাগে শীতকাল। শীতকালে চামড়া ফেটে যায় এই জন্যে। আমার আবার খুব ড্রাই স্কিন। আপা আপনার স্কিন কি রকম Oily না ড্রাই?'

'ঠিক জানি না। আমার মনে হয় মাঝারি ধরনের।'

'আপনার গায়ের রঙ তাহলে শ্যামলা। শ্যামলা মেয়েদের স্কিন হয় নরম্যাল। আর যারা খুব ফর্সা তাদের স্কিন হয় খুব ড্রাই হবে নয়ত খুব ওয়েলি হবে। এই জন্যে মাঝে মাঝে আমার কাছে মনে হয়–শ্যামলা হয়ে কেন জন্মালাম না। লোকে আমাকে কালো বলতো। লোকের বলায় কি যায় আসে। তাই না আপা?'

'হ্যাঁ তাই।'

'আচ্ছা এখন রাখি। খোদা হাফেজ। সরি সরি আল্লাহ হাফেজ। আমার এক হুজুর আছেন উনি আমাকে বলেছেন কখনো যেন খোদা হাফেজ না বলি। সব সময় যেন আল্লাহ হাফেজ বলি।'

'দুটাতো একই।'

'না, এক না। কি যেন একটা ডিফারেন্স আছে। আচ্ছা আমি হুজুরকে জিজ্ঞেস করে আপনাকে জানাব।'

টেলিফোন রেখে মিতু ঢুকল ইমনের ঘরে। সহজ স্বাভাবিক গলায় বলল, ইমন তুই উঠে কাপড় পড়তো। এক জায়গায় যাব?

'কোথায়?'

'কমলাপুর রেল স্টেশনে। আমার সিক্সথসেন্স বলছে ফুপু কমলাপুর রেলস্টেশনে বসে আছেন।'

ইমন বিরক্ত গলায় বলল, তুই তোর সিক্সথসেন্সের ফাজলামী আমার সঙ্গে করবি না। তোর ধারণা হয়েছে মা কমলাপুর রেল স্টেশনে— তুই সেই ধারণার কথা বলবি?

'রেগে যাচ্ছিস কেন?'

'রাগছি না।'

'অবশ্যই রাগছিস। যত রাগছিস ততই কুঁজো হচ্ছিস। ঘাড় সোজা করে বসতে পারিস না। হ্যাঞ্চব্যাক অব ঢাকা।'

বেবিটেক্সিতে উঠেই মিতু হাসি হাসি মুখে বলল, আচ্ছা শোন তোকে একটা জটিল প্রশ্ন জিজ্ঞেস করি। তুইতো আবার ঠান্ডা মাথার ছেলে— ভেবে চিন্তে জবাব দে। মনে কর একটা ছেলে এবং একটা মেয়ে ছোটবেলা থেকে এক সঙ্গে বড় হয়েছে। তাদের মাঝে তুই তুই সম্পর্ক। বড় হয়ে তারা বিয়ে করল। বিয়ের পরে যদি মেয়েটা স্বামীকে তুই তুই করে বলে তাহলে স্বামী বেচারা কি রাগ করবে?

ইমন জবাব দিচ্ছে না। বিস্মিত হয়ে তাকিয়ে আছে। মিতু হালকা গলায় বলল, তোকে আরো কিছু হিন্টস দিয়ে দি। ধরে নে ছেলে এবং মেয়ে ফার্স্ট কাজিন। একি, এরকম রাগি চোখে তাকিয়ে আছিস কেন? ঠাট্টা করছি। আমি ঠাট্টাও করতে পারব না?

ইমন বলল, এ ধরনের ঠাট্টা আমার পছন্দ না।

মিতু হাই তুলতে তুলতে বলল, ঠাট্টা পছন্দ না? তাহলে ঠাট্টা না। সত্যি কথাই বলছি। এখন বল বিয়ের পর তোকে যদি আমি তুই তুই করে বলি তুই কি রাগ করবি? আচ্ছা বাবা যাক জবাব দিতে হবে না। বিয়ের পর তুমি করেই বলব। বিয়ের পর কেন— এখন থেকেই বলব।

ইমন তাকিয়ে আছে। কি বলবে ভেবে পাচ্ছে না। মিতু বলল, এই তুমিতো ভিজে যাচ্ছ আরেকটু সরে এসে বোস।

বলেই মিতু হাসতে শুরু করল। তার হাসি আর থামেই না। ইমন খুব চেষ্টা করছে মিতুর উপর রাগ করতে। রাগ করতে পারছে না। বরং অন্য রকম মায়ায় সে অভিভূত হয়ে পড়ছে। তার কাছে মনে হচ্ছে সে তার একটা জীবন এই বিচিত্র মেয়েটির মুখের দিকে তাকিয়ে কাটিয়ে দিতে পারবে।

সুরাইয়া তাঁর পুত্র এবং কন্যাকে ডেকে পাঠিয়েছেন। দু'জনকে এক সঙ্গে তিনি সচরাচর ডাকেন না। যখন ডাকেন তখন বুঝতে হবে গুরুতর কিছু বলবেন। গুরুতর ধরনের কথা বলার মত নতুন কোন পরিস্থিতি তৈরি হয়নি। কমলাপুর রেল ষ্টেশন থেকে তিনি শান্ত ভঙ্গিতেই ফিরেছেন। রাতে ভাত খেয়েছেন। ফাতেমা এসে তাঁর কথাবার্তার জন্যে ক্ষমা চেয়েছেন। ক্ষমা প্রার্থনা আন্তরিকই ছিল। ফাতেমা বলেছেন, সুরাইয়া, দেখ আমি বোকা একটা মেয়ে। বোকার কথা ধরতে নাই। তোমার যেমন স্বামীর সন্ধান নাই। আমার তেমন ছেলে মেয়ের সন্ধান নাই। ছেলে দু'টা কোথায় আছে জানি না। তারা কি খায় কোথায় ঘুমায়–কিছুই জানি না। আমার মেয়ে মিতু আমার সঙ্গে কথা বলে না। বোকা মা তার সঙ্গে আবার কি কথা? তোমার ভাই সাত দিনে, দশ দিনে একটা কথা বলে। আমি কোন গল্প করতে শুরু করলে পাশ ফিরে ঘুমিয়ে পড়ে। এখন সুরাইয়া তুমি যদি আমার কথা ধর, আমি কি করব?

বলেই ফাতেমা কাঁদতে শুরু করলেন। কোন মেকি কান্না না। হাউ মাউ করে কান্না। সুরাইয়া বললেন, তিনি কিছুই মনে করেন নি। ভাবীর উপর তাঁর কোন রাগ নেই। রাগ থাকলে তিনি ফিরে আসতেন না। তিনি ছেলেমেয়েদের উপর রাগ করে চলে গিয়েছিলেন।

কাজেই বাড়ির পরিস্থিতি এখন খুবই স্বাভাবিক বলা চলে। এই স্বাভাবিক পরিস্থিতিতে পুত্র-কন্যাকে ডেকে পাঠানোর অর্থ সুপ্রভা এবং ইমন কেউই বুঝতে পারছে না। দু'জনই এক সঙ্গে ঘরে ঢুকল। সুপ্রভার চোখে ভয়। ইমনকে দেখে কিছু বোঝা যাচ্ছে না।

সুরাইয়া চুল আচড়াচ্ছিলেন। এক সময় তাঁর মাথা ভর্তি চুল ছিল। এখন চুল খুবই পাতলা হয়ে গেছে। চিরুনী ধরতেই ভয় লাগে। মাথায় চিরুনী ছোঁয়ালেই গাদা গাদা চুল উঠে আসে। তিনি সুপ্রভার দিকে তাকিয়ে বললেন, তোমরা বোস।

ইমন খাটে এসে বসল। সুপ্রভা দরজা ধরে আগের জায়গাতেই দাঁড়িয়ে রইল।

'কেমন আছ তোমরা?'

ইমন বলল, ভাল।

সুপ্রভা মনে মনে বলল, আসল কথা বলে ফেল মা। টেনশান লাগছে। বেশীক্ষণ এরকম টেনশানে থাকলে আমারো তোমার মত চুল পেকে যাবে।

সুরাইয়া সুপ্রভার দিকে তাকিয়ে বললেন, তোমাকে না বসতে বললাম, তুমি দরজা ধরে দাঁড়িয়ে আছ কেন?

সুপ্রভা ভাইয়ের পাশে বসল এবং মনে মনে বলল, তোমার ভয়ে দরজা ধরে দাঁড়িয়ে আছি মা। যাতে বিপদ দেখলেই দৌড়ে পালাতে পারি।

সুরাইয়া বললেন, তোমাদের দুই ভাই-বোনকে ডেকেছি একটা প্রশ্ন জিজ্ঞেস করার জন্যে। তোমরা সত্যি জবাব দেবে। তোমাদের কি ধারণা আমার মাথা খারাপ হয়ে গেছে? গাদাখানিক কথা বলার দরকার নেই। হ্যাঁ কিংবা না।

ইমন বলল, না।

'আমাকে ভয় পেয়ে কিছু বলার দরকার নেই। তোমাদের কি ধারণা সেটা খোলাখুলি বল।'

সুপ্রভা মনে মনে বলল, খোলাখুলি বললে তুমি আমাকে মোরব্বা বানিয়ে ফেলবে। সত্যি কথা তোমাকে বলা সম্ভব না।

সুরাইয়া বললেন, কিছুদিন ধরে আমার মনে হচ্ছে আমার মাথা এলোমেলো হয়ে যাচ্ছে। তোমাদের সঙ্গে খারাপ ব্যবহার করছি। করছি না? সুপ্রভা তুমি বল, আমি কি তোমার সঙ্গে খারাপ ব্যবহার করি?

সুপ্রভা বলল, হ্যাঁ মা কর। তবে খারাপ ব্যবহারটা এখন গা সহা হয়ে গেছে। খারাপ ব্যবহার তুমি যখন কর তখন মনে হয় সব ঠিক আছে। যখন ভাল ব্যবহার কর তখন মনে হয় কোন একটা গন্ডগোল হয়েছে। এই যে এখন সুন্দর করে কথা বলছ এখন খুব ভয় লাগছে। ভয়ে আমার পানির পিপাসা পেয়ে গেছে।

সুপ্রভাকে বিস্মিত করে সুরাইয়া হেসে ফেললেন। শব্দ করে হাসলেন। সুপ্রভা এবং ইমন অবাক হয়ে মা'র খিলখিল হাসি শুনল।

সুরাইয়া ছেলের দিকে ফিরে হাসিমুখে বললেন, তোর বোনটাতো ভাল রসিক হয়েছে। মজা করে কথা বলা শিখেছে। বিয়ের আগে আমিও খুব রসিক ছিলাম। ক্লাসে আমি যা বলতাম তাই শুনে আমার বন্ধুরা হেসে গড়াগড়ি খেত। বিয়ের পর সব মেয়ে কিছুটা বদলায়। আমিও বদলালাম। তোদের বাবাতো খুব গম্ভীর ধরনের মানুষ ছিলেন তাঁর সঙ্গে থেকে থেকে তাঁর স্বভাবের খানিকটা আমার মধ্যে ঢুকে গেল। আমিও গম্ভীর ধরনের হয়ে গেলাম।

সুপ্রভা বলল, বাবা কি ইমন ভাইয়ার মত ছিল?

সুরাইয়া বলল, না ইমন বেশী গম্ভীর।

'মা ঠিক বলেছ। ইমন ভাইয়াকে মজার কিছু বল দেখবে সে হাসার বদলে ভুরু কুঁচকে ফেলছে।'

'ভুরু কুঁচকানোর অভ্যাস তোদের বাবারও ছিল। তবে মজার কথা বললে সে খুব হাসতো। একবার রাতে ভাত খেতে বসে তোদের বাবাকে কি যেন বলেছি সে এমন হাসতে শুরু করল যে শেষে শ্বাসনালীতে ভাত ঢুকে গেল। প্রায় মারা যাবার জোগাড়।'

সুপ্রভা বলল, কি সর্বনাশ! তুমি বাবাকে মেরে ফেলার ব্যবস্থা করেছিলে? বলেছিলে কি?

'কি বলেছিলাম মনে নেই।'

'মনে করার চেষ্টা করতো মা। আমার খুব শুনতে ইচ্ছে করছে। বাবার সঙ্গে সম্পর্কিত প্রতিটি খুঁটি নাটি জিনিসইতো তোমার মনে থাকে। এটাও নিশ্চয় মনে আছে।'

সুরাইয়া হঠাৎ গম্ভীর হয়ে গেলেন। মা'র এই পরিবর্তন পুত্র এবং কন্যা কারোই চোখ এড়াল না। সুপ্রভা চুপ করে গেল। তিন নম্বর দূরবর্তী বিপদ সংকেত। নৌযানগুলিকে নিরাপদ আশ্রয়ে ফিরতে বলা হচ্ছে।

ইমন বলল, মা তুমি আমাদের কি জন্যে ডেকেছ?

'গল্প করার জন্যে ডেকেছি। গল্প করার জন্যে ডাকলে কি কোন সমস্যা আছে।'

'না, সমস্যা নেই।'

'সুরাইয়া এতক্ষণ ছেলেমেয়েদের তুই তুই করে বলছিলেন, এখন তুমিতে চলে গেলেন। অর্থাৎ অবস্থা সুবিধার না। সুরাইয়া বললেন, তোমরা থাকো তোমাদের মত। আমি থাকি আমার মত। মাঝে মাঝে গল্প করার ইচ্ছাতো হতে পারে। না-কি পারে না। না-কি ইচ্ছা হওয়াটা অপরাধ?'

ইমন বিব্রত গলায় বলল, অপরাধ হবে কেন?

'তুমি ভুরু কুঁচকে এমন-মূর্তি'র মত বসে আছ-দেখে মনে হচ্ছে আমার কথাবার্তা তোমার অসহ্য লাগছে।'

'তোমার যদি এমন মনে হয়ে থাকে তাহলে খুব ভুল মনে হয়েছে। অনেক দিন পর তোমার কথা শুনে ভাল লাগছিল।'

'এখন আর ভাল লাগছে না?'

'হঠাৎ কেন রেগে যাচ্ছ মা?'

'হঠাৎ রাগ উঠছে বলে রাগছি।'

ইমন বলল, 'মা তোমার কথা যদি শেষ হয়ে থাকে তাহলে আমি যাই। আমার ক্লাসের একটা ছেলে এসেছে। ও একা বসে আছে।'

'থাকুক একা বসে। আমার কথা শেষ হয় নি। আমি তোমাদের ডেকেছি একটা জরুরী কথা বলার জন্যে। জরুরী কথাটা হচ্ছে, আমি এই বাড়িতে থাকব না।'

ইমন বলল, কোথায় যাবে?

'আলাদা বাসা ভাড়া করে তোমাদের নিয়ে থাকব।'

ইমন মায়ের দিকে তাকাল। কিছু বলল না। সুরাইয়া বললেন, ইত্তেফাক পত্রিকায় অনেক বাড়ি ভাড়ার বিজ্ঞাপন ছাপা হয়। আমি বিজ্ঞাপনগুলি পড়েছি। ঢাকার আশে-পাশে তিন হাজার টাকার মধ্যে দুই রুমের বাসা পাওয়া যায়। তিন হাজার টাকায় বাসা ভাড়া করলাম, আর বাসার খরচ যদি পাঁচ হাজার টাকা ধরি–তাহলে মাসে আট হাজার টাকা হলেই আমাদের হয়ে যায়।

সুপ্রভা বলল, মাসে আট হাজার টাকা পাবে কোথায়?

সুরাইয়া বললেন, আমি যেখান থেকে পারি জোগাড় করব। সেই দায়িত্ব তোমাদের না। সেই দায়িত্ব আমার।

ইমন বলল, তবু শুনি টাকাটা তুমি পাবে কোথায়?

'আমি এখনো চিন্তা করিনি।'

সুপ্রভা বলল, মা ভাইয়া আগে পাশ করুক। ভাইয়া যা ভাল ছাত্র সে পাশ করার সঙ্গে সঙ্গে ইউনিভার্সিটির টিচার হয়ে যাবে। কোয়ার্টার পাবে। তখন আমরা কোয়ার্টারে উঠব। আর বাসা ভাড়া করতে হবে না।

'এতদিন আমি অপেক্ষা করতে পারব না। তোমাদের নিয়ে আমি আলাদা থাকব। নিজে রান্না করব। ঘর পরিষ্কার করব। গোছাব। ফুলের টবে গাছ লাগাব। সংসারটা হবে আমার নিজের। কলমি শাকের মত ভেসে ভেসে বেড়ানো সংসার না।'

ইমন বলল, নিজের আলাদা সংসার চাচ্ছ খুব ভাল কথা–এখনতো সম্ভব হচ্ছে না। প্রতি মাসে আট হাজার টাকা তুমি নিশ্চয়ই ভিক্ষা করে জোগাড় করতে পারবে না?

'যদি জোগাড় করতে পারি তুই কি আলাদা বাসা করবি?'

'হ্যাঁ করব।'

'বেশ আমি কম পক্ষে তিন বছর আলাদা বাসা ভাড়া করে থাকার মত টাকা তোকে জোগাড় করে দেব, তুই বাসা ভাড়া করবি। তোর বাবার অফিস থেকে একটা পয়সা আমি আজ পর্যন্ত নেইনি–এখন নেব।'

'টাকা পেতে হলে বাবা মারা গেছেন এই জাতীয় কাগজপত্র দিতে হয়। তুমিতো সেটা কখনো করতে চাও নি–এখন করতে চাচ্ছ কেন?'

‘এখনও করতে হবে না। পনেরো বছরের বেশী নিখোঁজ থাকলে–ডেথ সার্টিফিকেট লাগে না। ভাইজান অফিস থেকে খোঁজ এনেছেন।’

‘ও আচ্ছা।’

‘সব মিলিয়ে পাঁচ লাখের মত টাকা পাওয়া যাবে। এই টাকায় তোর চাকরি না হওয়া পর্যন্ত আমরা বাসা ভাড়া করে থাকতে পারব। পত্রিকায় একটা বাড়ি ভাড়ার বিজ্ঞাপন উঠেছে। আমার খুব পছন্দ হয়েছে। দাগ দিয়ে রেখেছি। মন দিয়ে শোন, পড়ে শুনাচ্ছি।’

সুরাইয়া পত্রিকা হাতে নিলেন। সুপ্রভা মনে মনে বলল, কি সর্বনাশ, মা আবার আমাদের কি যন্ত্রণায় ফেলার ব্যবস্থা করছে!

‘তোরা মন দিয়ে শোন –দুই রুম, দুই বাথ রুম। ড্রয়িং, ডাইনিং। উত্তরে বারান্দা। খোলামেলা, প্রচুর আলো হাওয়া। ভাড়া গ্যাস ও পানি সহ ৩৫০০ টাকা। ৬ মাসের অগ্রীম আবশ্যক। কি, ভাল না?’

সুপ্রভা বলল, হ্যাঁ ভাল।

‘চল দেখে আসি।’

ইমন বলল, এখন দেখে আসবে?

‘হ্যাঁ এখন দেখে আসব। একটা বেবীটেক্সি ডাক দে। তিনজন মিলে চলে যাই। দু'টা রুমতো। একটাতে আমি আর সুপ্রভা থাকব, একটাতে ইমন থাকবে। উত্তরের বারান্দায় আমি ফুল গাছের টব রাখব। অবশ্যি শীতকালে খুব ঠাণ্ডা লাগবে। উত্তুরে হাওয়া।’

ইমন বলল, এখন দেখেতো মা লাভ নেই। বাসা পছন্দ হলেও তুমি নিতে পারবে না। তোমার সঙ্গে টাকা নেই। টাকাটা আসুক তারপর আমরা বাড়ি দেখে বেড়াব।

সুরাইয়া ক্লান্ত ভঙ্গিতে বললেন, আচ্ছা তোরা যা।

ইমন সঙ্গে সঙ্গে বিছানা থেকে নেমে চলে গেল।

মা'র মুখের দিকে তাকিয়ে সুপ্রভার খুব মায়া লাগছে। কি রকম হতাশ মুখ করে বসে আছেন। মনে হচ্ছে এক্ষুনি কেঁদে ফেলবেন। সুপ্রভা বলল, মা চল তুমি আর আমি–আমরা দু'জনে মিলে দেখে আসি।

সুরাইয়া আনন্দিত গলায় বললেন, তুই যাবি?

‘হ্যাঁ যাব।’

‘বাড়ি পছন্দ হলেতো কোন লাভ হবে না। বাড়ি ভাড়া নিতে পারব না।’

‘নিতে পারবে না কেন? পছন্দ হলে বড় মামার কাছ থেকে টাকা ধার নিয়ে ছয় মাসের অ্যাডভান্স দিয়ে দেবে। বাবার টাকাটা পেলে মামার টাকা ফেরত দিলেই হবে।’

সুরাইয়া বললেন, চল যাই।

'মিতু আপাকে সঙ্গে নেব মা?'

'কাউকে সঙ্গে নিতে হবে না। তুই আর আমি যাই। তোর বুদ্ধিটা আমার পছন্দ হয়েছে। ঠিকই বলেছিস, ভাইজানের কাছ থেকে ধার নিলেই হবে।'

সুপ্রভার ইচ্ছে করছে জিজ্ঞেস করে।–"এতদিন পর তোমার হঠাৎ আলাদা বাড়ি নেবার ইচ্ছা হল কেন?"

জিজ্ঞেস করল না। মা'র মেজাজ এখন ভাল। সেই ভালটা বজায় থাকুক। প্রশ্ন শুনে মা যদি আবারো উল্টে যান তাহলে সমস্যা হবে। সুপ্রভার ধারণা তার মা'র মগজের ভেতরে মাকড়শার মত দেখতে কিছু পোকা বাস করে। পোকাগুলি হল মেজাজ খারাপের পোকা। এরা মাঝে মধ্যে গর্তের ভেতর থেকে বের হয়ে আসে। তখন মা অন্য মানুষ হয়ে যান। পোকাগুলি এখন গর্তের ভেতর লুকিয়ে আছে। থাকুক। খুঁচিয়ে এদের গর্ত থেকে বের করার কোন দরকার নেই।

বাসা দেখে সুরাইয়ার খুবই মন খারাপ হল। এক তলায় অন্ধকার ছাতা পড়া স্যাঁতস্যাঁতে ঘর। এক চিলতে বারান্দা। সেই বারান্দার সামনে পাহাড় সমান বাড়ি দাঁড়িয়ে আছে। দিনের বেলাতেও বারান্দা অন্ধকার।

সুপ্রভা বলল, বাদুরদের থাকার জন্যে এই বাড়িটা খুব ভাল মা। চব্বিশঘন্টা অন্ধকার। এই বাড়ির নাম হওয়া উচিত বাদুর-ভিলা।

সুরাইয়া বিরক্ত গলায় বললেন; তাহলে আলো হাওয়া এইসব মিথ্যা কথা কেন লিখলো?

সুপ্রভা বলল, মিথ্যা কথা বললে দোষ হয় মা। লিখলে দোষ হয় না। ঔপন্যাসিকরা যে ক্রমাগত মিথ্যা কথা লিখেন তাদেরতো দোষ হয় না।

সুরাইয়া বললেন, চল ফিরে যাই।

সুপ্রভা বলল, বের হয়েছি যখন চট করে ফিরব কেন? চল রিকশা নিয়ে ঘুরতে থাকি। টু'লেট দেখলেই রিকশা থেকে নেমে পড়ব।

'এটা মন্দ না। ভাড়া বাড়ি সম্পর্কে একটা ধারণা হবে।'

'পিপাসা পেয়েছে মা। ঠান্ডা এক ক্যান কোক কিনে দেবে?'

রাতে ঘুমুতে যাবার সময় ইমন দেখে বিদেশী টিকিট লাগানো একটি খাম বালিশের উপর পড়ে আছে। ইমনের বুক ধ্বক করে উঠল। কার চিঠি–ছোট চাচার? নিশ্চয়ই দুপুর বেলা এসেছে। কেউ একজন লুকিয়ে রেখেছে। এক সময় রেখে দিয়েছে তার বালিশের উপর যেন ঠিক ঘুমুতে যাবার সময় তার

চোখে পড়ে এবং সে আনন্দে অভিভূত হয়। সেই একজনটা কে? মিতু? অবশ্যই মিতু। মিতু ছাড়া এই কান্ড আর কে করবে!

কতদিন পরে ছোট চাচার চিঠি এসেছে! ইমনের খাম খুলতেও মায়া লাগছে। খাম খুললেইতো চিঠি শেষ। এরচে যতক্ষণ পারা যায় খাম হাতে নিয়ে বসে থাকা যাক। ছোট চাচাকে দেখতে ইচ্ছে করছে। কেমন হয়েছেন ছোট চাচা কে জানে? হুট করে কোন একজন মেম সাহেবকে বিয়ে করে ফেলেননিতো? ইমনের ধারণা ছোট চাচার কোনদিন বিয়ে হবে না। কারণ ছোট চাচাকে স্বামী হিসেবে পাবার জন্যে যে পূণ্যবল দরকার সেই পূণ্যবল খুব কম মেয়ের আছে।

চিঠির সম্বোধন ইংরেজীতে হলেও চিঠিটা বাংলায় লেখা। এমন ভাবে লেখা যেন বাচ্চা ছেলেকে লেখা হচ্ছে। যেন ইমন আগের মতই আছে তার বয়স বাড়ে নি।

My dear hard nut

কেমন আছিসরে ব্যাটা–ভুলভুলি, গুলগুলি। অনেক দিন তোদের খোঁজ খবর নিতে পারিনি কারণ আমার হয়েছে মাথার ঘায়ে কুত্তা পাগল অবস্থা। ভুল বললাম শুধু মাথার ঘা না, সর্বাঙ্গে ঘা। জেল টেল খেটে একাকার। দু'টা ব্রাজিলিয়ান ছেলের সঙ্গে রুম শেয়ার করে থাকতাম। ওরা ড্রাগ ডেলিভারীর সঙ্গে যুক্ত ছিল। ওদের পুলিশ ধরল সঙ্গে আমাকেও ধরল। ওদের সাজা হল দশ বছর করে। আমার বিরুদ্ধে কোন প্রমাণ নেই তারপরেও ঝাড়া তিন বছরের জেল। তবে ওদের জেলখানাগুলি ভাল। যতটা কষ্ট হবে ভেবেছিলাম ততটা হয় নি। তোদের কিছু জানাই নি তোরা শুনে কষ্ট পাবি তাই। এম্নিতেই তোদের কষ্টের সীমা নেই। গোদের উপর বিষ ফোড়া, সরি, গোদের উপর ক্যানসার করে লাভ কি।

জেলে থাকার সময় প্রায়ই তোকে স্বপ্ন দেখতাম। একটা স্বপ্নে দেখি তুই রিকশা থেকে পড়ে পা ভেঙ্গে ফেলেছিস। আমি ছোটাছুটি করে তোকে হাসপাতালে নিয়ে যাচ্ছি। তুই কান্নাকাটি কিছুই করছিস না। মুখ ভোতা করে আমার গলা জড়িয়ে ধরে রেখেছিস। স্বপ্ন দেখে খুবই মনটা খারাপ হয়েছিল।

জেল থেকে বের হয়েছি সঙ্গে বেশ কিছু টাকা নিয়ে। এ দেশের জেলে কয়েদীরা নানান ধরনের কাজ কর্ম করে, তার জন্যে পারিশ্রমিকও পায়। সেই পারিশ্রমিক জমা থাকে। কয়েদবাস শেষ

হলে টাকাটা দিয়ে দেয়া হয়। জেল খাটা মানুষতো আর চট করে চাকরি জোগাড় করতে পারে না। এই টাকাটা তখন কাজে লাগে। যাই হোক, আমার জেল রোজগার থেকে তোকে কিছু পাঠালাম। তুই সুপ্রভাকে দামী একটা কোন উপহার কিনে দিবি। ভাবীকে অবশ্যই একটা ভাল শাড়ি কিনে দিবি। তোর যত বন্ধুবান্ধব আছে সবাইকে কিছু না কিছু গিফট দিবি। শুধু তুই নিজে কিছু নিবি না। টাকাটা তোর, কিন্তু টাকাটা খরচ করবি তোর প্রিয়জনদের জন্যে। কি রে ব্যাটা, তোকে কেমন প্যাচে ফেলে দিয়েছি। তোর উপহার আমি নিজে নিয়ে আসব।

ব্যাটারে তুই ভাল থাকিস। তোকে একটা কথা বলি, আমি যখন খুব বড় রকমের ঝামেলায় পড়ি–চোখে অন্ধকার দেখি তখন তোর ছোটবেলার ছবিটা মনে করার চেষ্টা করি। গম্ভীর ধরনের একটা শিশু–অসম্ভব বুদ্ধি। যে বুদ্ধির সবটাই সে গোপন করে রাখে। বুদ্ধির চেয়েও বেশী যার মায়া। যে মায়াও সে কাউকে দেখতে দেয় না। গোপন করে রাখে। যখন সেই সুন্দর ছবিটা মনে ভেসে উঠে তখন দুঃখ কষ্ট আর গায়ে লাগে না।

ব্যাটা আজ যাই। পরে তোকে আরো লম্বা চিঠি দেব।

ইতি
ছোট চাচা

চিঠির সঙ্গে একশ ডলারের দু'টা নোট। ইমন বাতি নিভিয়ে মশারির ভেতর ঢুকে গেল। ছোট চাচার চিঠিটা সে গালে চেপে ধরে রাখল। তার কেন জানি মনে হচ্ছে–ছোট চাচা অনেক দূর থেকে হাত বাড়িয়ে তার গাল ছুঁয়ে রেখেছেন– এবং মুখে বলছেন– লক্ষ্মী সোনা, চাঁদের কণা, ভুনভুন, খুনখুন, সুনসুন। ভুলভুলি, গুলগুলি, পুলপুলি।

রাত প্রায় একটা বাজে। জামিলুর রহমান সাহেব বারান্দায় হাঁটাহাঁটি করছেন। তাঁর ঘুম আসছে না, মাথা দপ দপ করছে। মাথায় পানি ঢাললে ভাল হত। একা একা মাথায় পানি ঢালা যায় না। এত রাতে কাউকে ডেকে তুলতেও ইচ্ছা করছে না।

ঘুম না এলে মানুষ কি করে? তাঁর জানা নেই। ঘুমের সমস্যা তার কখনো হয়নি। সারাদিন পরিশ্রমের পর, রাতে ঘুমুতে যেতেন–সঙ্গে সঙ্গে ঘুম আসতো। বয়স বাড়লে মানুষের ঘুম কমে যায়। তাঁর বয়স বাড়ছে।

ঘুম কমার এটাও একটা কারণ হতে পারে। শোভন এবং টোকনের কান্ডকারখানাও তার মনে হয়তবা চাপ দিচ্ছে। শোভন, টোকনের ব্যাপারটা অবশ্যি তুচ্ছ করার মত নয়। তিনি তুচ্ছ করে যাচ্ছেন। যে কোন ঘটনাই বড় করে দেখলে বড়, ছোট করে দেখলে ছোট। পুরো জিনিসটাই নির্ভর করছে কিভাবে দেখা হচ্ছে তার উপর। সুরাইয়ার স্বামী হারিয়ে গেছে এই ঘটনাটাকে অনেক বড় করে দেখছে বলে আজ সুরাইয়ার এই অবস্থা। মানুষ হারিয়ে যাওয়া তেমন কোন বড় ব্যাপার না। যুবক ছেলে বিগড়ে যাওয়াও কোন বড় ব্যাপার না।

সূত্রাপুর থানার ওসি সাহেবকেও তিনি তাই বললেন। ওসি সাহেব তাঁর অফিসে এসেছিলেন। মাই ডিয়ার ধরনের অমায়িক ভদ্রলোক। পায়জামা পাঞ্জাবী পরে এসেছিলেন বলে মনে হচ্ছিল, কোন কলেজের বাংলার শিক্ষক। পান খাচ্ছিলেন বলে, ঠোঁটও লাল হয়ে আছে। চোখে মোগলী ফ্রেমের চশমা। কে বলবে পুলিশের লোক? কথা বার্তাও অত্যন্ত ভদ্র। শান্ত স্বরে বললেন, আপনার দুই ছেলে সম্পর্কে কিছু কথা বলার জন্যে এসেছিলাম।

জামিলুর রহমান বললেন, বলুন।

ওসি সাহেব দীর্ঘ নিঃশ্বাস ফেলে বললেন, সোসাইটি কোন দিকে যাচ্ছে দেখুন–ইয়াং সব ছেলে। ব্রাইট, এনার্জেটিক ইয়াং ম্যান। সব বিগড়ে যাচ্ছে। বাবা মা কিছু করতে পারছে না। আমরা পুলিশের লোক। আমাদের হাত পা বাঁধা। আমরা হচ্ছি হুকুমের চাকর। যে রকম হুকুম সে রকম কাজ।

জামিলুর রহমান বললেন, আপনার কথাবার্তা ঠিক বুঝতে পারছি না। আপনার উপর হুকুমটা কি?

'আপনার দুই ছেলের নামেই ওয়ারেন্ট বের হয়েছে।'

'ওরা কি করেছে?'

'কয়েকটা মামলাই আছে। আর্মড রবারি। একটা খুনের মামলাও আছে।'

'ও আচ্ছা।'

'তবে চিন্তার কিছু নেই।'

'চিন্তার কিছু নেই কেন?'

'অ্যারেস্ট না হওয়া পর্যন্ত চিন্তা কি বলুন। অবশ্যি অ্যারেস্ট হলে চিন্তার ব্যাপার আছে। ননবেলেবল ওয়ারেন্ট। জামিন হবে না। দীর্ঘদিন মামলা চলবে। অবশ্যি মামলাতে শেষটায় কিছু হবে না। এইসব মামলায়

সাক্ষি পাওয়া যায় না। কেউ সাক্ষি দিতে চায় না। সব বেকসুর খালাস। সেটাও দু'তিন বছরের ধাক্কা। সবচে ভাল বুদ্ধি হচ্ছে অ্যারেস্ট না হওয়া। শুধু দেখতে হবে যেন অ্যারেস্ট না হয়।'

'আপনারা তাদের খুঁজে বের করবেন না?'

'ওসি সাহেব গলা নিচু করে বললেন, আপনার সঙ্গে একটা এ্যারেঞ্জমেন্টে আসা যাক। মাসে আপনি পঞ্চাশ হাজার করে টাকা দেবেন। বাকিটা আমরা দেখব।'

'প্রতি মাসে আপনাদের পঞ্চাশ হাজার করে টাকা দিতে হবে?'

'জ্বি।'

'এই টাকাটা দিলে আপনারা কি করবেন? তাদের দেখলেও না দেখার ভান করবেন?'

'আমাদের অনেক সিস্টেম আছে। সেসব আপনার না জানলেও চলবে। এই ধরনের ছেলেদের নিরাপত্তার ব্যাপারও আছে। দলে দলে রাইভ্যালরি আছে। আমরা এক ধরনের প্রটেকশানও দেব।'

'ব্যাপারটা কি এই দাড়াচ্ছে যে মাসে মাসে পঞ্চাশ হাজার করে টাকা দিলে আপনারা আমার দুই পুত্রকে অ্যারেস্ট করবেন না এবং প্রটেকশন দেবেন। পাহারা দিয়ে রাখবেন?'

ওসি সাহেব হাসলেন। জামিলুর রহমান বললেন–আমি কোন টাকা পয়সা দেব না। আপনারা দয়া করে ছেলে দু'জনকে গ্রেফতার করুন।

ওসি সাহেব আবারো হাসলেন। আগের চেয়েও মধুর ভঙ্গিতে হেসে বললেন, এখন বলছেন অ্যারেস্ট করুন। তারপর যখন সত্যি সত্যি করব তখন ছুটে আসবেন। দীর্ঘদিন এই লাইনে আছি। পিতামাতার ঘটনাগুলো আমি জানি। যখন ছুটে আসবেন তখন আর পথ থাকবে না।

'ওসি সাহেব, আমি ছুটে আসব না।'

'ওদের বিরুদ্ধে মামলা খুব শক্ত। খুন যদি প্রমাণ হয়–ফাঁসি টাসিও হয়ে যেতে পারে।'

'অপরাধ করলে শাস্তি হবে।'

'ঠিকই বলেছেন। ক্রাইম এন্ড পানিশমেন্ট। দস্তয়োভস্কির লেখা অসাধারণ বই। ছাত্র জীবনে পড়েছিলাম। পুলিশে ঢোকার পর–পড়াশোনা বন্ধ। ভাই তাহলে উঠি? পরে আসব। আপনার সঙ্গে আরো আলাপ আছে।'

'জ্বি আচ্ছা।'

জামিলুর রহমান বিরক্ত মুখে সারা দুপুর অফিসে বসে রইলেন। বিরক্ত এবং চিন্তিত। পুলিশ যখন বলে–আরো আলাপ আছে তখন শঙ্কিত হওয়া

ছাড়া পথ থাকে না। কারণ পুলিশের আলাপ শেষ হতে চায় না। আলাপ চলতেই থাকে-আলাপের শাখা প্রশাখা বের হতে থাকে।

তিনি বাড়ি ফিরলেন সকাল সকাল। বলতে গেলে সারাটা সন্ধ্যা বারান্দায় কাঠের চেয়ারে ঝিম ধরে বসে রইলেন। তাঁর মন ভাল নেই। তিনি চিন্তিত–তাকে দেখে এটা কেউ বুঝল না। ফাতেমা তাঁকে চা দিতে এসে নিত্যদিনের মত ঝগড়া বাঁধিয়ে দিলেন। থমথমে গলায় বললেন–তোমার সঙ্গে আমার একটা ফাইন্যাল কথা আছে।

জামিলুর রহমান ক্লান্ত গলায় বললেন, বল।

'আমি এই বাড়িতে থাকব না। তুমি আমাকে আলাদা ফ্ল্যাট করে দেবে। আমি সেই ফ্ল্যাটে আমার ছেলেমেয়েদের নিয়ে থাকব।'

'এখানে থাকতে সমস্যা কি?'

'এখানে আমি কেন থাকব? এখানে আমার কে আছে? ছেলেরা আছে? না মেয়ে আছে? না-কি তুমি আছ? তাহলে থাকব কেন? জীবনে তুমি কি একটা মিষ্টি কথা আমাকে বলেছ? একটা শাড়ি কিনে আমাকে বলেছ-ফাতেমা তোমার জন্যে এই শাড়িটা কিনলাম। বলেছ? কথা বলছ না কেন?'

'খুব মাথা ধরেছে। কথা বলতে ইচ্ছা করছে না।'

'মাথাতো ধরবেই। আমাকে দেখলেই সবার মাথা ধরে যায়। এক কাজ কর। আমাকে বাদ দিয়ে দাও। বাদ দিয়ে এমন কাউকে নিয়ে আস যাকে দেখলে মাথা ধরবে না। যাকে দেখলে গলা মিষ্টি হয়ে যাবে। মিষ্টি মিষ্টি গলায় বলবে-চান সোনা, ময়না সোনা।'

ফাতেমা কথা বলে যাচ্ছেন জামিলুর রহমান চায়ের কাপে চুমুক দিচ্ছেন। মনে হচ্ছে তিনি অদৃশ্য একটা গোলকের ভেতর বসে আছেন। গোলকের বাইরে যারা আছে তাদের কারো সঙ্গেই তার যোগ নেই।

এখন নিশুতি রাত। তিনি বারান্দার এ মাথা থেকে ও মাথায় যাচ্ছেন। মাথা দপ দপ করছে। কিচ্ছু ভাল লাগছে না। তাঁর ছেলেরা খুনের মামলায় জড়িয়ে গেছে। খুন? তিনি নিজে অর্থ-বিত্তের পাহাড় বানাতে বসেছেন। কার জন্যে? এবং কেন?

হঠাৎ তাঁর ইচ্ছা করল পা থেকে স্যাণ্ডেল জোড়া খুলে ফেলে হাঁটতে শুরু করেন। গেট খুলে বাইরে নামবেন। তারপর রাস্তা দিয়ে হাঁটতে শুরু করবেন। কখনোই পেছন ফিরে তাকাবেন না। হাঁটতে হাঁটতে এক সময় হয়ত সমুদ্রের কাছে পৌঁছে যাবেন।

জামিলুর রহমান তাঁর শরীরে এক ধরনের উত্তেজনা অনুভব করলেন। তাকালেন গেটের দিকে। সামান্য হাঁটলেই গেট। গেট খুললেই রাস্তা। তিনি

ছোট্ট করে নিঃশ্বাস ফেললেন। তিনি বুঝতে পারছেন তাঁর এই উত্তেজনা সাময়িক। কিছুক্ষণের মধ্যেই উত্তেজনা কমে যাবে। তিনি হাত-মুখ ধুয়ে বিছানায় ঘুমুতে যাবেন। ফাতেমার পাশে গিয়ে শুয়ে পড়বেন। ঘরে জ্বলবে জিরো পাওয়ারের আলো। সেই আলোয় সব কিছু ঘোলাটে এবং অস্পষ্ট দেখায়। তিনি এমনভাবে শুবেন যেন ফাতেমার মুখ দেখতে না হয়। ফাতেমার নাকে কি সমস্যা হয়েছে। নাক দিয়ে শ্বাস নিতে পারে না। হা করে ঘুমায়। হা করা মুখ দেখতে কদাকার লাগে। ফাতেমার বিশাল শরীর হয়েছে। নিঃশ্বাসের সঙ্গে সঙ্গে তাঁর প্রকান্ড ভুড়ি ওঠানামা করে। সেটা দেখতেও কদাকার লাগে।

অনেক অনেককাল আগে ফাতেমা নামের একটা কিশোরী মেয়েকে তিনি বিয়ে করেছিলেন। মেয়েটা তাঁর বুকের কাছে মাথা এনে দু'হাতে তাঁকে জড়িয়ে না ধরে ঘুমুতে পারত না। কোথায় গিয়েছে সেই সব দিন? আজ তাঁর পাশে মৈনাক পর্বত হা করে ঘুমিয়ে থাকে। ঘুমের ঘোরে ফাতেমা যখন হাত বাড়ায় তিনি অতি সাবধানে সেই হাত সরিয়ে দেন। যেন ফাতেমার ঘুম না ভাঙে।

সুপ্রভাকে হেডমিসট্রেস ডেকে পাঠিয়েছেন। কেন ডেকেছেন সুপ্রভা জানে। সে খুব চেষ্টা করছে স্বাভাবিক থাকতে। পারছে না। অদৃশ্য হবার মন্ত্র জানা থাকলে সে অদৃশ্য হয়ে যেত। কেউ কোনদিন তাকে দেখত না। সে সবাইকে দেখতে পারছে, অথচ তাকে কেউ দেখছে না। এরচে আনন্দের জীবন আর কি হতে পারে? পৃথিবীতে অদৃশ্য হবার মন্ত্র নেই বলে সে এখন দৃশ্যমান হয়ে হেডমিসট্রেস আপার টেবিলের সামনে দাঁড়িয়ে আছে। তার পা কাঁপছে। বুকের ভেতরটা খালি খালি লাগছে। ইসলামিয়াতের স্যার একটা দোয়া শিখিয়ে দিয়েছিলেন। যে দোয়া পড়লে ভয় কাটে। সুপ্রভা কিছুতেই সেই দোয়া মনে করতে পারছে না।

হেডমিসট্রেস আপা গোলগাল ধরনের মহিলা। গায়ের রঙ মিশমিশে কালো। ছাত্রীরা আড়ালে তাকে ডাকে মিস "বিলেক পটেটো।" ব্ল্যাক ভেঙ্গে বিলেক বানানোর কারণ কেউ জানে না এবং তিনি মিসও নন, বিবাহিতা–মিসেস। স্কুলে একটা কথা প্রচলিত আছে–মিস বিলেক পটেটো দূর থেকে রক্ত চোষা গিরগিটির মত রক্ত চুষে খেয়ে নিতে পারেন। রক্ত খাবার কারণেই তাঁর এমন ভর-ভরন্ত শরীর।

সুপ্রভার এখন মনে হচ্ছে রক্ত খাবার ব্যাপারে স্কুলে যে কথাটা প্রচলিত সেটা সত্যি। সে দাঁড়িয়ে থাকতে পারছে না, হাত পা কেমন যেন করছে। তাঁর শরীর কেমন যেন করছে।

'সুপ্রভা!'

'জ্বি, আপা।'

'তুমি তিনটা সাবজেক্টে ফেল করেছি। অংক, ইংরেজি সেকেন্ড পেপার এবং ভূগোলে। কারণটা কি?'

সুপ্রভা মাথা নিচু করে তাকিয়ে আছে। তাকিয়ে থাকা ছাড়া তার আর কি করণীয় সে বুঝতে পারছে না। কাঁদতে পারলে ভাল হত। কাঁদতে পারছে না।

'তোমাকে এই বছর প্রমোশন দেয়া হবে না। বুঝতে পারছ?'

'পারছি।'

'কিছু বলার আছে?'

'জ্বি না।'

'তোমাদের ক্লাসে তুমিই একমাত্র মেয়ে যাকে প্রমোশন দেয়া হল না। শুধু সাজসজ্জা করে পরী সাজলে হবে না। পড়াশোনাও করতে হবে। আমি ঠিক করেছি সাজুনি মেয়েগুলিকে স্কুলে রাখব না, টিসি দিয়ে বিদায় করে দেব। তুমি তোমার গার্জিয়ানকে বলবে– আমার সঙ্গে দেখা করতে।'

'জ্বি আচ্ছা।'

'যাও, এখন যাও। ঠোঁটে আরো বেশি করে লিপস্টিক দাও।'

সুপ্রভা হেডমিসট্রেস আপার ঘর থেকে বের হল। সে এখন কি করবে? বাসায় ফিরে মা'কে সে ফেল করার কথা বলতে পারবে না। মা তাকে খুন করে ফেলবেন। অবশ্যই খুন করে ফেলবেন। কিংবা দোতলার বারান্দা থেকে ধাক্কা দিয়ে নিচে ফেলে দেবেন। মা পুরোপুরি সুস্থ মানুষ না। বাবা থাকলে হয়ত তিনি মা'কে সামলাতেন। বাবারা না-কি মেয়েদের অনেক বেশি আদর করেন। ব্যাপারটা সে তাদের স্কুলেও দেখেছে। মা'রা যখন মেয়েদের নিতে আসেন তখন মেয়েরা মা'র সঙ্গে গল্প করতে করতে বাড়ি যায়। বাবারা যখন আসে তখন মেয়েরা যায় বাবার হাত ধরে। সুপ্রভার কাছে ব্যাপারটা এত ভাল লাগে। সুপ্রভা অনেকবার ভেবেছে তার যদি বাবা থাকতো তাহলে তিনি তাকে নিতে এলে সুপ্রভা বাবার হাত তার কাঁধে রেখে দু'হাতে সেই হাত ধরে রাখত এবং স্কুল থেকে বের হয়েই বলতো বাবা আমাকে আইসক্রিম কিনে দাও। আইসক্রিম আর দুই ক্যান কোক। কোক দু'টা আমি ফ্রিজে রেখে দেব, পরে খাব। সুপ্রভা মা'র কাছে শুনেছে তার বাবা গম্ভীর ধরনের মানুষ ছিলেন। যত গম্ভীর হোক–তার কাছে এইসব চলবে না। মেয়ের কাছে বাবা গম্ভীর থাকবে কেন? গম্ভীর থাকবে অফিসে, মা'র সঙ্গে– মেয়ের সঙ্গে কখনো না।

স্কুলের বারান্দায় দাঁড়িয়ে সুপ্রভা তার অদেখা অচেনা বাবার জন্যে চোখের পানি ফেলতে লাগল। স্কুলের সব মেয়ে আজ কত আনন্দ করছে। নতুন ক্লাসে উঠেছে– তাদের হৈ চৈ চিৎকারে কানে তালা লেগে যাচ্ছে আর সে কি-না চোখের পানি ফেলছে। শুধু সে না, তার মত আরো কিছু মেয়ে নিশ্চয়ই কাঁদছে। ফেল করা মেয়েরা সবাই একটা খালি ক্লাসরুমে ঢুকে দরজা বন্ধ করে কাঁদলে ভাল হত। সেই ঘরটার নাম হত। কান্নাঘর।

'সুপ্রভা!'

সুপ্রভা দেখল তার পেছনে অংক মিস দাঁড়িয়ে আছেন। অংক মিস ভয়ংকর রাগী। তাঁর সামনে কোন ছাত্রী কিছুক্ষণ দাঁড়িয়ে থাকলে আপনা

আপনি তার দমবন্ধ হয়ে যায়। আজ অংক আপার মুখটা এত কঠিন লাগছে না। হয়ত চোখ ভর্তি পানির কারণে অংক আপার মুখটা কোমল দেখাচ্ছে।

অংক আপা কিছু বলার আগেই সুপ্রভা বলল, আপা আমি ফেল করেছি।

অংক আপা সুপ্রভার কাঁধে হাত রাখলেন। কোমল গলায় বললেন, কেঁদো না, যাও, বাসায় যাও। সামনের বছর খুব ভালমত পড়াশোনা করবে। প্রতিদিন স্কুলের শেষে আমার কাছে অংক করবে। ঠিক আছে?

'জ্বি আচ্ছ আপা।'

'আমি হেডমিসট্রেস আপাকে অনুরোধ করেছিলাম তোমাকে প্রমোশন দিয়ে দেয়ার জন্যে। বলেছিলাম, অংকটা আমি টেক কেয়ার করব। আপাকে রাজি করাতে পারিনি। এসো, আমার কাছে এসো, তোমাকে আদর করে দি।'

সুপ্রভা বিস্ময়ে অভিভূত হল। এই আপাকে তার মনে হত—পৃথিবীর কঠিনতম মহিলা। অথচ তিনি ফেল করা একটা মেয়েকে এই ভাবে জড়িয়ে ধরতে পারেন? চোখের পানি মুছে মাথায় চুমু দিতে পারেন? মানুষ এত ভাল হয়? সুপ্রভা ঠিক করে ফেলল সে আর কখনো মানুষের বাইরের রূপ দেখে মানুষকে বিচার করবে না। মানুষের বাইরের রূপ এবং ভেতরের রূপ কখনোই এক রকম না।

জামিলুর রহমান সাহেব আজ অফিসে দেরী করে এসেছেন। অফিসে ঢুকতেই তাঁর ম্যানেজার বলল, স্যার আপনার ভাগ্নি এসেছে। আপনার ঘরে বসে আছে। খুব কান্নাকাটি করছে।

'কেন?'

'জানি না স্যার। জিজ্ঞেস করেছিলাম, কিছু বলে না। শুধু কাঁদে।'

'ফ্রিজে কোক আছে?'

'জ্বি স্যার।'

'তাকে কোক দাও। গ্লাসে বরফ দিয়ে দিও। মেয়েটা আবার খুব ঠাণ্ডা না হলে খেতে পারে না।'

জামিলুর রহমান ঘরে ঢুকলেন। সুপ্রভা চেয়ারে বসে টেবিলে মাথা রেখে কাঁদতে কাঁদতেই ঘুমিয়ে পড়েছে। মা'র সঙ্গে ঝগড়া টগড়া নিশ্চয়ই হয়েছে। জামিলুর রহমানের অত্যন্ত মন খারাপ হল। আহা বেচারি, গালে

চোখের পানি শুকিয়ে বসে গেছে। কি অসহায় লাগছে মেয়েটাকে। অন্য দিন অফিসে ঢুকে সে নিজেই কোকের ক্যান বের করে। আজ তাও করে নি।

ঘরের ভেতরটা গরম গরম লাগছে। শীতকাল হলেও দুপুরে ঘর তেতে উঠে। মেয়েটা নিশ্চয়ই গরমেও কষ্ট পাচ্ছে। জামিলুর রহমান অতি সাবধানে ফ্যানটা ছাড়লেন। শব্দ শুনে মেয়েটা জেগে না যায়। ঘুমুচ্ছে ঘুমাক। সুপ্রভা ফ্যানের সামান্য আওয়াজেই জেগে উঠল।

জামিলুর রহমান বললেন, তোকে কতবার বলেছি অফিসে না আসতে। আবার এসেছিস?

সুপ্রভা জবাব দিল না। তিনি কোকের ক্যান এগিয়ে দিতে দিতে বললেন–কোক খেতে খেতে বল, কান্নাকাটি কিসের। কি এমন হয়েছে যে কেঁদে বুক ভাসিয়ে দিতে হবে। কাঁদতে কাঁদতে ঘুমিয়ে পড়তে হবে।

সুপ্রভা নিচু গলায় বলল, মামা আজ আমাদের রেজাল্ট হয়েছে।

'ফেল করেছিস?'

'হুঁ।'

'ফেলতো করবিই। পড়াশোনার সঙ্গে কোন যোগ নাই। সারাদিন হাসাহাসি। ঝাপাঝাপি। দৌড়াদৌড়ি। অফিসে ঘোরাঘুরি। এখন আর কেঁদে কি হবে?'

'বাসায় মা'কে কি বলব?'

'এই দুঃশ্চিন্তাটা আগে করলেতো আর পরীক্ষায় ফেল করতি না। ভাল সমস্যা হল।'

'মা'কে আমি কি বলব। মামা?'

'তুই কিছু বলিস না। যা বলার আমি বলব।'

'মামা, তুমি আমাকে নিয়ে দূরে কোথাও চলে যাও। সেখানে কোন একটা স্কুলে ভর্তি করিয়ে দেবে। শুধু তুমি আর আমি থাকব।'

ভাগ্নির কথা শুনে জামিলুর রহমান দীর্ঘ দিন পর প্রাণ খুলে অনেকক্ষণ হাসলেন। হাসতে হাসতেই দুঃশ্চিন্তাগ্রস্ত হলেন–বোকা মেয়ে। বড় হয়ে দারুণ সমস্যায় পড়বে। যেখানে সব মানুষের পেট ভর্তি শুধু চালাকি সেখানে এই সরল সোজা মেয়েটা করবে কি?

'সুপ্রভা, তুই বাসায় চলে যা। তোর মা'কে কিছু বলার দরকার নেই। আমি ব্যবস্থা করব।'

'মা যদি জিজ্ঞেস করে কি রেজাল্ট?'

'জিজ্ঞেস করবে না। সেতো দিন রাত ঝিম ধরেই থাকে। আর যদি জিজ্ঞেস করেও বলবি সন্ধ্যার পর আমি এসে বলব।'

'আমার রেজাল্ট–তুমি কেন বলবে?'

'আমি বলব কারণ তোদের হেড মিসট্রেস, তোর সম্পর্কে আলাপ করবার জন্যে আমাকে ডেকে পাঠিয়েছিলেন। তোর রেজাল্ট কার্ড আমার কাছে দিয়েছেন।'

'তুমি মিথ্যা কথা বলবে?'

জামিলুর রহমানের মন আরো খারাপ হল। কি বোকা মেয়ে। তিনি মিথ্যা কথা বলবেন শুনে সে আঁৎকে উঠেছে। বোকা মেয়ে জানে না যে জগৎটাই চলছে মিথ্যার উপরে। সত্যি কথা এখন শুধু বলে পাগলরা।

'কোক খা।'

'কোক খেতে ইচ্ছা করছে না মামা।'

'খেতে ইচ্ছা করবে না কেন? খা। দে গ্লাসে খানিকটা আমাকেও ঢেলে দে। খেয়ে দেখি কি এমন জিনিস যে রোজ খেতে হয়।'

কোক খেতে খেতে জমিলুর রহমান ঠিক করে ফেললেন তিনি সুপ্রভার স্কুলে যাবেন। হেড মিসট্রেসকে বলবেন, আমি আপনার স্কুলে কিছু ডোনেশন করতে চাই। আমি দরিদ্র মানুষ আমার সাধ্য সীমিত। পঞ্চাশ হাজার টাকার একটা চেক সাথে করে এনেছি যদি গ্রহণ করেন খুশী হব। পরে আরো বেশি কিছু করার ইচ্ছা আছে। আপাতত এইটা নিন।

এতেই কাজ হবার কথা। এরচে কমেও কাজ হবে। তবে তিনি কোন রিস্ক নেবেন না। সুপ্রভার প্রমোশনটা দরকার। মেয়ে ফেল করেছে শুনলে তার মা অত্যাচার করবে। যত দিন যাচ্ছে সুরাইয়া ততই যেন কেমন হয়ে যাচ্ছে। আজকাল কথা বললেও মন দিয়ে শুনে না-কেমন শূন্য দৃষ্টিতে তাকিয়ে থাকে। মাথা পুরোপুরি নষ্টই হয়ে গেছে। তার জন্যে কিছু করা দরকার। কি করবেন তাও তিনি জানেন না। নিজের কাজ কর্ম নিয়ে ব্যস্ত থাকেন সংসারের দিকে তাকানো হয় না।

রাত আটটার দিকে আকাশ অন্ধকার করে বৃষ্টি নামল। একতলার বারান্দায় বেতের চেয়ারে বসে সুপ্রভা বৃষ্টি দেখছিল। আসলে বৃষ্টি দেখছিল না, অপেক্ষা করছিল তার মামার জন্যে। তিনি এত দেরি করছেন কেন? সুরাইয়া এখনো তার মেয়েকে ডেকে কিছু জিজ্ঞেস করেন নি। সুপ্রভা জানে এই কাজটা তার মা করবেন। এক্ষুণি হয়ত ডাকবেন। তার আগে আগেই

মামার বাড়িতে আসা খুব দরকার। মামা কিছু করতে পারবেন বলে তার মনে হয় না। মিনিস্টার টিনিষ্টার হলে হয়ত পারতেন। গত বৎসর মিনিস্টারের এক মেয়ে ফেল করেছিল। মিনিস্টার সাহেব স্কুলে এসেছিলেন। তাঁকে ফুলের মালা দেয়া হল। চা খাওয়ানো হল। এবং মেয়ে পাশ হয়ে উপরের ক্লাসে উঠে গেল।

'সুপ্রভা!'

'সুপ্রভা তাকিয়ে দেখে মিতু। হাসি হাসি মুখ।

'তুই এখানে মূর্তির মত বসে আছিস। দারুণ ব্যাপার হচ্ছে–শিল পড়ছে। আয় শিল কুড়াই।'

'ইচ্ছা করছে না, আপা।'

'ইচ্ছা না করলেও আয়–তোর হয়েছে কি? সারাদিন মুখ ভোতা করে আছিস।'

'আমার খুব মাথা ধরেছে।'

'আমি শিল কুড়াবার জন্যে ছাদে যাচ্ছি–ঢং করিস না, তুইও আয়। মাথা ব্যথা কমানোর জন্যে তোকে পাঁচ মিনিট সময় দিলাম। পাঁচ মিনিটের মধ্যে ছাদে না এলে কঠিন শাস্তি দেব।'

মিতু চলে যাবার পর পরই বুয়া এসে সুপ্রভাকে বলল, আপনারে আপনের আম্মা ডাকে।

সুপ্রভা মা'র ঘরের দিকে রওনা হল। তার পা কাঁপছে। কিন্তু আশ্চর্য কারণে মনটা শান্ত।

সুরাইয়া খাটে পা ঝুলিয়ে বসেছিলেন। গত রাতে তাঁর এক ফোঁটা ঘুম হয় নি বলে চোখের নিচে কালি পড়েছে। তাঁকে খুবই ক্লান্ত এবং অসুস্থ লাগছে। তার সামনে খবরের কাগজ। সেখানে বাড়ি ভাড়ার বিজ্ঞাপনগুলি তিনি পড়ছেন এবং দাগ দিচ্ছেন। একটা বিজ্ঞাপন তার পছন্দ হয়েছে। শরীরটা ভাল লাগলে দেখে আসতেন। সারাদিন শরীর ভাল লাগেনি–এখন একটু ভাল লাগছে। এত রাতেতো আর বাড়ি দেখতে যাওয়া যায় না। সুরাইয়া মেয়েকে ঢুকতে দেখে বললেন–আজ না তোদের রেজাল্ট হবার কথা, রেজাল্ট হয়েছে?

সুপ্রভা বলল, হ্যাঁ।

হ্যাঁ-টা খুব সহজভাবে বললেও সুপ্রভার বুক ধ্বক ধ্বক করছে। এখনই প্রশ্নটা করা হবে–রেজাল্ট কি? সুপ্রভা মনে মনে উত্তর ঝালিয়ে নিল। উত্তরটা হচ্ছে রেজাল্ট কি আমি জানি না মা। বড় মামা জানেন। হেডমিসট্রেস বড় মামাকে স্কুলে ডাকিয়ে নিয়ে গেছেন। তাঁর কাছে রেজাল্ট দেবেন। তবে আমার ধারণা পাশ করেছি।

সুরাইয়া রেজাল্ট কি জানতে চাইলেন না। খবরের কাগজটা মেয়ের দিকে বাড়িয়ে দিয়ে আগ্রহের সঙ্গে বললেন, বাসা ভাড়ার এই বিজ্ঞাপনটা পড়ে দেখ। সস্তার মধ্যে খুব ভাল।

সুপ্রভা বিজ্ঞাপন পড়ল। দুই রুম, ড্রয়িং ডাইনিং, প্রশস্ত বারান্দা। সাউথ ফেসিং প্রচুর আলো বাতাস। ভাড়া–লাইট, গ্যাসসহ তিন হাজার টাকা।

'কিরে ভাল না?'

'হুঁ।'

'আমি আর তুই আমরা একটা ঘরে থাকলাম। ইমনের জন্যে একটা ঘর ছেড়ে দিলাম।'

'বাসাটা কোন তলায়?'

'সেটাতো লেখেনি। টেলিফোন নাম্বার আছে। টেলিফোন করে দেখতো বাড়িওয়ালাকে পাওয়া যায় কি-না।'

'আচ্ছা।'

'সব ডিটেল জেনে নিবি। ফ্ল্যাট বাড়ি কি-না, কয়জন ভাড়াটে থাকেন–এইসব। কথাবার্তা ভাল মনে হলে, কাল তোকে নিয়ে যাব।'

স্বস্তির নিঃশ্বাস ফেলে সুপ্রভা চলে যাচ্ছিল, সুরাইয়া হঠাৎ ডাকলেন–

সুপ্রভা শোন।

সুপ্রভা থমকে দাঁড়াল। সুরাইয়া বললেন, তোর রেজাল্ট কি?

সুপ্রভা নীচু গলায় বলল, মা আমি ফেল করেছি।

'ফেল করেছিস!'

'হ্যাঁ। তিন সাবজেক্টে ফেল করেছি। প্রমোশন দেয় নি।'

'ফেল করেছি কথাটা এত সহজভাবে বলতে পারলি? মুখে একবারও আটকাল না?'

সুপ্রভা দাঁড়িয়ে রইল। কিছু বলল না। তার পা এখন আর কাঁপছে না। কেমন যেন শান্তি শান্তি লাগছে। বুকের উপর পাষাণ চেপে ছিল। সেই পাষাণ নেই। সুরাইয়া সহজ গলায় বললেন, তোর মত মেয়ের আমার দরকার নেই। তুই একটা কাজ কর–ছাদে উঠে যা। তারপর ছাদ থেকে নিচে লাফ দিয়ে পড়ে যা।

সুপ্রভা আগের মতই দাঁড়িয়ে রইল। একবার শুধু মা'র দিকে তাকাল। মায়ের মুখ কি শান্ত। কত সহজ ভাবেই না তিনি কথাগুলি বলছেন। সুপ্রভা মনে মনে বলল, মা সামনের বছর থেকে আমি খুব মন দিয়ে পড়ব। ফার্স্ট সেকেন্ড হয়ত হব না, কিন্তু প্রতিটি সাবজেক্টে পাশ করব। তাছাড়া আমাদের অংক মিস রোজ আমাকে অংক শেখাবেন।

সুরাইয়া তীব্র এবং তীক্ষ্ণ গলায় বললেন, এখনো দাঁড়িয়ে আছিস? এক কথা আমি বার বার বলতে পারব না। যা ছাদে যা! ছাদ থেকে লাফ দিয়ে পড়ে আমাকে উদ্ধার কর।

'সত্যি ছাদ থেকে লাফ দিতে বলছ!'

'হ্যাঁ বলছি। যদি সাহস থাকে, যা করতে বলছি কর। সঙের মত দাঁড়িয়ে থাকবি না। সং দেখতে আর ভাল লাগে না।'

মিতু ছাদে শিল কুড়াচ্ছিল। হঠাৎ দেখল। সুপ্রভা ছাদে ঢুকল। মিতু হাসিমুখে বলল, শেষ পর্যন্ত তাহলে এলি। শিলগুলি রাখার জন্যে একটা পাত্র নিয়ে আয়তো।

সুপ্রভা দাঁড়িয়ে আছে, নড়ছে না। হঠাৎ মিতুর মনে হল সুপ্রভার দাঁড়িয়ে থাকার ভঙ্গিটা ঠিক স্বাভাবিক নয়। সুপ্রভাকে খুবই অস্বাভাবিক লাগছে। মনে হচ্ছে কিছুক্ষনের মধ্যেই ভয়ংকর কিছু ঘটতে যাচ্ছে।

মিতু চট করে উঠে দাঁড়াল। হাত বাড়িয়ে সুপ্রভাকে ধরতে গেল। তার প্রায় সঙ্গে সঙ্গে রেলিং বিহীন ছাদের শেষ মাথা পর্যন্ত সুপ্রভা ছুটে গেল। মিতু দেখল সে ছাদে একা দাঁড়িয়ে আছে। সুপ্রভা নেই।

মেডিকেল কলেজ হাসপাতালের করিডোরে জামিলুর রহমান সাহেব দাঁড়িয়ে আছেন। তাঁর পকেটে সুপ্রভার স্কুলের হেড মিসট্রেসের দেয়া কাগজ। সেখানে লেখা বিশেষ বিবেচনায় সুপ্রভাকে অষ্টম শ্রেণীতে উত্তীর্ণ করা হল। হেড মিসট্রেসের চিঠি তিনি পেয়েছেন দুপুরেই। একবার ভাবলেন তখনই বাসায় ফেরেন-তারপর মনে হল খালি হাতে বাসায় ফেরা ঠিক হবে না। পাশের মিষ্টি কিনে ফেরা দরকার। রসমালাই সুপ্রভার পছন্দ। এক কেজি রসমালাই কেনা দরকার। বিকেলে নিজেই রসমালাই কিনতে গিয়ে বৃষ্টিতে আটকা পড়লেন। সেই রসমালাই খাবার ঘরের টেবিলে সাজানো আছে। জামিলুর রহমান সাহেব বারান্দায় দাঁড়িয়ে বৃষ্টি দেখছেন। বৃষ্টি দেখতে তাঁর ভাল লাগছে, অথচ কিছুক্ষণ আগে একজন ডাক্তার এসে বলে গেছেন, মেয়ের অবস্থা ভাল না। ব্রেইন হেমারেজ হচ্ছে। আমাদের কিছু করার নেই।

জামিলুর রহমান যন্ত্রের মত বললেন, আচ্ছা ঠিক আছে।

'আপনি যান। ভেতরে গিয়ে মেয়ের বিছানার পাশে বসুন।'

জামিলুর রহমান সহজ গলায় বললেন, কোন দরকার নেই।

তিনি হাসপাতাল থেকে বের হলেন। তাঁর কেন জানি বৃষ্টিতে ভিজতে ইচ্ছে হচ্ছে। ছোটবেলায় সুযোগ পেলেই বৃষ্টিতে ভিজতেন। সুযোগ পাওয়া যেত না। এখন প্রচুর সুযোগ কিন্তু বৃষ্টিতে নামতে ইচ্ছা করে না। আজ নামতে ইচ্ছা করছে। তিনি পথে নামতেই বৃষ্টি থেমে গেল। মেঘ কেটে আকাশে তারা দেখা গেল। জামিলুর রহমান সাহেব হাঁটছেন। চারপাশের পরিচিত ঢাকা নগরী তাঁর কাছে আজ বড়ই অপরিচিত লাগছে। যেন তিনি এই নগরীকে চেনেন না। নগরীও তাঁকে চেনে না।

মৃত্যুর ঠিক আগে আগে সুপ্রভার পূর্ণ জ্ঞান ফিরে এল। সে তার মা'র দিকে তাকিয়ে বলল, মা আমি ছাদ থেকে লাফ দিয়ে বিরাট একটা ভুল করেছি। তুমি কিছু মনে করো না। আমাকে ক্ষমা করে দিও।

সুরাইয়া মেয়ের দিকে তাকিয়ে আছেন। মনে হচ্ছে কি ঘটছে তিনি বুঝতে পারছেন না।

সুপ্রভা বলল, মা আমার খুব কষ্ট হচ্ছে। তুমি আমার গায়ে হাত বুলিয়ে দাও।

সুরাইয়া মেয়ের গায়ে হাত রাখলেন। সুপ্রভা ছোট্ট নিঃশ্বাস ফেলে বলল, "বড় মামা যদি আমার গায়ে হাত বুলিয়ে দেয় তাহলে আমার ব্যথাটা কমবে।" বলার পর পরই সে মারা গেল।

মিতু ছুটে গেল করিডোরের দিকে, করিডোর শূন্য। সেখানে কেউ নেই। করিডোরের এক প্রান্তে রাখা টুলে ইমন বসেছিল। মিতু ইমনের কাছে গেল। শান্ত স্বরে বলল, এইভাবে চুপচাপ বসে থাকবি না। চিৎকার করে কাঁদ। আমাকে জড়িয়ে ধরে কাঁদ। কে কি মনে করবে এইসব ভাবার কোন দরকার নেই।

ইমন উঠে মিতুকে জড়িয়ে ধরে শব্দ করে কেঁদে উঠল।

অভিমানী ছোট্ট মেয়েটি জানলও না–এই পৃথিবীতে তার জন্যে কত ভালবাসাই না জমা ছিল।

ছোট্ট সুপ্রভা। তোমার প্রসঙ্গ অপেক্ষা উপন্যাসে আর আসবে না। কারণ তোমার জন্যে কেউ অপেক্ষা করে থাকবে না। মৃত মানুষদের জন্যে আমরা অপেক্ষা করি না। আমাদের সমস্ত অপেক্ষা জীবিতদের জন্যে। এই চরম সত্যটি না জেনেই তুমি হারিয়ে গেলে।

রাত তিনটার দিকে জামিলুর রহমানের ঘুম ভেঙ্গে গেল। তলপেটে অসহ্য ব্যথা। চিৎকার করে কাঁদতে ইচ্ছে করছে। কেমন নিশ্চিন্ত হয়ে ফাতেমা ঘুমুচ্ছে। এইত পাশ ফিরল। ইচ্ছা করছে ফাতেমাকে ধাক্কা দিয়ে মেঝেতে ফেলে দিতে। ব্যথার এমন যন্ত্রণা তিনি তার জীবনে আর পেয়েছেন বলে মনে করতে পারলেন না। কি ভয়ংকর ব্যাপার, মনে হচ্ছে কামারশালার কামার গরম গনগনে লাল কাস্তে পেটে ঢুকিয়ে পেটের নাড়িভুড়ি টেনে বের করার চেষ্টা করছে। বের করে ফেললেও শান্তি ছিল, বের করতে পারছে না। পেটের ভেতর সব কিছু জট পাকিয়ে যাচ্ছে। তিনি চাপা গলায় ডাকলেন, ফাতেমা এই ফাতেমা।

ফাতেমা গভীর ঘুমে। হালকা ভাবে তাঁর নাক ডাকছে। জামিলুর রহমান বিছানা থেকে নামলেন। পানি খেতে ইচ্ছা করছে। শোবার ঘরে পানির বোতল দেখলেন না। পানি খেতে হলে খাবার ঘর পর্যন্ত যেতে হবে। ফ্রীজের দরজা খুলে পানির বোতল বের করতে হবে। এত শক্তি কি তাঁর আছে?

জামিলুর রহমান দরজা খুলে বারান্দায় চলে এলেন। বারান্দার বেতের চেয়ারে আপাতত কিছুক্ষণ বসে থাকবেন। ছোটবেলায় পেট ব্যথা হলে পেটের নিচে বালিশ দিয়ে মা উপুড় করে শুইয়ে রাখতেন। কিছুক্ষণের মধ্যেই ব্যথা চলে যেত। শৈশবের সেই চিকিৎসা কি এখন চলবে? না চলবে না। জমিলুর রহমানের মনে হল কিছুক্ষণের মধ্যে এই বেতের চেয়ারেই তাঁর মৃত্যু হবে। মৃত্যুর সময় পাশে কেউ থাকবে না। তিনি পানির তৃষ্ণায় ছটফট করবেন। কেউ তাঁকে এক গ্লাস ঠাণ্ডা পানি এগিয়ে দেবে না।

বারান্দায় আলো জ্বলছে। চল্লিশ পাওয়ারের একটা বাল্ব বারান্দার দক্ষিণ মাথায় অথচ এতেই সারা বারান্দা আলো হয়ে আছে। শুধু বারান্দা না আলো চলে গেছে উঠানেও। জামিলুর রহমানের মনে হল মৃত্যুর আগে মানুষের চেতনা তীক্ষ্ণ হয়ে যায়। নয়ত বারান্দায় জ্বালা একটা চল্লিশ

পাওয়ারের বাল্বে তিনি গেট পর্যন্ত দেখতে পারতেন না। বাড়ির কোথায় কি শব্দ হচ্ছে তাও শুনতে পাচ্ছেন। ফাতেমার নাক এখন ডাকছে না। সে থেমে থেমে ভারী নিঃশ্বাস ফেলছে। শোবার ঘরের লাগোয়া বাথরুমে পানির ট্যাপ নষ্ট হয়ে গেছে। ক্ষীণ ধারায় ট্যাপ থেকে পানি পরার শব্দ কানে আসছে। শোবার ঘর থেকে রান্নাঘরে যাবার জন্যে যে করিডোর আছে সেখানে কি কেউ হাঁটছে? খালি পায়ে হাঁটার শব্দ আসছে। কেউ একজন মনে হয় এক মাথা থেকে আরেক মাথায় যাচ্ছে, আবার ফিরে আসছে। তিনি বললেন কে? শব্দটা তার কাছাকাছি এসে থেমে গেল। জামিলুর রহমানের অস্পষ্টভাবে মনে হল সুপ্রভা নয়তো? খুবই হাস্যকর চিন্তা। প্রচণ্ড ব্যথায় কাতর থাকা অবস্থায় মানুষ অনেক হাস্যকর চিন্তা করে।

এ বাড়িতে অবশ্যি বেশ কিছুদিন ধরেই সুপ্রভাকে নিয়ে নীচু গলায় আলোচনা হচ্ছে, ফিসফাস হচ্ছে। দু'জন বুয়াই দাবী করছে তারা সুপ্রভাকে দেখেছে। একজনের ভাষ্য হচ্ছে সে ছাদে কাপড় শুকাতে দিয়েছিল। আনতে ভুলে গেছে। সন্ধ্যার পর কাপড়ের কথা মনে হতেই সে আনতে গেল। দড়িতে ঝুলানো কাপড় তুলছে হঠাৎ দেখে ছাদের এক কোণায় পা ঝুলিয়ে কে যেন বসে আছে। তার বুকে ধ্বক করে একটা ধাক্কা লাগল। সে একটু এগিয়ে গেল। অবাক হয়ে দেখে– সুপ্রভা। আপন মনে পেয়ারা খাচ্ছে। কাজের বুয়া বলল, ছোট আফা! সুপ্রভা তার দিকে তাকাল। তারপরই পেয়ারা ছাদে ছুঁড়ে ফেলে বাতাসে মিলিয়ে গেল।

বানানো গল্প। বেশি বয়সের বুয়ারা প্রায় বাড়িতেই এ জাতীয় গল্প বানায়। কেন বানায় কে জানে। জামিলুর রহমান ভেবেছিলেন, বুয়াকে ডেকে কঠিন ধমক দেবেন। তার আগেই আরেকজন ঘোষণা করল, সেও ছোট আপাকে দেখেছে। সিঁড়িতে চুপচাপ বসে ছিল। তাকে দেখেই সিঁড়ি দিয়ে উপরে উঠে গেল। ফাতেমাও এক রাতে শোবার সময় গলা নীচু করে বলল, কোন বড় মওলানা এনে দোয়া পড়ালে হয় না? জামিলুর রহমান বিরক্ত গলায় বললেন, কেন?

'ঐ যে সুপ্রভাকে সবাই দেখছে। আমিও একবার দেখেছি।'

'তুমি কখন দেখলে?'

'রাতে হঠাৎ ঘুম ভেঙ্গে দেখি মশারির পাশ দিয়ে হাঁটছে। মাথা নীচু। দাঁত দিয়ে নখ কাটতে কাটতে হাঁটছে।'

জামিলুর রহমান বিরক্ত গলায় বললেন, কেন মিথ্যা কথা বলছ?

ফাতেমা বিড়বিড় করলেন, মিথ্যা বলছি না। শুধু শুধু মিথ্যা বলব কেন? আমার মিথ্যা বলার দরকারটা কি?

'সামান্য আরশোলা দেখলে তুমি চিৎকার করে বাড়ি মাথায় তোল– এত বড় একটা ঘটনার পর তুমি কিছুই করলে না, চিৎকার না, কিছু না। আমি পাশে ঘুমিয়ে আছি আমাকে ডেকেও তো তুললে না।'

'তুমি সারাদিন পরিশ্রম করে এসে ঘুমাও এই জন্যে তোমাকে ডাকি নি।'

জামিলুর রহমান রাগী গলায় বললেন, আজে বাজে মিথ্যা আমার সঙ্গে বলবে না। মৃত একটা মেয়েকে নিয়ে এইসব কি আজে বাজে কথা চালু করলে। ভাগ্যিস সুরাইয়া এখানে নেই। সে থাকলে কি রকম মনে কষ্ট পেত।

প্রায় চারমাস হল সুরাইয়া চলে গেছেন। জুলাই মাসের ৭ তারিখে গিয়েছেন এখন নভেম্বর মাস। শীত পড়তে শুরু করেছে।

সুরাইয়া ছেলেকে নিয়ে ঝিগাতলায় ফ্ল্যাট ভাড়া করে থাকেন। এক দিকে ভালই হয়েছে। সুরাইয়া ভাল আছে। নিজের সংসার নিয়ে ব্যস্ত। প্রবল শোক ভুলে থাকতে পারছে এটা মন্দ কি। এইভাবে চলতে চলতে সুরাইয়া যদি স্বাভাবিক হয় তাহলে এরচে ভাল ব্যাপার আর কি হতে পারে? এ বাড়িতে থাকলে সুপ্রভা সম্পর্কে আজগুবি সব গল্প সুরাইয়ার কানে যেত। মাথা আরো খারাপ হয়ে যেত।

করিডোরে আবারো পায়ের শব্দ। এখন মনে হচ্ছে স্যান্ডেল পরে কে যেন হাঁটছে। ছোট ছোট করে নিঃশ্বাস ফেলছে। সেই নিঃশ্বাসের শব্দও আসছে। ব্যাপারটা কি?

জামিলুর রহমান চেয়ার ছেড়ে উঠে দাঁড়ালেন। পেটের ব্যথাটা এখন একটু কম লাগছে। না-কি মাথায় অন্য চিন্তা ঘুরছে বলে ব্যথা টের পাচ্ছেন না? তিনি খাবার ঘরে ঢুকলেন। করিডোরের বাতি জ্বালিয়ে রান্নাঘর পর্যন্ত গেলেন। কেউ নেই। রান্নাঘরে দু'জন বুয়া কাঁথা বিছিয়ে ঘুমুচ্ছে। তাদের নিঃশ্বাসের শব্দই হয়ত শুনেছেন। এই বাড়িতে বুয়াদের জন্য আলাদা ঘর আছে, তারপরেও তারা কেন জানি রান্নাঘরে ঘুমায়। তিনি ফ্রীজ খুলে ঠাণ্ডা পানির বোতল খুলে পানি খেলেন। ঠাণ্ডা পানি খেলেই তাঁর সুপ্রভার কথা মনে হয়। শুধুমাত্র এই মেয়েটার জন্যেই তিনি অফিসে ফ্রীজ কিনেছিলেন। মেয়েটা যখন তখন অফিসে চলে এসে ফ্রীজ খুলে কোক খেত। তার জন্যে কেনা পাঁচটা কোকের ক্যান এখনো ফ্রীজে আছে। মাঝে মাঝে সুপ্রভার জন্যে তাঁর বুক হু হু করে। তিনি অফিসের ফ্রীজ খুলে কোকের ক্যানগুলোর দিকে তাকিয়ে থাকেন। তাঁর চোখ ঝাপসা হয়ে আসে। বয়স যত বাড়ছে, মন তত দুর্বল হচ্ছে। চোখ-ঝাপসা রোগ হয়েছে। যখন তখন চোখ ঝাপসা হয়ে আসছে।

ঠান্ডা পানি খেতে খেতেও তাঁর চোখ ঝাপসা হল। তিনি কি মনে করে ছাদের দিকে রওনা হলেন। এই পৃথিবীতে অনেক অবিশ্বাস্য ঘটনা ঘটে।

তাঁর জীবনে কখনো কোন অবিশ্বাস্য ঘটনা ঘটে নি। তাই বলে যে কোনদিন ঘটবে না, তাতো না। হয়ত তাঁর জীবনেও অবিশ্বাস্য কোন ঘটনা ঘটবে। হয়তো আজ রাতেই ঘটবে। তিনি ছাদে উঠে দেখবেন ছাদে পা ঝুলিয়ে সুপ্রভা বসে আছে। তিনি কোমল গলায় ডাকবেন, সুপ্রভা!

সুপ্রভা তাঁর দিকে তাকিয়ে হাসবে। তিনি বলবেন, কেমন আছিসরে মা? সুপ্রভা বলবে, তুমি কেমন আছ বড় মামা। তিনি বলবেন, আমি ভাল আছি। সুপ্রভা রাগি রাগি গলায় বলবে, তুমি মোটেও ভাল নেই। তোমার পেটে ব্যথা হচ্ছে। এ রকম ব্যথা নিয়ে তুমি ছাদে এলে কেন? মামা তোমার কি কান্ডজ্ঞান নেই?

'তোকে দেখতে এসেছিরে মা।'

'আমাকে কিভাবে দেখবে? আমিতো মরে গেছি।'

'মা কেন এই কান্ডটা করলি?'

'ভুল করে ফেলেছি মামা। মানুষ ভুল করে না? ভুল করে বলেইতো সে মানুষ। শুধু শুদ্ধ করলে কি সে মানুষ হয়? সে হত রোবট।'

জামিলুর রহমান ছাদে উঠার ঠিক আগে থমকে গেলেন–ছাদে হাঁটতে হাঁটতে কে যেন গান গাইছে। নিশুতি রাতে ছাদে গান করবে কে? সুপ্রভার গলা না? হ্যাঁ সুপ্রভার গলাতো বটেই। মিষ্টি রিনরিনে বিষাদময় গলা। ব্যাপারটা কি? জামিলুর রহমানের নিঃশ্বাস বন্ধ হয়ে এল। তাঁর মনে হল তিনি মাথা ঘুরে এক্ষুনি পড়ে যাবেন। আসলেই সুপ্রভা গান গাইছে। গানের কথাগুলো স্পষ্ট না। টানা সুরের গান বলে কথা স্পষ্ট হচ্ছে না। 'ফুলে ফুলে' এই দু'টা শব্দ শুধু পরিষ্কার।

জামিলুর রহমান ছাদে পা রাখলেন। সুপ্রভা বলে ডাকতে গিয়ে থমকে গেলেন, কাপড় শুকানোর দড়ি দু'হাতে ধরে যে মেয়েটি গান গাইছে সে সুপ্রভা নয়– মিতু। ছাদে গান গাইছে মিতু।

মিতু শব্দ শুনে বাবাকে দেখে সহজ গলায় বলল, বাবা তুমি? তুমি ছাদে কি করছ।

জামিলুর রহমান বিস্মিত হয়ে বললেন–রাত তিনটার সময় তুইই বা কি করছিস?

'বাবা আমিতো ছাদেই থাকি।'

'ছাদে থাকিস মানে? ছাদে কোথায় থাকিস?'

'চিলেকোঠার ঘরটায়। হঠাৎ ঘুম ভেঙ্গে গেছে তাই হাঁটাহাঁটি করছি।'

'হাঁটাহাঁটি কোথায় তুইতো গান করছিলি।'

'হুঁ করছিলাম।'

'চিলেকোঠার ঘরে কবে থেকে থাকিস?'

'অনেক দিন থেকেই থাকি। সবাই জানে। তুমি বাড়ির কোন খোঁজ খবর রাখ না বলে তুমি জান না।'

'একা একা ছাদে থাকিস আশ্চর্য কান্ড। ভয় লাগে না?'

'ভয় লাগবে কেন? ভয় লাগার কি আছে। এই যে তুমি হঠাৎ এসে উপস্থিত হলে– আমি কি তোমাকে দেখে ভয় পেয়েছি?'

জামিলুর রহমানের পেটের ব্যথাটা আবার শুরু হয়েছে। এখন মনে হচ্ছে তিনি আর দাঁড়িয়ে থাকতে পারবেন না। খোলা ছাদেই শুয়ে পড়তে হবে। মিতু বলল, কি হয়েছে বাবা? তুমি এ রকম করছ কেন?

'তলপেটে প্রচণ্ড ব্যথা হচ্ছে। দাঁড়িয়ে থাকতে পারছি না।'

মিতু ছুটে এসে বাবার হাত ধরল। চিন্তিত গলায় বলল, তোমার শরীরতো কাঁপছে বাবা। এসো আমার ঘরে এসে বিছানায় শুয়ে থাক।

'পানি খাব।'

'তোমাকে পানি দিচ্ছি–তুমি এসোতো।'

জামিলুর রহমান মিতুর ঘরে শুয়ে আছেন। এক চিলতে ছোট্ট অদ্ভুত একটা ঘর। মুখের কাছে গ্রামের রেলস্টেশনের টিকিট ঘরের মত জানালা। সেই জানালার হাওয়া এসে শুধু মুখের উপর পড়ছে। ভাল লাগছে। মিতুর চিলেকোঠার এই ঘরটা এমন মজার তিনি জানতেন না। বাড়ির অনেক কিছুই তিনি জানেন না। তেমনি তাঁর নিজের জগতের অনেক কিছুই বাড়ির কেউ জানে না। তিনি যেমন তাঁর ব্যাপারগুলো জানানোর প্রয়োজন মনে করেন না। তারাও তেমনি তাদের ব্যাপারগুলো জানাবার প্রয়োজন মনে করে না।

শোভন পুলিশের হাতে ধরা পড়েছে এই খবর তিনি বাড়িতে কাউকে দেন নি। দেয়ার প্রয়োজন মনে করেন নি। পুলিশ শোভনের উপর শারীরিক নির্যাতন করছে। এই খবরও তিনি পেয়েছেন। শারীরিক নির্যাতন খবরাখবর বের করার জন্যে করছে না। নির্যাতনটা করছে যেন খবর পেয়ে ছেলের বাবা জামিলুর রহমান পুলিশকে বড় অংকের টাকা দেবার ব্যবস্থা করেন। এই ব্যবস্থা জামিলুর রহমান করেছেন। বড় অংকের টাকাই পুলিশকে দিয়েছেন। মার বন্ধ হয়েছে। ওসি সাহেব এই সুসংবাদ নিজে এসে দিয়ে গেছেন। সিগারেট টানতে টানতে বলেছেন, আপনি কোন চিন্তা করবেন না। আপাতত জামিন হচ্ছে না। কিন্তু মূল কেইস এমন ভাবে সাজানো হবে যেন তাসের ঘর। সব ঠিক ঠাক-কোর্টে গিয়েই-ধপাস। ঘর ভেঙ্গে পড়ে গেল। কেউ কিছু বুঝল না। আসামী বেকসুর খালাস। হা হা হা।

এমন বিশ্রী করে জামিলুর রহমান কাউকে হাসতে দেখেননি। তিনি শুকনা গলায় বললেন, ওসি সাহেব আজ চলে যান। আরেকদিন আসুন। আমি বের হব, জরুরি কাজ আছে।

'এক কাপ চা খেয়ে তারপর যাই। আপনার এখানে চা-টা ভাল করে।'

জামিলুর রহমান চা দিতে বললেন। একজন মানুষের সামনে মুখ সেলাই করে মূর্তির মত বসে থাকা যায় না। টুকটাক কথা বলতে হয়। তিনি কি বলবেন ভেবে পাচ্ছেন না।

ওসি সাহেব বললেন, দেশের ইয়াং ছেলেপুলেরা যে কোন দিকে যাচ্ছে–ভাবলে গা শিউরে ওঠে। আমার তিন মেয়ে, ছেলে নেই। আমার স্ত্রীর এই নিয়ে আফসোস আছে। আমি তাকে বললাম, শাহানা তুমি আল্লাহর কাছে শুকুর গুজার কর যে তোমার ছেলে নেই।

জামিলুর রহমান বললেন, টাকা পয়সা ওয়ালা মানুষদের ছেলেরা নষ্ট হলেতো আপনাদের ভাল। নষ্ট ছেলেমেয়ের বাবা-মার কাছ থেকে অর্থনৈতিক সুবিধা পান। অনেক বাবা-মা'দের সঙ্গেই নিশ্চয় আপনাদের মাসকাবারি বন্দোবস্ত আছে। আছে না?

খুব কঠিন কথা। এই কঠিন কথা শুনেও ওসি সাহেব হাসছেন। যেন মজাদার রসিকতা শুনে বিমলানন্দ পেলেন। তিনি আরাম করে চা খেলেন। চায়ের খুব প্রশংসাও করলেন। চায়ের পাতা কোন দোকান থেকে কেনা হয় জানতে চাইলেন। ক্লোন চা, না ডাস্ট চা তাও জিজ্ঞেস করলেন।

মিতু পানি নিয়ে এসেছে। বাবার মাথায় হাত দিয়ে সে বাবাকে তুলে বসালো।

'ব্যথা কি একটু কম লাগছে বাবা?'

'উহু।'

'বাবা চল তোমাকে হাসপাতালে নিয়ে যাই।'

'সকাল হোক তারপর দেখা যাবে।'

'না এখুনি চল। তোমার চোখ মুখ কালো হয়ে গেছে। আমার ভাল লাগছে না বাবা।'

'ব্যথাটা এখন একটু কম।'

'এখন কম?'

'হুঁ। এক কাপ চা বানিয়ে খাওয়াতে পারবি মা?'

'অবশ্যই পারব। চল নিচে চলে যাই।'

'আমি এখানেই থাকি– তুই চা বানিয়ে নিয়ে আয়।'

মিতুর ঘর ছেড়ে তাঁর নড়তে ইচ্ছা করছে না। মিতুকে বলে তাঁর ঘরটা কি তিনি নিজের জন্যে নিয়ে নেবেন। অফিস থেকে এসে এই ঘরে থাকবেন। ঘরেতো বাথরুম নেই। বাথরুমের জন্যে নিচে যেতে হবে। মিতুর ঘরটা নেয়া ঠিক হবে না। বেচারীর শখের ঘর। মিতুকে একটা বাথরুম বানিয়ে দিতে হবে। রাজমিস্ত্রীকে সকালবেলাই বলে দেবেন। মিতুর ঘরের সঙ্গে সুন্দর একটা বাথরুম হবে। আর ছাদের চারদিকে রেলিং হবে।

চা খেতে গিয়ে জমিলুর রহমান লক্ষ্য করলেন– তার ব্যথা একটুও নেই। শরীর ঝড়ঝড়ে লাগছে। শরীর ভাল থাকলে যা হয়– সব কিছুই ভাল লাগে। এখনো তাই লাগছে। এই যে তার পাশে মিতু বসে আছে। বিস্মিত চোখে তাঁকে দেখছে এই দৃশ্যটাও দেখতে ভাল লাগছে।

'তুই কি পড়াশোনাও এখানে করিস?'

'না। এটা হচ্ছে আমার ঘুম-ঘর শুধু ঘুমুবার সময় এখানে আসি। ঘরট সুন্দর না বাবা?'

'হুঁ সুন্দর।'

'তোমার ব্যথা কি এখনো আছে?'

'না-ব্যথা সেরে গেছে।'

'সেরে গেলেও, তুমি সকালে কোন একজন ভাল ডাক্তারকে তোমার শরীরটা দেখাও।'

'ডাক্তার দেখাতে হবে না। আমি খুব পরিশ্রম করিতো। পরিশ্রমী মানুষের অসুখ বিসুখ হয় না। এই যে সুরাইয়া এখন স্বাভাবিক আচরণ করছে। কেন করছে? পরিশ্রম করছে বলেই এই উন্নতিটা হয়েছে।'

'ফুপু কি এখন ভাল হয়ে গেছেন?'

'আমারতো মনে হয় সে আগের চেয়ে অনেক ভাল। কথাবার্তাও স্বাভাবিক। তোর কাছে মনে হয় না?'

'আমিতো বাবা জানি না। ফুপুদের বাড়িতে কখনো যাইনি।'

'কেন?'

'যেতে ইচ্ছা করে নি।'

'ইমন? ইমন আসে না?'

'না।'

'কেন?'

'জানি না বাবা।'

'সে আসে না বলেই কি তুই যাস না?'

মিতু হেসে ফেলে বলল, এইসব তুচ্ছ ব্যাপার নিয়ে তুমি মাথা ঘামিওনাতো। মা-পুত্র নতুন সংসার পেতেছে, ওদের বিরক্ত করতে ইচ্ছা করে না বলেই যাই না।

'ওরা কেন আসে না?'

'আমি কি করে বলব ওরা কেন আসে না?'

'আচ্ছা আমি বলে দেব।'

'তোমাকে কিছু বলতে হবে না বাবা।'

জামিলুর রহমান বিস্মিত হয়ে লক্ষ্য করলেন তাঁর মেয়ের গলা ভারী। মনের ভেতরের আকাশ মেঘে মেঘে ঢেকে গেলে– গলা এমন ভারী হয়। কেন তাঁর মেয়ের মনে এত মেঘ জমবে? তিনি যেমন একা একা জীবন যাপন করেন তাঁর মেয়েটাও কি তাই করে? এটা ঠিক না। এই বয়সেই একা জীবন যাপনে অভ্যস্ত হয়ে গেলে বাকি জীবন কাটানো খুব কষ্টকর হবে।

'বাবা!'

'হুঁ।'

'সকাল হয়ে যাচ্ছে। ছাদ থেকে সকাল হওয়া দেখা খুব ইন্টারেস্টিং, দেখবে?'

'আয় দেখি।'

জামিলুর রহমান মেয়ের সঙ্গে সকাল হওয়া দেখতে গেলেন। ব্যাপারটা তাঁর এত ভাল লাগবে তিনি নিজেও ভাবেন নি। গ্রামের সকাল সুন্দর, কিন্তু শহরের সকালও এত সুন্দর হয়? এত পাখি ডাকে? দিনের প্রথম আলোয় এত রহস্য?

জামিলুর রহমানের খুব ইচ্ছা করল মেয়েকে বলেন, মা তুমি আমাকে সুন্দর একটা জিনিস দেখালে। এখন তুমি বল আমার কাছে কি চাও। যা চাইবে তাই আমি দেব। তাঁর নিজেকে কিছুক্ষণের জন্যে হলেও আলাদীনের চেরাগের দৈত্যের মত মনে হল। মনে হল তাঁর ক্ষমতা অসীম। মিতু নামের মেয়েটি এই মহেন্দ্রক্ষণে যা চাইবে তাই তিনি তাকে দিতে পারবেন।

মিতু কিছু চাচ্ছে না। সুন্দর করে হাসছে। আশ্চর্য! তাঁর নিজের মেয়ে এত সুন্দর করে হাসে আর তিনি জানেন না। শোভনের ব্যাপারটা কি মিতুর সঙ্গে আলাপ করবেন? এমন সুন্দর সকালে কুৎসিত কিছু নিয়ে আলাপ করতে ইচ্ছা করে না।

'মিতু!'

'জ্বি বাবা।'

'শোভন পুলিশের হাতে ধরা পড়েছে। থানা হাজতে আছে।'

'বাবা আমি জানি।'

'তুই জানিস?'

'হুঁ।'

'তোর মা। তোর মা-কি জানে?'

'হ্যাঁ মাও জানেন। টোকন ভাইয়া এসে বলে গেছে।'

জামিলুর রহমান চুপ করে গেলেন। সবাই সব কিছু জানে অথচ সবাই এমন ভাব করছে যেন কেউ কিছু জানে না। বদলে যাচ্ছে, সবাই বদলে যাচ্ছে।

'মিতু!'

'জ্বি বাবা।'

'তুই যে একটা গান করছিলি। ঐ গানটা করতো শুনি।'

মিতু বিস্মিত গলায় বলল, আমি গান করছিলাম মানে? আমি কি গান জানি না-কি যে গান করব?

'আমিতো স্পষ্ট শুনলাম তুই গান করছিস।'

'বাবা আমি কখনো গান করি না। অনেকে বাথরুমে গুনগুন করে গান করে। আমি তাও করি না। আমার গলায় কোন সুর নেই। গান করতো সুপ্রভা। যখন তখন গান।'

জামিলুর রহমান চুপ করে গেলেন। তিনি তাহলে সুপ্রভার গানই শুনেছেন।

ইমন খেতে বসেছে। সুরাইয়া খুব আগ্রহ করে ছেলের খাওয়া দেখছেন। টেবিলে তিন রকমের তরকারি–সজনে ডাটা এবং আলু দিয়ে একটা ভাজি, ইলিশ মাছের ডিম, ডাল। ইমন কেমন যেন অনাগ্রহের সঙ্গে খাচ্ছে। সজনে ডাটা নিল, তার সঙ্গে ইলিশ মাছের ঝোল মেশালো। এর মধ্যে এক চামচ ডাল দিয়ে দিল।

সুরাইয়া বললেন, খেতে কেমন হয়েছে রে?

'ভাল হয়েছে।'

'ভাল হয়েছেতো এমন ভাবে খাচ্ছিস কেন? সব মিশিয়ে ঘ্যাট বানাচ্ছিস। আরাম করে খা।'

'আরাম করেই খাচ্ছি।'

ইমন আরাম করে খাচ্ছে না। খাবার মোটেই ভাল হয়নি। প্রতিটি তরকারিতে লবণ বেশি। সামান্য বেশি হলেও খেয়ে ফেলা যেত। অনেকখানি বেশি। ইমনের ধারণা তার মা'র লবণের আন্দাজ নষ্ট হয়ে গেছে। হয় লবণ খুব বেশি হচ্ছে নয় লবণ হচ্ছেই না।

'ইলিশ মাছের ডিম কেমন হয়েছে?'

'ভাল।'

'তোর বাবার খুব প্রিয় ছিল। লোকজন বাজার থেকে ডিম ছাড়া ইলিশ আনে–তোর বাবা আনতো ডিমওয়ালা ইলিশ। মাছ কোটার সময় তোর বাবা পাশে থাকতো। যদি দেখতো ডিম নেই ওম্নি তার মুখটা কালো হয়ে যেত।'

ইমন গল্প শুনে যাচ্ছে। হ্যাঁ হুঁ কিছুই করছে না। বাবার গল্প এখন আর তার কাছে ভাল লাগে না। অসহ্য বোধ হয়। ইলিশ মাছের ডিম তার বাবার পছন্দের খাবার ছিল এই গল্প সে এর আগে অনেক অনেক বার শুনেছে। ভবিষ্যতেও আরো অনেকবার শুনতে হবে। মা'র আলোচনা কোন খাতে যাবে ইমন এখন বলে দিতে পারে। ইলিশ মাছের ডিমের প্রসঙ্গ যখন এসেছে তখন মাষকলাইয়ের ডালের প্রসঙ্গ আসবে। তারপর আসবে সর্ষেশাক দিয়ে কই মাছের ঝোলের গল্প।

'ইমন।'

'জ্বি।'

'বাজারে দেখিসতো মাষকলাইয়ের ডাল পাস কি-না। খোসা ছাড়ানো ডাল না, খোসাওয়ালা ডাল। তোর বাবার খুব পছন্দ ছিল। অনেকে মাষকলাইয়ের ডালে মাছ টাছ দিয়ে রান্না করে। তোর বাবার তা পছন্দ না। মাছ দিলেই তার কাছে আঁষটে গন্ধ লাগতো। তোকে একদিন মাছ দিয়ে ডাল রান্না করে দেব। তোর বাবার পছন্দ ছিল না বলে যে তোরও পছন্দ হবে না এমনতো কথা না। হয়ত তোর ভাল লাগবে। মাষকলাইয়ের ডাল নিয়ে আসিসতো।'

'আচ্ছা।'

'নতুন সর্ষে শাক উঠেছে কি-না খেয়াল রাখিস।'

'আচ্ছা।'

সর্ষে শাক দিয়ে কৈ মাছও তোর বাবার প্রিয়। কোন বন্ধুর বাসা থেকে খেয়ে এসে একদিন আমাকে রাধতে বলল। সর্ষে শাক দিয়ে কৈ মাছের ঝোল-আমি জন্মে শুনিনি। একদিন ভয়ে ভয়ে রাধলাম। সেই রান্নাই কাল হল। দু'দিন পর পর সর্ষে শাক আর কৈ মাছ। আমি আবার কৈ মাছ খেতে পারি না। কাঁটার ভয়ে। কৈ মাছের কাঁটা বরশির মত একটু বাঁকানো, একবার গলায় আটকালে আর যাবে না। তোর বাবার মত কৈ মাছ খাওয়া লোকও যা বিপদে পড়েছিল– শোন কি হয়েছে...

ইমনের খাওয়া হয়ে গেছে। সে উঠে দাঁড়াতে দাঁড়াতে বলল, মা তোমাকে একটা অনুরোধ করি। তুমি দয়া করে অন্য গল্প কর। বাবার গল্প শুনতে আমার এখন আর ভাল লাগে না। তাছাড়া গল্পগুলিতো নতুনও না, পুরানো।

সুরাইয়া আহত চোখে ছেলের দিকে তাকিয়ে রইলেন। ইমন এ ধরনের কথা বলবে তিনি স্বপ্নেও কল্পনা করেন নি। ছেলেটা দ্রুত বদলে যেতে শুরু করেছে। নিজেদের ফ্ল্যাটে আসার পর পড়াশোনাও করছে না। সময়ে অসময়ে ছেলের ঘরে ঢুকে দেখেছেন সে বিছানায় শুয়ে আছে। মাথার নিচে বালিশ নেই। সে শূন্য দৃষ্টিতে তাকিয়ে আছে ছাদের দিকে। মানুষ একটু আধটু বদলায়। সেই বদলানোটাও খুব ধীরে হয় বলে চোখে পড়ে না– ইমনেরটা দ্রুত হচ্ছে বলেই চোখে পড়ছে।

হারিয়ে যাওয়া বাবার গল্প সুরাইয়া ইচ্ছা করেই করেন, যাতে মানুষটা পুরোপুরি হারিয়ে না যায়। সেই গল্প ইমন শুনতে চাচ্ছে না। মা'র সঙ্গে সে কঠিন গলায় কথা বলতে শুরু করেছে, এই গলা ভবিষ্যতে আরো কঠিন

হবে। তখন কি হবে? সুরাইয়া বুকে চাপ ব্যথা বোধ করতে শুরু করলেন। এটা তাঁর পুরানো ব্যথা। আজকাল ঘন ঘন হচ্ছে।

সুরাইয়া দেখলেন ইমন সার্ট গায়ে দিচ্ছে। চিরুনী নিয়ে বাথরুমে ঢুকল। সে কি কোথাও বের হচ্ছে? আজ ছুটির দিন। আজ কেন ঘর থেকে বের হবে? ছুটির দিনগুলি ঘরে থাকার জন্যে। বাইরে ছোটাছুটি করার জন্যে না। ইমন বাথরুম থেকে বের হতেই সুরাইয়া বললেন, কোথাও যাচ্ছিস?

'ইমন বলল, হ্যাঁ।'

'কোথায় যাচ্ছিস?'

'কাজ আছে মা।'

'কাজটা কি?'

ইমন বিরক্ত গলায় বলল, তুমি সব কিছু জানতে চাও কেন? এত জেরা করারতো কিছু নেই।

'জেরা করছি না। কোথায় যাচ্ছিস জানতে চাচ্ছি। আমি জানতেও পারব না!'

'না।'

'তোর সমস্যাটা কি?'

'আমার কোন সমস্যা নেই মা। সমস্যা তোমার। তুমি খুব বিরক্ত কর। মাঝে মাঝে অসহ্য লাগে।'

'কোথায় যাচ্ছিস জানতে চাওয়াটা কি বিরক্ত করা?'

'হ্যাঁ বিরক্ত করা।'

'আর কি ভাবে বিরক্ত করি?'

'রাতে তুমি পঞ্চাশবার আমাকে দেখতে আস এটাও বিরক্তিকর।'

'দরজা বন্ধ করে তুই শুয়ে পড়িস তোকে পঞ্চাশবার দেখতে আসব কি ভাবে?'

'দরজা বন্ধ করলেওতো তোমার হাত থেকে নিস্তার নেই। তুমি একটু পর পর দরজার ফুটো দিয়ে তাকাবে। আমি এতদিন কিছু বলিনি-আজ বললাম। আমার ভাল লাগে না।'

'তুই মশারি ঠিকমত ফেলেছিস কি-না এটা দেখার জন্যে ফুটো দিয়ে তাকাই।'

'দয়া করে আর তাকবে না।'

সুরাইয়া থমথমে গলায় বললেন, আমাকে আর কি কি করতে হবে এক সঙ্গে বলে দে। চেষ্টা করব তুই যা চাস সে রকম করতে–যদি না পারি চলে যাব।

'কোথায় চলে যাবে?'

'সেটা তোর জানার বিষয় না। তুই কোথায় যাস সেটা যেমন আমার জানার বিষয় না। আমি কোথায় যাই সেটাও তোর জানার বিষয় না।'

ইমন এর জবাব দিল না। সহজ স্বাভাবিক ভঙ্গিতেই বের হয়ে গেল, যেন কিছুই হয়নি।

সুরাইয়ার বুকে ব্যথার সঙ্গে সঙ্গে শ্বাস কষ্টও শুরু হল। শ্বাসকষ্টের এই উপসর্গ তাঁর নতুন। মাঝে মাঝে হয়। ডাক্তারের কাছে যেতে ইচ্ছা করে না। কপালে কষ্ট থাকলে কষ্ট ভোগ করতেই হবে। ডাক্তার কবিরাজ কিছু করতে পারবে না।

সুরাইয়া দুপুরে খেলেন না। চাদর গায়ে ঘুমুতে গেলেন। বুকের ব্যথা এবং শ্বাস কষ্টের জন্যে ঘুম আসছে না। সেটাই ভাল, শরীরের কষ্ট নিয়ে জেগে থেকে নিজের জীবনের কথা ভাবা। ভাবতে ভাবতে চোখের পানি ফেলা।

বারান্দায় রাখা ফুলের টবে আজ পানি দেয়া হয়নি। ভালই হয়েছে, গাছগুলিও কষ্ট করুক। তিনি একা কেন কষ্ট করবেন? তাঁর সঙ্গে যারা বাস করবে তাদেরও কষ্ট করতে হবে। তারপর কোন একদিন ইমনের বাবার মত তিনিও ঘর ছেড়ে চলে যাবেন। আর কেউ কোনদিন তার খোঁজ পাবে না। ইমন থাকুক একা একা। ইমনের এখন তাঁকে দরকার নেই– তিনি কেন শুধু শুধু ছেলের জন্যে ভাববেন? তাঁর এত কি দায় পড়েছে? ইমনের একটা বিয়ে দিয়ে যেতে পারলে ভাল হত। ইমনের দিকে লক্ষ্য রাখবে এমন একজন দরকার।

একটা মেয়েকে তাঁর পছন্দ হয়েছে। বাড়িওয়ালার দূর সম্পর্কের আত্মীয়া। মুন্নী। এই বাড়িতে থেকে ইডেন কলেজে পড়ে। দুনিয়ার কাজ করে। মেয়েটাকে তিনি পাঁচ মিনিটের জন্যেও বসে থাকতে দেখেন না। মেয়েটা দেখতে তত ভাল না। গায়ের রঙ কালো। সৌন্দর্যের প্রথম শর্তই গায়ের রঙ। সেই রঙ কালো হলে সবই মাটি। এম্নিতে অবশ্যি মেয়েটার খুব মায়া মায়া চেহারা। মাথা ভর্তি চুল, লম্বা একহারা গড়ন। গলার স্বর খুব মিষ্টি এবং হাস্যমুখি। হাসি ছাড়া কথা বলতে পারে না। মেয়েটা তাকে খালা ডাকে এবং অবসর পেলেই তাঁর সঙ্গে গল্প করতে আসে। ইমনের বাবার সব গল্পই তিনি ইতিমধ্যে মেয়েটার সঙ্গে করেছেন। গল্প বলার সময় কয়েকবার তাঁর চোখে পানি এসেছে। তিনি আনন্দের সঙ্গে লক্ষ্য করেছেন মেয়েটার চোখেও পানি এসেছে।

মেয়েটার কথা বার্তা বলার ভঙ্গিও সুন্দর। খুব মজা করে কথা বলে। ঐতো সেদিন হাসতে হাসতে বলল, আচ্ছা খালা আপনার পুত্র কি সব সময় এমন গম্ভীর থাকে? সব সময় ভুরু কুঁচকে আছে। গম্ভীরানন্দ।

তিনি হাসতে হাসতে বললেন, মা এটা হল ওদের বংশগত রোগ। তার বাবাও ছিল গম্ভীর।

'আমার উনাকে দেখলে কি মনে হয় জানেন? মনে হয় এই বুঝি উনি ভুরু টুরু কুঁচকে আমাকে বলবেন-এই মেয়ে নিউটনের সেকেন্ড ল' টা কি বুঝিয়ে বল।'

মুন্নী হাসে, তিনিও হাসেন।

'খালা আমি একটা প্ল্যান করেছি। উনাকে আমি একদিন খুব ভড়কে দেব। কি করব জানেন? আপনার বাসায় ঘাপটি মেরে বসে থাকব। উনি যখন বাসায় ফিরবেন, দরজা খোলার জন্যে কলিং বেল টিপবেন তখন আমি দরজা খুলে বলব, আপনি কে কাকে চান? উনি খুব ভড়কে যাবেন না!'

'না। ও ভড়কাবার ছেলে না।'

মুন্নীদের বাড়িতে আত্মীয় স্বজন এলে মুন্নীর ঘুমুবার জায়গার সমস্যা হয়। সে চলে আসে সুরাইয়ার কাছে। আদুরে গলায় বলে, খালা আজ রাতটা কি আমি আপনার সঙ্গে ঘুমুতে পারি?

সুরাইয়া বলেন, অবশ্যই পার মা।

'আমি ঘুমুতে এলে আপনার জন্যে ভালই হবে আমি খুব সুন্দর করে চুলে বিলি কাটতে পারি। চুলে বিলি কেটে আপনাকে ঘুম পাড়িয়ে দেব।'

'তোমাকে চুলে বিলি কাটতে হবে না। তুমি এসে আমার সঙ্গে ঘুমাও। দু'জনে গল্প করব। ছেলেটা এমন হয়েছে যে তাকে দশটা কথা বললে সে একটা কথার জবাব দেয়। তার সঙ্গে কথা বলা আর একটা গাবগাছের সঙ্গে কথা বলা এক। গাব গাছের তাও পাতা নড়ে। তার তাও নড়ে না।'

মুন্নী যতবার এ বাড়িতে থাকতে এসেছে ততবারই তিনি প্রায় সারারাত গল্প করেছেন। মুন্নীর জন্যে রাতগুলি কেমন ছিল তিনি জানেন না, কিন্তু তাঁর জন্যে রাতগুলি ছিল আনন্দময়।

মাঝে মাঝে মেয়েটা তাকে অদ্ভুত ধরনের কথাও বলে। অদ্ভুত এবং ভয়ংকর। পুরোপুরি ভেঙ্গে বলে না বলে তিনি ব্যাপারটা ঠিক বুঝতে পারেন না। যেমন একরাতে অনেকক্ষণ গল্প গুজবের পর তিনি বললেন, মা এখন ঘুমুতে যাও। ফজরের আজান হতে বেশি দেরি নেই। মুন্নী তখন বিছানায় উঠে বসে সম্পূর্ণ অন্যরকম গলায় বলল, খালা আপনি কি আমাকে পছন্দ করেন?

উনি বললেন, অবশ্যই পছন্দ করি।

'আপনার কি ধারণা আমি একটা ভাল মেয়ে?'

'অবশ্যই তুমি ভাল মেয়ে।'

'খালা আমি কিন্তু ভাল মেয়ে না। আমি ভয়ংকর খারাপ মেয়ে। ভয়ংকর খারাপ মেয়েরা যা করে আমিও তাই করি। মাঝে মাঝে তারচে বেশিই করি। নিজের ইচ্ছায় করি না। করতে বাধ্য হই।'

'বাধ্য হয়ে অনেকেই অনেক কিছু করে।'

'ভাল মেয়েরা করেনা খালা। ভালমেয়েরা ভেঙ্গে যায় কিন্তু মচকায় না। আমি ভাঙ্গি না মচকাই। আমার জন্ম হয়েছে মচকাবার জন্যে।'

'ভয়ংকর যে কাজটা কর সেটা কি?'

'আপনি আন্দাজ করুনতো?'

'আন্দাজ করতে পারছি না।'

'একদিন পারবেন।'

মুন্নী শুয়ে পড়ে এবং সঙ্গে সঙ্গে ঘুমিয়ে পড়ে। তিনি জেগে থাকেন। এবং বারবারই তাঁর মনে হয়–বড় ভাল একটা মেয়ে। গায়ের রংটা আর যদি একটু ভাল হত তিনি সরাসরি ইমনের সঙ্গে মেয়েটার বিয়ের কথা বলতেন। কালো মেয়ের সঙ্গে ছেলের বিয়ে দিলে নাতী নাতনীগুলি কালো হবে। সেই কালো নাতনীগুলির বিয়ের সমস্যা হবে। বিয়ে অনেক বড় ব্যাপার হুট করে দিয়ে দিলেই হয় না। অনেক ভেবে চিন্তে দিতে হয়।

ইমন হাঁটছে। হাঁটতে তার ভাল লাগে। হাঁটার সময় চারদিকে খেয়াল রাখতে হয় বলে মাথায় অন্য চিন্তা আসে না। রিকশায় উঠতেই উদ্ভট উদ্ভট সব চিন্তা আসে। আজ রাস্তায় হাঁটতে ইমনের ভাল লাগছে না। ঘুম পাচ্ছে। কাল রাতে এক ফোঁটা ঘুম হয় নি। সেই ঘুমে এখন শরীর প্রায় জমে যাচ্ছে। এমন কোন উদাহরণ কি আছে যে হাঁটতে হাঁটতে একজন মানুষ ঘুমিয়ে পড়ল, এবং ঘুমের মধ্যেই হাঁটতে থাকল? উদাহরণ না থাকলে সে তৈরি করবে। গিনিস বুক অব রেকর্ডে নাম উঠবে–"বাংলাদেশের ইমন ঘুমন্ত অবস্থায় তিন কিলোমিটার পথ অতিক্রম করে তার ছাত্রীকে পড়াতে যান। ঘুমন্ত অবস্থাতেই তাকে এক ঘন্টা পড়ান এবং ঘুমিয়ে ঘুমিয়ে নিজের ফ্ল্যাটে ফিরে আসেন।" গিনিস বুক অব রেকর্ডে নাম উঠার পর বিভিন্ন পত্র পত্রিকায় ইন্টার্ভ্যূ ছাপা হতে থাকলে বিভিন্ন সংগঠন পুরস্কার দেয়া শুরু করবে। উপাধিও দিতে পারে। বীর শ্রেষ্ঠের মত ঘুম শ্রেষ্ঠ জাতীয়।

আচ্ছা এইসব সে কি ভাবছে? ঘুম কাটাবার জন্যে ইমন রাস্তার পাশের চায়ের দোকানে থামল। পর পর দু'কাপ চা খেল। টাকা দিতে গিয়ে দেখে ভাংতি নেই। একটা পাঁচশ টাকার নোট। দু'প্যাকেট সিগারেট কিনলে টাকার ভাংতি পাওয়া যাবে। দু'প্যাকেট সিগারেটই দরকার। একজনকে দিতে হবে। আচ্ছা তিন প্যাকেট সিগারেট কিনলে কেমন হয়? তার নিজের জন্যে এক প্যাকেট।

রাতে বিছানায় শুয়ে শুয়ে সিগারেট টানবে। মা হঠাৎ ঘরে ঢুকে আতংকিত গলায় বলবেন, কি করছিস? সে বলবে, সিগারেট খাচ্ছি মা।

বিছানায় আধশোয়া হয়ে সিগারেট খেতে খেতে গল্পের বই পড়তে নিশ্চয়ই খুব ভাল লাগবে। নবনীদের ঘর ভর্তি গল্পের বই।

আজ ফেরার পথে নবনীর কাছ থেকে কিছু গল্পের বই চেয়ে নিয়ে আসতে হবে। বই ধার চাইলেই সে আহ্লাদী ধরনের কোন একটা কথা বলবে। নবনী সহজ ভাবে কোন কথা বলতে পারে না। তার কাছে প্রকান্ড একটা কাঁচের জার আছে, জার ভর্তি তরল আহ্লাদী। নবনী প্রতিটি কথা

বলার আগে আহ্লাদী জারে ডুবিয়ে বলে। নবনীকে যে ছেলে বিয়ে করবে তার প্রথম করণীয় কাজটা হচ্ছে বিয়ের রাতেই আহ্লাদীর জারটা ভেঙ্গে ফেলা। আচ্ছা এইসব সে কি ভাবছে? নবনীর আহ্লাদীতে তার কিছু যায় আসে না। নবনী যা ইচ্ছা করুক। তার দায়িত্ব নবনীকে অংক শেখানো।

নবনীকে সে সপ্তাহে তিনদিন পড়ায়-সন্ধ্যার পর এক ঘন্টা। পড়ানোর টাইম টেবিলের ঠিক নেই। হুট করে নবনী বলবে, স্যার আগামী কাল আসবেন না। পরশু দিন আসুন। দুপুর দু'টার সময়। যদি আপনার কাজ না থাকে।

স্যার শুনুন, আগামী এক সপ্তাহ আসবেন না। আমরা দলবেধে টেকনাফ যাব। না গিয়ে থাকলে আমাদের সঙ্গে চলুন। প্লীজ, প্লীজ, প্লীজ।

ইমন ঠিক সাড়ে তিনটায় নবনীদের বাড়ির সামনে উপস্থিত হল। নবনী দরজা খুলে আকাশ থেকে পড়ার ভঙ্গি করে বলল, "ওমা! স্যার আপনি!"

ইমন বিস্মিত হয়ে বলল, তুমিতো সাড়ে তিনটার সময় আসতে বলেছিলে।

'ও আল্লা আমার কি হবে? কিচ্ছু মনে নাই। আজকেও বোরিং ম্যাথ নিয়ে বসতে হবে। ছুটির দিনেও ম্যাথ?'

'তোমার ইচ্ছা না করলে থাক।'

'উহু, থাকবে কেন? এসেছেন যখন তখনতো পাশা খেলতেই হবে।'

'পাশা খেলতে হবে মানে কি?'

'পাশা খেলার গান শুনেন নি? হিট গান–আইজ পাশা খেলবরে শ্যাম। স্যার, আপনি পাঁচ মিনিট অপেক্ষা করুন। আমি পাঁচ মিনিটের মধ্যে বই-খাতা নিয়ে চলে আসব। এই পাঁচ মিনিট বরং খবরের কাগজ পড়ুন। আজকের কাগজ পড়েছেন।'

'না।'

'আমিও পড়ি নি। পড়তে ভাল লাগে না–সব সময় বিশ্রী বিশ্রী সব নিউজ ছাপা হয়। স্যার আমি যাই–জাস্ট ফাইভ মিনিটস।'

ইমন কুড়ি মিনিট ধরে বসে আছে। নবনীর খোঁজ নেই। বিশাল বাড়িতে নিজেকে ক্ষুদ্র এবং তুচ্ছ মনে হচ্ছে। বড় বড় সোফা, সোফার সামনে কাঁচের টেবিল। পায়ের নিচের কার্পেটটা এতই সুন্দর যে এর উপর দাঁড়াতে মায়া লাগে। ড্রয়িং রুমের দুই কোনার কাঁচের তিনকোণা টেবিলে দু'টা শ্বেত পাথরের নারী মূর্তি। গায়ের কাপড় গায়ে থাকছে না, খুলে পড়ে যাচ্ছে। মূর্তি দু'টার দিকে তাকিয়ে থাকা যায় না, আবার দৃষ্টিও ফিরিয়ে নেয়া যায় না। ইমনের নিজেকে বসার ঘরের অনেক আসবাবের মত একটা আসবাব বলে মনে হচ্ছে।

'স্যার, আপনাকে চা দেয় নি। কি আশ্চর্য, আমি বলে গেলাম চা দিতে। ছিঃ ছিঃ স্যার আপনি কি রাগ করেছেন?'

'না। রাগ করব কেন?'

'একা একা এতক্ষণ বসেছিলেন এই জন্যে। কেন দেরি হয়েছে জানেন স্যার। আমি বাথরুমে ঢুকে হাত মুখ ধুয়ে বের হব এমন সময় টেলিফোন- আমার এক বান্ধবী, ওর নাম-শম্পা, টেলিফোন করেছে। শম্পা একবার টেলিফোন ধরলে ছাড়ে না।'

ইমন তাকিয়ে আছে। নবনী শম্পার সঙ্গে কথা বলছিল এটা মিথ্যা। নবনী এতক্ষণ সাজগোজ করছিল। যে সাজ সে দিয়েছে সেই সাজের জন্যে বিশ মিনিট খুব কম সময়। মেরুন রঙের সবুজ পাড় শাড়ি। মেরুন স্যান্ডেল। গাঢ় সবুজ ব্লাউজ। চুলেও কিছু একটা করা হয়েছে। ঢেউ-এর মত ফুলে আছে। চোখে কাজল দেয়া হয়েছে। নবনীর চোখ এখন যতটা টানা মনে হচ্ছে আসলে ততটা টানা না।

নবনী বলল, স্যার কি দেখছেন?

ইমন বলল, চল পড়তে বসি।

'স্যার আজ পড়ব না। এ রকম সাজগোজ করে পড়তে ভাল লাগে না। এমন সাজের পর ইটিস পিটিস করতে ভাল লাগে।'

'ইটিস পিটিস কি?'

'কিচ্ছু না স্যার। রসিকতা করলাম। আসলে কি হয়েছে জানেন-শম্পা টেলিফোন করেছে তার বাসায় যাবার জন্যে। তার বড়বোনকে বর পক্ষের লোকজন দেখতে আসবে এই উপলক্ষ্যে অনুষ্ঠান। আমাকে যেতে বলেছে বলেই সেজেছি।'

'তাহলে তুমি যাও। আমি সোমবারে আসব।'

'সেখানে যাব সন্ধ্যাবেলা, সাড়ে ছ'টায়। এখনতো না। আপনি একদিন গল্প করুন। সবদিন অংক করতে হবে এমন কোন কথা আছে? "All work and no play make Jack a dull boy." এ কথাটা আমার বাবা সব সময় বলেন। আমি যখন ফাইভ সিক্সে পড়তাম তখন খুব ভিডিও গেম খেলার শখ ছিল। বাবা তখন নিয়ম করে দিয়েছিলেন, এক ঘন্টা পড়লে এক ঘন্টা ভিডিও গেম খেলতে পারব। কাজেই আজ আমি আপনার সঙ্গে গল্প করব। একটু বসুন আপনার জন্যে চা নিয়ে আসি।

নবনী পট ভর্তি করে চা নিয়ে এল। একটা বাটিতে পায়েস, একটা বাটিতে হালুয়া জাতীয় কিছু, অন্য একটা প্লেটে আলুর চপ।

'স্যার, এই যে খাবারগুলি দেখছেন সব আমার বানানো। আজ সারাদিন কষ্ট করে বানিয়েছি–আপনাকে খাওয়াব এই জন্যে।'

ইমন বিরক্ত মুখে বলল, আমি যে আসব সেটাইতো তুমি ভুলে গিয়েছিলে।

'না ভুলে যাইনিতো। আমার খুব মনে আছে। আপনাকে মিথ্যা করে বলেছি ভুলে গেছি। স্যার খেয়ে দেখুনতো কেমন হয়েছে। যেটা দেখতে আলুভর্তার মত সেটা আসলে আলু ভর্তা না, বুটের ডালের হালুয়া।'

ইমন হালুয়া মুখে দিল। জিনিসটা দেখতে অখাদ্য হলেও খেতে ভাল হয়েছে।

'নবনী বলল, আপনার জন্যে সামান্য গিফটও এনে রেখেছি স্যার। যাবার সময় নিয়ে যাবেন।'

'গিফট কি জন্যে?'

'আজ আপনার জন্মদিন।'

'কে বলল তোমাকে?'

'মিতু আপা বলেছেন। অনেক আগেই মিতু আপার কাছ থেকে আপনার ডেট অব বার্থ জেনে নিয়েছি। স্যার হ্যাপী বার্থ ডে।'

ইমন গম্ভীর গলায় বলল, থ্যাংক য়্যু।

স্যার আপনি সব সময় গম্ভীর হয়ে থাকেন। প্লীজ–জন্মদিনের দিন গম্ভীর হয়ে থাকবেন না। পায়েসটা খান। পায়েসটা খুব ভাল হয়েছে। কাওনের চালের পায়েস।

ইমন পায়েসের বাটি হাতে নিল। আজ তার জন্মদিন ঠিকই। তারিখটা তার নিজেরই মনে ছিল না।

'স্যার, পায়েস কি ভালো হয়েছে?'

'হ্যাঁ।'

'পায়েস বানানো আমি আজই শিখেছি। মাকে বললাম, মা পায়েস বানানো শিখিয়ে দাও। মা শিখিয়ে দিল। পাশে দাঁড়িয়ে দাঁড়িয়ে ইনস্ট্রাকসন দিল–আমি রাধলাম।'

'পায়েসটা বেশ ভাল হয়েছে।'

'মা বললেন, এত যত্ন করে পায়েস রাধছিস কার জন্যে-আমি বললাম স্যারের জন্যে। ওম্নি মা'র মুখ গম্ভীর হয়ে গেল। মা আপনাকে সহ্য করতে পারে না।'

'কেন?'

'মা'র ধারণা আমি আপনাকে মা'র চেয়ে বেশি পছন্দ করি এই জন্যে। তবে মা'র পছন্দে কিছু যায় আসে না। বাবার পছন্দ অপছন্দটাই গুরুত্বপূর্ণ। এই বাড়ির সব কিছু চলে বাবার চোখের ইশারায়। বাবা যদি কোন একটা ব্যাপারে হ্যাঁ বলেন–তাহলে পৃথিবীর কেউ সেই হ্যাঁকে না বানাতে পারবে না।'

'ও আচ্ছা।'

'আর সেই কঠিন বাবাকে কে কনট্রোল করে বলুনতো?'

'তুমি কর?'

'হ্যাঁ, আমি করি। আমি বাবাকে যা করতে বলব, বাবা তাই করবে।'

'ভালতো।'

ঐ দিন আমি বাবাকে বললাম, "বাবা আমি কিন্তু নিজের ইচ্ছামত বিয়ে করব। আমি যদি কাউকে পছন্দ করি তুমি কিন্তু না বলতে পারবে না।" বাবা হাসিমুখে বললেন–আচ্ছা না বলব না। পছন্দের কেউ ইতিমধ্যেই কি জোগাড় হয়ে গেছে? আমি বললাম, হুঁ। বাবা বললেন, তার সঙ্গে আমার পরিচয় করিয়ে দিবি না? আমি বললাম, দেব।

ইমনের চা খাওয়া হয়ে গেছে।

সে উঠতে যাবে নবনী বলল, স্যার উঠবেন না। বাবার সঙ্গে আপনার পরিচয় করিয়ে দি। আপনি এতদিন ধরে আমাকে পড়াচ্ছেন কিন্তু এখনো বাবার সঙ্গে আপনার দেখা হয়নি। আজ বাবা বাসায় আছেন, ঘুমুচ্ছেন। ঘুম ভাঙ্গলেই বাবার সঙ্গে পরিচয় করিয়ে দেব।

ইমন বলল, নবনী আজ থাক। অন্য একদিন পরিচয় করব। আজ আমার একটা কাজ আছে।

'বাবার ঘুম এক্ষুণি ভাঙবে। চারটার পর বাবা বিছানায় থাকেন না। এখন বাজছে চারটা দশ।'

ইমন দাঁড়িয়ে পড়ল। নবনী আহত গলায় বলল, স্যার আপনি সত্যি সত্যি চলে যাচ্ছেন?'

'হ্যাঁ। আমার জরুরী কাজ আছে।'

'কি জরুরী কাজ?'

'আমার এক ভাইকে পুলিশে ধরেছে। সে থানা হাজতে আছে–তার সঙ্গে দেখা করব।'

'আপনার ভাই থানা হাজতে? উনি কি করেছেন?'

'অনেক কিছু করেছে।'

'পুলিশের এডিশনাল ইন্সপেক্টর জেনারেল আমার মেজো মামা। উনাকে বলব?'

'না তাকে কিছু বলতে হবে না।'

'আপনার গিফটটা নিয়ে যান।'

'আরেকদিন এসে নিয়ে যাব। গিফট নিয়ে হাজতে যাওয়া যায় না, তাই না?'

'স্যার–আসুন আপনাকে একটা গাড়ি দিয়ে দি। গাড়ি নিয়ে যাবেন।'

'গাড়ি লাগবে না।'

ইমন ঘর থেকে বের হল। নবনীর চোখ সঙ্গে সঙ্গে পানিতে ভর্তি হয়ে গেল। সে যে তার স্যারের জন্যে এই প্রথম চোখের পানি ফেলল তা না। প্রায়ই ফেলে। প্রতি রাতেই ঘুমুতে যাবার সময় সে বালিশে মুখ গুঁজে কিছুক্ষণ কাঁদে।

হাজতে গাদাগাদি ভিড়। এক কোনায় শোভন গুটিশুটি মেরে শুয়ে আছে। তার চুল লম্বা, মুখ ভর্তি দাড়ি গোঁফের জঙ্গল। চোখ লাল হয়ে আছে। জিন্সের প্যান্টের সঙ্গে কটকটে হলুদ রঙের উইন্ড ব্রেকারে তাকে অদ্ভুত দেখাচ্ছে।

ইমন হাজতের দরজার সামনে দাঁড়িয়ে এদিক ওদিক তাকাচ্ছে। শোভনকে চিনতে পারছে না। তাকে বিস্মিত করে জঙ্গলামুখের এক যুবক বলল, ইমন সিগারেট এনেছিস। আমি যে এখানে খবর কার কাছে পেয়েছিস?

'টোকন ভাইয়ার কাছে।'

'ও তোকে টাকা পয়সা দেয় নি?'

'পাঁচশ টাকার একটা নোট দিয়েছে।'

'মাত্র পাঁচশ! বলিস কি? আমার দরকার হাজার হাজার টাকা।'

'তোমাকে কি ওরা মেরেছে?'

'প্রথম দুদিন ধোলাই দিয়েছে, এখন ধোলাই বন্ধ।'

শোভন আনন্দিত মুখে সিগারেট ধরাল। পা নাচাতে নাচাতে বলল, তোর মুখ এত শুকনা কেন? তোর প্রবলেম কি?

'কোন প্রবলেম নেই।'

'ফুপু ভাল আছেন?'

'হুঁ।'

'ঘর সংসার নিয়ে ব্যস্ত আছে, এটা ভাল। তোর পরীক্ষা কবে?'

'সাত তারিখ থেকে শুরু হচ্ছে।'

'প্রিপারেশন কেমন?'

'ভাল।'

শোভনের সিগারেট শেষ হয়ে গেছে। সে আরেকটা সিগারেট ধরাল। ইমন দাঁড়িয়ে আছে চুপচাপ। অন্যান্য হাজতিরা শুরুতে তাদের কথাবার্তা শুনছিল। এখন আগ্রহ হারিয়ে ফেলেছে। মাঝে মাঝে তারা তৃষিত চোখে তাকাচ্ছে শোভনের সিগারেটের দিকে। তাদের আগ্রহ সীমাবদ্ধ হয়ে এসেছে।

'ইমন!'

'হুঁ।'

'এবারো নিশ্চয়ই ফার্স্ট সেকেন্ড হবি?'

'হুঁ হব।'

'ভাল ভাল। ভেরী গুড।'

'তোমাকে কি এরা থানা হাজতেই রাখবে?'

'নিয়ম নাই। জেল হাজতে পাঠানোর কথা। পাঠাচ্ছে না। নিয়ম কানুন সব কাগজে কলমে। তুই মাঝে মাঝে এসে খোঁজ নিয়ে যাবি।'

'আচ্ছা।'

'জিনিসটা সাবধানে রাখবি।'

'আচ্ছা।'

'কখনো হাতছাড়া করবি না। এইসব জিনিস সচরাচর পাওয়া যায় না। যদি ছাড়া পাই, জিনিসটা লাগবে। বেপারীকে শিক্ষা দেব। জন্মের শিক্ষা।'

'বেপারী কে?'

'আব্দুল কুদ্দুস বেপারী। ঐ হারামজাদা আমাকে ধরিয়ে দিয়েছে। হারামীর বাচ্চাকে আমি শিয়ালের শিং দেখাব। হারামী দেখবে শিয়ালের শিং কেমন। হরিণের মত ডালপালাওয়ালা, না-কি গরুর মত প্লেইন।'

ইমন চুপ করে রইল। শোভন গলা নামিয়ে বলল, ভয় পাস না। ভয়ের কিছু নেই। তোর কাছে এই জিনিস আছে এটা কেউ সন্দেহ করবে না। মা কেমন আছে?

'জানি না। অনেক দিন যাই না।'

'যাস না কেন? মাঝে মধ্যে যাবি। মা কি জানে আমি ধরা খেয়েছি?'

'মনে হয় জানেন না।'

'না জানলেই ভাল। নষ্ট ছেলে পুলে সম্পর্কে যত কম জানা যায় ততই ভাল।'

'তোমার কেইস আদালতে কবে যাবে?'

'দেরী আছে। পুলিশকে আগে কেইস সাজাতে হবে। পুলিশের এত সময় কোথায়? তাদের সব গুছিয়ে আনতে বছর দুই সময় লাগবে। এই দুই

বছরে কত কি হবে। আলামত হারিয়ে ফেলবে। সাক্ষি ট্যাপ খেয়ে যাবে। ফাইল খুঁজে পাওয়া যাবে না।’

ইমন কিছুক্ষণ ইতস্তত করে বলল, তুমি কি খুন করেছ?

শোভনের দ্বিতীয় সিগারেটটিও শেষ হয়েছে। শিকের বাইরে সিগারেট ছুড়ে ফেলে সে আরেকটি সিগারেট হাতে নিল, ধরাল না। ইমনের ধারণা হল শোভন প্রশ্নের উত্তর দেবে না। প্রশ্নের উত্তর না দেওয়াও এক ধরনের উত্তর। তবে ইমনের ধারণা ভুল প্রমাণ করে শোভন বলল, খুন করেছি। একা করিনি, সঙ্গে আরো লোকজন ছিল। এইসব নিয়ে তুই মাথা ঘামাবি না। সবই কপালের লিখন। যার কপালে যা লেখা থাকে তার তাই হয়। যা চলে যা।

গভীর রাতে সুরাইয়ার ঘুম ভেঙ্গে গেল। কোন কারণ ছাড়াই তিনি ধড়মড় করে উঠে বসলেন। তাঁর কাছে মনে হল বাড়িঘর একটু যেন দুলছে। ঘরের পর্দা কাঁপছে। ভূমিকম্প না-কি? ইমনকে ডাকতে যাবেন-তখন তাঁর শরীর জমে গেল। বিছানায় সুপ্রভা শুয়ে আছে। কুণ্ডুলী পাকিয়ে ঘুমুচ্ছে। ছোটবেলার মত করে ঘুমুচ্ছে–বুড়ো আঙ্গুল মুখের ভেতর। আঙ্গুল চুষতে চুষতে ঘুম। বড় হয়েও এই অভ্যাস যায় নি। কত মার খেল এই জন্যে। সুরাইয়া ভাঙ্গা গলায় ডাকলেন, ইমন ইমন। গলা দিয়ে স্বর বের হচ্ছে না। তিনি ফুসফুসের সমস্ত শক্তি একত্র করে ডাকলেন, ইমন ইমন। তিনি সুপ্রভার উপর থেকে দৃষ্টি ফিরাতে পারছেন না। মেয়েটা ঘুমুচ্ছেও না। এইত চোখ মেলে আবার চোখ বন্ধ করল। সুপ্রভা কোত্থেকে এল?

দরজায় ধাক্কা পড়ছে। ইমনের গলা শোনা যাচ্ছে–'মা কি হয়েছে? দরজা খোল। দরজা খোল মা।'

সুরাইয়া খাট থেকে নামলেন। মেঝেতে পড়ে যাচ্ছিলেন, দেয়াল ধরে টাল সামলালেন। কোন রকমে দরজার কাছে গেলেন। আবারো তাকালেন খাটের দিকে–ঐতো সুপ্রভা। পা গুটিয়ে শুয়েছিল, এখন পা সোজা করেছে।

'মা দরজা খোল।'

সুরাইয়া দরজা খুললেন। ইমন বলল, কি হয়েছে? সুরাইয়া তাকালেন খাটের দিকে। খাট শূন্য। কেউ সেখানে শুয়ে নেই। ইমন বলল, কি হয়েছে?

সুরাইয়া ক্ষীণ গলায় বললেন, ভয় পেয়েছি।

'ভয় পেয়েছ কেন?'

'মনে হচ্ছিল ভূমিকম্প হচ্ছে।'

'মা শুয়ে থাক, ভূমিকম্প হচ্ছে না।'

'তুই আমার সঙ্গে ঘুমো।'

ইমন বিরক্ত গলায় বলল, পাগলের মত কথা বলো নাতো মা।

'পাগলের মত কথা কি বললাম? ছেলে মা'র সঙ্গে ঘুমুতে পারে না।'

'একটা জোয়ান ছেলে মা'র সঙ্গে শুয়ে থাকবে এটা কেমন কথা?'

'মা'র কাছে ছেলে সব সময়ই ছেলে।'

'তোমার সঙ্গে ডিবেট করতে ভাল লাগছে না মা! তুমি ঘুমাও আমি যাচ্ছি।'

'এ রকম বিরক্ত গলায় কথা বলছিস কেন? তোর বাবাতো জীবনে কখনো আমার সঙ্গে এমন বিরক্ত গলায় কথা বলে নি।'

'বাবা যদি এখন থাকতো তাহলে আমার চেয়ে অনেক বেশী বিরক্ত হত। তুমি আগে যেমন ছিলে এখন তেমন নেই। তুমি বদলে গেছ।'

'আমাকে ধমকাচ্ছিস কেন?'

'ধমকাচ্ছি না। তোমাকে ধমকাব এত সাহস আমার নেই।'

ইমন চলে গেল। সুরাইয়া আবারো ভয়ে ভয়ে খাটের দিকে তাকালেন। না, খাটে কেউ নেই। তিনি স্বস্তির নিঃশ্বাস ফেলে রান্নাঘরের দিকে রওনা হলেন। পানির পিপাসা হয়েছে পানি খাবেন। মাথা দপ দপ করছে। নারিকেল তেলের সঙ্গে পানি মিশিয়ে মাথায় দিতে হবে। ঘরে কি নারিকেল তেল আছে? মনে করতে পারছেন না।

সুরাইয়া পানি খেলেন। মাথায় পানি দিয়ে চুলা ধরালেন। বাকি রাতটা তিনি জেগেই কাটাবেন। একা একা বিছানায় ঘুমুতে যাবার মত সাহস তাঁর নেই। চা নিয়ে বসার ঘরে চলে যাবেন। মোটাসোটা দেখে একটা গল্পের বই নিয়ে বসতে পারলে হত। গল্পের বই কি আছে? ইমনের কাছে থাকতে পারে। সুরাইয়া ইমনের জন্যেও এক কাপ চা বানালেন। মনে হয় খাবে না। না খেলে তিনি নিজেই পরে গরম করে খেয়ে নেবেন।

ইমনের ঘরের দরজার কড়া নাড়তেই ইমন দরজা খুলল। সুরাইয়া বললেন, চা খাবি?

ইমন কোন কথা না বলে চায়ের জন্যে হাত বাড়াল। সুরাইয়া বললেন, তোর কাছে কোন গল্পের বই আছে?

'এত রাতে গল্পের বই দিয়ে কি হবে?'

'রাতে আর ঘুমুতে যাব না। এই জন্যে।'

'ভূমিকম্পের ভয়ে জেগে থাকবে?'

'ভূমিকম্প না। অন্য ব্যাপার।'

'অন্য ব্যাপারটা কি?'

সুরাইয়া ছেলের ঘরের বিছানার উপর চায়ের কাপ নিয়ে বসতে বসতে বললেন– হঠাৎ ঘুম ভেঙ্গে দেখি কি বিছানায় সুপ্রভা ঘুমুচ্ছে।

'এটাতো নতুন কিছু না মা। এক সময় তুমি দেখতে বাবা তোমার পাশে ঘুমুচ্ছে।'

'তোর বাবাকে দেখে কখনো ভয় পেতাম না। সুপ্রভাকে দেখে ভয় পেয়েছি।'

'সুপ্রভাকে কি আজই প্রথম দেখলে না আগেও দেখেছ?'

সুরাইয়া জবাব দিলেন না। তিনি অন্য একটা ব্যাপার নিয়ে ভাবছেন। ব্যাপারটা ছেলেকে এই মুহূর্তে বলা ঠিক হবে কি-না বুঝতে পারছেন না। সুরাইয়া হঠাৎ লক্ষ্য করলেন তিনি ছেলেকে কিছুটা হলেও ভয় পান। আশ্চর্য নিজের পেটের ছেলেকে তিনি ভয় পাচ্ছেন। ঐতো সেদিন এতটুকু ছিল। সিঁড়ি দিয়ে একা নামতে পারত না। কেমন পা লেছড়ে লেছড়ে নামত।

'ইমন!'

'বল।'

'মুন্নী মেয়েটাকে তুই দেখেছিস না? মাঝে মাঝে আমার সঙ্গে রাতে এসে থাকে।'

'হুঁ।'

'মেয়েটাকে তোর কেমন লাগে?'

'ভাল।'

'শুধু ভাল না, মেয়েটা আসলে খুবই ভাল। তুইতো তার সঙ্গে কথা বলিসনি কাজেই তুই জানিস না। আমার সঙ্গে অনেক কথা হয় আমি জানি। মেয়েটা তোকে খুব পছন্দ করে।'

'পছন্দ করলে তো ভালই।'

'কয়েকদিন ধরে আমার মনে হচ্ছে, মেয়েটির সঙ্গে তোর বিয়ে হলে খুব ভাল হত।'

'ভাল হত কেন?'

'ভাল একটা মেয়ে-এই জন্যেই ভাল হত।'

'মেয়েটাকে তোমার যত ভাল মনে হচ্ছে সে তত ভাল না। কাছুয়া টাইপ মেয়ে।'

'কাছুয়া টাইপ মেয়ে মানে?'

'মানে তুমি বুঝবে না মা। বাদ দাও।'

'আমি বুঝব না, আর তুই সব বুঝে বসে আছিস? এত তাড়াতাড়ি এত লায়েক কি ভাবে হয়ে গেলি? তোর বাবাওতো এত লায়েক ছিল না।'

'কথায় কথায় বাবার প্রসঙ্গ টানবে নাতো মা। বাবার সঙ্গে আমার তুলনা করবে না। বাবা ছিল বাবার মত আমি আমার মত।'

'তোর বাবার কথা উঠলেই তুই রেগে যাস কি জন্যে? আমি ব্যাপারটা আগেও লক্ষ্য করেছি। তুইতো তাকে সহ্যই করতে পারিস না।'

'আমি তাঁকে সহ্য করতে পারি বা না পারি তাতে তো তাঁর কিছু যাচ্ছে আসছে না। তুমি কেন রাগ করছ?'

'এখন তোর বাবার কিছু যাচ্ছে আসছে না। কিন্তু সে যখন ফিরে আসবে, আমাদের সঙ্গে থাকবে তখনতো যাবে আসবে।'

'বাবা আমাদের সঙ্গে থাকবে?'

'সে যাবে কোথায়?'

ইমন চায়ের কাপ নামিয়ে রেখে বলল, তোমার এখনো ধারণা বাবা ফিরে আসবে?

'অবশ্যই আসবে। আমি আলাদা বাসা নিয়েছি কি জন্যে? তোর বাবার জন্যে।'

'ও।'

'আমি চেষ্টা করছি তোর বাবা চলে যাবার সময় যে বাড়িতে ছিল সেই বাড়ি ভাড়া নিতে। বাড়িওয়ালাকে বলে রেখেছি– ঘর খালি হলেই তিনি আমাকে খবর দেবেন।'

'ঠিক আছে মা! তোমার যা ইচ্ছা কর।'

'মুন্নী মেয়েটার ব্যাপারে তুই ভেবে দেখ।'

'মা আমার ঘুম পাচ্ছে, আমি ঘুমুব।'

সুরাইয়া উঠতে উঠতে বললেন, তোর বাবা ফিরবে তোর বিয়ের রাতে। অবশ্যই ফিরবে। তাকে ফিরতেই হবে।

'আচ্ছা ঠিক আছে।'

'তোর বাবা ফিরে আসবে শুনে তুই মনে হয় বিরক্ত হচ্ছিস?'

'মোটেই বিরক্ত হচ্ছি না মা। আমার আনন্দ হচ্ছে।'

'তোকেতো চিনতেই পারবে না। এতটুকু ছেলে রেখে গিয়েছিল ফিরে এসে দেখবে এত বড় জোয়ান ছেলে।'

সুরাইয়া হাসছেন। ইমন তাঁর মা'র হাসি মুখের দিকে তাকিয়ে মনে মনে দীর্ঘ নিঃশ্বাস ফেলল।

ইমনের ঘুম আসছে না। মা'র সঙ্গে কথা বলে মাথা কেমন জানি করছে। চোখ জ্বালা করছে। একবার ঘুম আসবে না জানা হয়ে গেলে বিছানায় শুয়ে থাকা খুব কষ্টকর হয়। ইমন বিছানা ছেড়ে উঠে পড়ল। বাকি রাতটা জেগেই কাটাতে হবে। চিঠি লিখলে কেমন হয়? ছোট চাচাকে একটা চিঠি

লেখা যায়। তবে তিনি আবারো ঠিকানা বদলেছেন। চিঠি লিখলেও পাঠানো যাবে না। অবশ্যি চিঠি যে পাঠাতেই হবে এমনতো কথা নেই। চিঠি লেখাটাই প্রধান। পাঠানোটা প্রধান না। আচ্ছা সুপ্রভাকে একটা চিঠি লিখলে কেমন হয়? সুপ্রভা কোনদিন পড়তে পারবে না, আবার পড়তেওতো পারে। জগৎ রহস্যময়, সেই রহস্যময় জগতে কত কিছুই ঘটতে পারে। সে চিঠি লেখার সময় অশরীরি সুপ্রভা হয়ত উঁকি দিয়ে দিয়ে পড়বে। নিজের মনে পড়বে। আচ্ছা তারও কি মাথা খারাপ হয়ে যাচ্ছে?

ইমন কাগজ কলম নিয়ে বসল। সম্বোধন কি হবে।– 'প্রিয় সুপ্রভা?' না, প্রিয় লেখার দরকার নেই। যে প্রিয় তাকে প্রিয় সম্বোধন করার প্রয়োজনটা কি? আমরা যখন অপ্রিয় কাউকে চিঠি লিখি তখন কি লিখি অপ্রিয় করিম বা অপ্রিয় রহিম? ইমন কাগজের উপর ঝুঁকে পড়ল। চিঠিটা এমন করে লিখতে হবে যেন সুপ্রভা পড়ে মজা পায়। আচ্ছা এসব সে কি ভাবছে? সুপ্রভা পড়বে কি ভাবে যে মজা পাবে?

সুপ্রভা,
তুই কেমন আছিস? মনের আনন্দে খুব ঘুরে বেড়াচ্ছিস? চিন্তা নেই, ভাবনা নেই, স্কুলের ঝামেলা নেই।
তোর কথা খুব মনে হয়। আমি যখনই একা থাকি তখনি দু'জন মানুষের কথা মনে হয়–একজন ছোট চাচা, আরেকজন তুই।
আর যখন অসুখ বিসুখ হয় তখন ছোট চাচা না, তখন শুধু তোর কথা মনে হয়। তোর যে অভ্যাস ছিল অসুখ হয়ে বিছানায় পড়ে গেলেই গল্পের বই পড়ে শুনানো। অসুখের সময় কিছু ভাল লাগে না। মাথায় যন্ত্রণা হয়। তখন কি আর গল্প শুনতে ভাল লাগার কথা? আমার কখনো ভাল লাগত না। তুই এত আগ্রহ করে গল্প পড়ে শুনাতি বলে চুপ করে থাকতাম।
কয়েকদিন আগে জ্বরে পড়েছিলাম। গায়ে হামের মত গোটা গোটা কি যেন বের হয়েছিল। মাথায় তীব্র যন্ত্রণা। তখন তোর কথা খুব মনে পড়ছিল।
এখন আমাদের খবর বলি। শোভন ভাইয়াকে পুলিশ ধরে থানা হাজতে আটকে রেখেছে। আমি প্রায়ই তাঁকে দেখতে যাই–সিগারেট দিয়ে আসি। শোভন ভাইয়া সেদিন হঠাৎ বললেন, তোকে না-কি স্বপ্নে দেখেছেন। স্বপ্নটাও অদ্ভুত। তিনি হাজতে কম্বল মুড়ি দিয়ে শুয়ে আছেন। মশার হাত থেকে বাঁচার জন্যে নাক মুখ সব কম্বলে ঢাকা। হঠাৎ কে যেন টান দিয়ে কম্বল সরাল।

তিনি জেগে উঠে দেখেন– তুই। তিনি বললেন, সুপ্রভা তুই এখানে কেন? হাজতে এসেছিস কি মনে করে? তুই হাসতে হাসতে বললি, তোমাকে দেখতে এসেছি। শোভন ভাইয়া দারুণ রেগে গিয়ে বললেন, তুই তোর বিশ্রী অভ্যাসটা বদলা। যেখানে সেখানে উপস্থিত হবি। তুই একটা বাচ্চা মেয়ে, হাজতে তুই আসবি কেন?

তুই বললি, তোমাকে নিতে এসেছি ভাইয়া। এসো আমার সঙ্গে।

তিনি বললেন, এরা আমাকে যেতে দেবে না।

তুই বললি, অবশ্যই যেতে দেবে। আমার হাত ধর।

তিনি তোর হাত ধরতেই স্বপ্ন ভেঙ্গে গেল।

স্বপ্নটা সুন্দর, কিন্তু তাঁর কাছে মনে হল তিনি একটা ভয়ংকর স্বপ্ন দেখেছেন। এটা নাকি মৃত্যু স্বপ্ন। কোন মৃত মানুষ যদি স্বপ্নে দেখা দিয়ে হাত ধরতে বলে এবং সেই হাত যদি ধরা হয় তাহলে ধরেই নিতে হবে অবধারিত মৃত্যু।

সুপ্রভা, তুই কি জানিস শোভন ভাইয়া এবং টোকন ভাইয়া তোকে অসম্ভব ভালবাসে। তোর কথা উঠলেই তাদের চোখে পানি আসে। আশ্চর্য কাণ্ড, তোর দেখি তলে তলে সবার সঙ্গেই খাতির ছিল। সবাই তোকে এত পছন্দ করে কেন? রহস্যটা কি?

আমাকে কিন্তু কেউ তেমন পছন্দ করে না। এটা ছোটবেলা থেকেই দেখে আসছি। ছোটবেলায় কেউ আমাকে খেলতে নিত না। তুই শুনে খুব অবাক হবি স্কুলের সব ছেলেরা একবার কোন কারণ ছাড়াই আমাকে মাটিতে ফেলে মেরে প্রায় ভর্তা বানিয়ে ফেলেছিল। আমাদের জিওগ্রাফি স্যার শেষে ছুটে এসে আমাকে উদ্ধার করেন।

এখন ইউনিভার্সিটিতে পড়ছি–এখানেও একই সমস্যা। ফার্স্ট ইয়ার থেকে সেকেন্ড ইয়ারে উঠার সময় ভাইবা পরীক্ষা হয়। ভাইবায় আমাকে যে সব প্রশ্ন করা হয়েছিল তার প্রতিটির উত্তর আমি দিয়েছি। তারপরেও নম্বর পেয়েছি মাত্র ৫০, অথচ অন্যরা ৭০, ৭৫ পেয়েছে। ও তোকেতো বলা হয় নি ফার্স্ট ইয়ার থেকে সেকেণ্ড ইয়ারে উঠার পরীক্ষায় আমি খুব ভাল করেছি। থিওরী পরীক্ষার প্রতিটায় খুব ভাল করেছি। স্যাররা এখন মনে হয় ভাইবায় আমাকে কম নাম্বার দেয়ায় নিজেরাই লজ্জিত।

স্যারদের ধারণা আমি রেকর্ড নাম্বার নিয়ে পাশ করব। আমার সে রকম ধারণা না। আমার মনে হচ্ছে আমি শেষ পর্যন্ত পরীক্ষা দেব

না। আমার কিছুই ভাল লাগে না। প্রায়ই ইচ্ছা করে সব ছেড়ে ছুঁড়ে বাবার মত কোথাও চলে যাই।

এমন কোথাও যেখানে কেউ আমাকে খুঁজে পাবে না। কেউ আমাকে চিনবে না, আমিও কাউকে চিনতে পারব না। আমার কথাবার্তা কি তোর কাছে এলোমেলো লাগছে?

আমার মাথা খানিকটা এলোমেলো হয়েছে ঠিকই। প্রায়ই দুঃস্বপ্ন দেখি। দুঃস্বপ্নগুলির মধ্যেও কোন ভেরিয়েশন নেই–একই দুঃস্বপ্ন–খালি গায়ে শুয়ে আছি, হঠাৎ গায়ের উপর দিয়ে কুৎসিত একটা মাকড়সা হেঁটে যেতে শুরু করল। আমি বিকট চিৎকার দিয়ে মাকড়সাটা হাত দিয়ে ঝেড়ে ফেলতে চেষ্টা করেও ফেলতে পারলাম না। সে আঙ্গুল কামড়ে ঝুলে রইল। আমার কি ধারণা জানিস? আমার ধারণা আমি যদি সত্যি সত্যি পাগল হয়ে যাই তাহলে আমার ভুবন হবে মাকড়সাময়। আমার চারদিকে কিলবিল করবে অসংখ্য মাকড়সা। আমাকে যে খাবার দেয়া হবে সে খাবার খেতে গিয়ে দেখব–মাকড়সার ঝোল আলু এবং সীম দিয়ে রান্না করা হয়েছে। এসব কি লিখছি? আমার গা ঘিনঘিন করছে।

মা'র কথাতো তোকে বলা হয় নি-মা ভাল আছে। খুব ভাল না, মোটামুটি ভাল। মা এখন আমাকে কিছুটা ভয় পায়। এটা বিরাট একটা ঘটনা না? তাঁর এখনো ধারণা যেদিন আমার বিয়ে হবে সেদিন বাবা ফিরে আসবেন। তাঁর অপেক্ষার শেষ হবে।

তিনি আমার জন্যে মনে মনে একটা পাত্রীও ঠিক করে ফেলেছেন। মেয়েটার নাম মুন্নী। মা'র ধারণা এই পৃথিবীতে মুন্নীর মত ভাল মেয়ের জন্ম হয় নি। আমার ধারণা অবশ্যি সে রকম না। নানা রকম দুঃখ কষ্ট, বঞ্চনার ভেতর দিয়ে সে বড় হয়েছে বলে তার ভেতর বেশ কিছু ধাপ্পাবাজী ঢুকে গেছে। এই জাতীয় মেয়েদের প্রধান ঝোঁক থাকে মানুষকে পটানো। মা'কে সে ইতিমধ্যে পটিয়ে ফেলেছে। খুব শিগগীরই সে আমাকে পটানোর একটা চেষ্টা চালাবে বলে আমার ধারণা।

আচ্ছা সুপ্রভা, তুই কি নবনীর কথা জানিস? মিতু কি তোকে নবনী সম্পর্কে কিছু বলেছে? মনে হয় বলেনি। মিতু আবার কাউকেই কিছু বলে না। সব কথা পেটে রেখে দেয়। নবনীকে আমি অংক শেখাই। আমাদের এক স্যার, এই প্রাইভেট টিউশ্যানিটা আমাকে

জোগাড় করে দিয়েছেন। হুলুস্থুল টাইপের বড়লোকের মেয়ে। চেহারা জাপানী পুতুলের মত, ভাবভঙ্গিও পুতুলের মত। একমাত্র মেয়ে হলে যা হয়। আহ্লাদ না করে কোন কথা বলতে পারে না। আমি যদি তাকে জিজ্ঞেস করি-অংকটা বুঝতে পেরেছ? সে কিছুক্ষণ এলোমেলো ভাবে হাসবে তারপর টেনে টেনে বলবে-জানি না। আমি যদি বলি-আবার বুঝিয়ে দেব? সে আগের মত টেনে টেনে বলবে, ইচ্ছে হলে বুঝাতে পারেন, ইচ্ছা না হলে নাই। ছাত্রী হিসেবে অত্যন্ত বিরক্তিকর।

নবনী টাইপ মেয়েরা করে কি জানিস? তারা পরিচিত অর্ধপরিচিত সব ছেলের সঙ্গেই প্রেম প্রেম ভাব নিয়ে কথা বলে। এ রকম করতে করতে অভ্যাস হয়ে যায়। তখন এই কান্ডটা সবার সঙ্গেই করে। বর্তমানে আমার সঙ্গে করছে। জন্মদিনে উপহার কিনে দিচ্ছে। আমি খুবই বিব্রত বোধ করছি। মেয়েটা সম্ভবত তার বাবা-মাকেও আমার বিষয়ে কিছু বলেছে। কারণ কয়েকদিন আগে মেয়েটির বাবা আমার সঙ্গে অনেক কথা টথা বললেন। দেশের বাড়ি কোথায়? ক' ভাইবোন? এইসব। শেষটায় বললেন, তারা সিলেট হয়ে শিলং বেড়াতে যাচ্ছেন। আমি যদি শিলং না দেখে থাকি তাহলে যেন তাদের সঙ্গে যাই। আমার অবস্থাটা কি বুঝতে পারছিস? আমি নবনীদের বাড়ি যাওয়া ছেড়ে দিয়েছি। তবে খুব ভয়ে ভয়ে আছি কবে না জানি সে খুঁজে খুঁজে বাসায় উপস্থিত হয়! আমার পড়াশোনার কথা তোকে চিঠির শুরুতে একভাবে লিখেছিলাম। এখন অন্যভাবে বলি, তোর মৃত্যুর পর থেকে আমি পড়াশোনা করতে পারছি না। কেন জানি বই পড়তে ভাল লাগে না। ঘরে থাকতেও ভাল লাগে না। তিনটা ক্লাস এসাইনমেন্ট জমা দেই নি। নিয়মিত যে ক্লাসে যাচ্ছি তাও না। ঘরে যখন থাকি বিছানায় শুয়ে থাকি। বাইরে যখন থাকি রাস্তায় রাস্তায় হাঁটি। এর নাম হন্টন-সিনড্রোম।

রাস্তায় যখন হাঁটি তখন আমার গায়ে থাকে চাদর। এখন শীতকাল কাজেই চাদর থাকতেই পারে। চাদরের নিচে, প্যান্টের পকেটে ভয়াবহ একটা বস্তু থাকে। এই ভয়াবহ বস্তুটা আমাকে লুকিয়ে রাখতে দিয়েছেন শোভন ভাইয়া। আমি লুকিয়েই রাখি। হঠাৎ হঠাৎ পকেটে নিয়ে বের হই। তখন খুব অন্যরকম লাগে। পৃথিবীটাকে নিজের পায়ের নিচে মনে হয়। এম্নিতেই পৃথিবী আমাদের পায়ের

নিচে, যদিও তা কখনো মনে হয় না। ঐ বস্তুটা পকেটে থাকলেই শুধু মনে হয়। এবং কি ইচ্ছা করে জানিস? ইচ্ছা করে আশে পাশের সব দুষ্টলোক মেরে ফেলি। এখন তুই কি বুঝতে পারছিস বস্তুটা কি? যা ভাবছিস তাই–পিস্তল। পিস্তলের নাম ধামতো জানি না–তবে পিস্তলের গায়ে রাশিয়ান ভাষায় কি সব লেখা দেখে মনে হচ্ছে রাশিয়ায় তৈরি। জিনিসটা ছোট্ট এবং সুন্দর। হাতের মুঠোর মধ্যে আটে। ধরার বাটটা রূপালী। মনে হয় রূপার তৈরি। বাঁটে সুন্দর সুন্দর ছবি, গাছ-লতা-পাতা-ফুল এইসব।

সেদিন কি হল শোন। কাকরাইলের দিকে যাচ্ছি। হঠাৎ দেখি তিনটা ছেলে (আমার মত বয়েসী) আধাবুড়ো এক রিকশাওয়ালাকে কিল চড় ঘুসি মারছে। রিকশাওয়ালা নাকি তাদের সঙ্গে কি বেয়াদবী করেছে। রিকশাওয়ালার নাক দিয়ে রক্ত পড়ছে, মুখ দিয়ে রক্ত পড়ছে। অনেক লোকজন গোল হয়ে দাঁড়িয়ে রিকশাওয়ালাকে মারের দৃশ্য দেখছে। কেউ কিছু বলছে না।

এক পর্যায়ে রিকশাওয়ালার লুঙ্গি খুলে পড়ে গেল। লুঙ্গি টেনে শরীরে জড়ানোর মত শক্তিও তার নেই। নগ্ন একজন মানুষ মার খাচ্ছে-কুৎসিত দৃশ্য। আমি দাঁড়িয়ে আছি। আমার প্যান্টের পকেটে লতা-ফুল-পাতা আঁকা পিস্তল। অথচ আমিও কিছু বলছি না। আমি কি খুব সহজেই বলতে পারতাম না–যথেষ্ট হয়েছে। এখন সব বন্ধ। তোমরা তিনজন কানে ধরে দশবার ওঠবোস কর এবং বুড়ো মানুষটার কাছে ক্ষমা প্রার্থনা কর। আমি কিছুই করলাম না। মাথা নিচু করে চলে এসেছি।

সুপ্রভা শোন, মা যেমন রাতে ঘুমায় না, আমিও ঘুমাই না। মা জেগে থাকে তাঁর ঘরে। আমি জেগে থাকি আমার ঘরে। মা'র জেগে থাকার তাও একটা অর্থ আছে। তিনি অপেক্ষা করেন। মা'র অপেক্ষা বাবার জন্যে। আমিতো কোন কিছুর জন্যে অপেক্ষা করি না। রাত জেগে আমি অনেক কিছু ভাবি। সেই অনেক ভাবনার একটা হল–মানুষের বেঁচে থাকার জন্যে অপেক্ষা নামের ব্যাপারটির খুব প্রয়োজন। অপেক্ষা হচ্ছে মানুষের বেঁচে থাকার টনিক। মা'র শরীরের যে অবস্থা তাতে তাঁর বেঁচে থাকার কথা না, তারপরেও আমার ধারণা তিনি দীর্ঘ দিন বেঁচে থাকবেন কারণ তিনি অপেক্ষা করছেন। বড় মামা বেশী দিন বাঁচবেন না, কারণ তিনি এখন আর কোন কিছুর জন্যে অপেক্ষা করছেন না।

ইমন লেখা বন্ধ করল। ফজরের আজান হচ্ছে। কিছুক্ষণের মধ্যেই চারদিক ফর্সা হতে শুরু হবে। দিনের আলোয় এই চিঠি লেখা যাবে না। ইমনের হাই উঠছে, ঘুম পাচ্ছে। কিছুদিন হল ঠিক ফজরের আজানের পর পর তার ঘুম আসে। ইমন লেখা কাগজগুলি হাতে নিয়ে এখন কুচি কুচি করে ছিঁড়ছে। তাকে দেখে মনে হচ্ছে, এখন তার চেষ্টা কত ছোট কাগজের কুচি করা যায় তা দেখা। কাগজের কুচিগুলিকে এখন দেখাচ্ছে জুঁই ফুলের মত। সারা ঘরময় ছড়িয়ে তার উপর দিয়ে হাঁটতে হবে–কুসুমে কুসুমে চরণ চিহ্ন।

শীতকালের সকাল। মিতু মন খারাপ করে ছাদে দাঁড়িয়ে আছে। শৈশবের চেনা ছাদটাকে চেনা যাচ্ছে না। ছাদের চারদিকে রেলিং হয়েছে। রেলিং এর ধার ঘেঁসে ফুলের টব। জামিলুর রহমান সাহেবের হঠাৎ করে গাছের নেশা হয়েছে। তিনি রোজই ফুলের টব কিনে আনছেন। বস্তা ভর্তি মাটি আনছেন, সার আনছেন। মহা উৎসাহে মাটি এবং সার মাখিয়ে মিকচার তৈরি হচ্ছে। সেই মিকচার টবে ভরা হচ্ছে। তাঁর একত্রিশটা টব আছে শুধুই গোলাপের। ফুটন্ত গোলাপের সংখ্যা সাতচল্লিশ। জামিলুর রহমান রোজ সকালে এসে একবার করে গোলাপের সংখ্যা গুণেন। ব্যবসায়ী মানুষ বলেই হয়ত সাতচল্লিশকে মনে মনে পাঁচ দিয়ে গুণে ফেলেন। দুইশ পঁয়ত্রিশ। অর্থাৎ ছাদের বাগানের গোলাপের বর্তমান বাজার দর পাঁচ টাকা করে পিস ধরলে দুইশ পঁয়ত্রিশ টাকা। তাঁকে তখন অত্যন্ত আনন্দিত দেখায়। তিনি যে শুধু ফুটন্ত গোলাপের হিসাব রাখেন তাই না, কতগুলি কুড়ি আছে তারও হিসাব রাখেন। কুড়ির বর্তমান সংখ্যা বাষট্টি।

মিতুর এইসব ভাল লাগে না। ছাদটা নষ্ট হয়ে গেল। এই ভেবে তার মন খারাপ হয়। আগের খোলামেলা মাঠ মাঠ ভাব নেই। চারদিকে রেলিং উঠায় ছাদের চরিত্র বদলে গেছে। এখন মনে হয় মিনি জেলখানা। মিতু এক সময় ছাদের শেষ প্রান্তে পা ঝুলিয়ে বসে থাকত, সেটা আর হবে না। তাছাড়া ছাদে উঠলেই একা হয়ে যাবার যে ব্যাপার ছিল তা এখন ঘটছে না। জামিলুর রহমান সাহেবকে সকাল বিকাল দু'বেলাই ছাদে পাওয়া যাচ্ছে। মিতুর আশংকা তার বাবার উৎসাহ যে ভাবে বাড়ছে তাতে কিছুদিন পর দেখা যাবে তিনি দিনরাত ছাদেই পড়ে আছেন। মানুষ অদ্ভুত প্রাণী, কখন কোন নেশা ধরে যায় বলা কঠিন।

শীতের এই সকালে জামিলুর রহমানকে একটা গেঞ্জি গায়ে দেখা যাচ্ছে। তাঁর নাক-মুখ রুমাল দিয়ে বাঁধা। তিনি গোলাপের গাছে ইনসেকটিসাইড স্প্রে করছেন। গোলাপের গাছে কীট পতঙ্গের সংক্রমণ দ্রুত হয়। সুন্দরের প্রতি শুধু যে মানুষের আকর্ষণ তা না, কীট পতঙ্গেরও তীব্র আকর্ষণ।

মিতু বাবার দিকে এগিয়ে গেল। জামিলুর রহমান স্পে করা বন্ধ করে বললেন, কাছে আসিস না মা। দূরে থাক। তীব্র বিষ।

মিতু দাঁড়িয়ে গেল। জামিলুর রহমান বললেন, মিতু তুই একটু নিচে যা, তোর মা ডাকছে। আমার জন্যে এক কাপ চা পাঠিয়ে দিস।

মিতুর নিচে যেতে ইচ্ছে করছে না। কারণ আজ তাকে দেখতে লোক এসেছে। মিতু চায়ের ট্রে নিয়ে যাবে এবং কাপে করে সবাইকে চা তুলে তুলে দেবে। ছেলে নিজেও এসেছে। মিতুর রাগে শরীর জ্বলছে। ছেলেটার কি লজ্জা বলেও কিছু নেই। বাড়ি বাড়ি মেয়ে দেখে বেড়াচ্ছে। এর আগেও নিশ্চয়ই সে অন্য সব মেয়েদের বাসায় গিয়েছে। মেয়ের হাতে বানানো চা খেয়েছে। গল্প গুজব করেছে। মিতুকে দেখার পরেও আরো অনেকের বাড়িতে যাবে। তারপর বাছাই প্রক্রিয়া শুরু হবে। এই মেয়েটা ফর্সা তবে একটু খাটো। ঐ মেয়েটা লম্বা আছে তবে শ্যামলা। মগবাজারের মেয়েটার সবই ভাল ছিল শুধু একটা দাঁত ভাঙ্গা। ঝিকাতলার মেয়েটার চুল লালচে। লালচে চুলের মেয়ের স্বভাব চরিত্র ভাল হয় না।

জামিলুর রহমান বললেন, দাঁড়িয়ে আছিস কেন মা? নিচে যা।

মিতু বলল, ওরা কি এসে গেছে?

জামিলুর রহমান বললেন, জানি না। ন'টার মধ্যেতো আসার কথা।

'তুমি যাবে না?'

'উহুঁ। আমার যাবার দরকারও নেই। তোর মেজো খালা আছে। সে একাই একশ।'

'ছেলে কি করে তুমি কি জান?'

'পেট্রোবাংলায় কাজ করে। ইনজীনিয়ার। স্কলারশীপ নিয়ে বাইরে যাচ্ছে। তোর মেজো খালা বলছিল ছেলে খুব সুন্দর।'

'তাহলেতো ভালই। যে সব ছেলে খুব সুন্দর তারা আবার রূপবতী মেয়ে পছন্দ করে না। সুন্দরী মেয়েদের তারা নিজেদের রাইভ্যাল মনে করে। কাজেই আমার ক্ষীণ সম্ভাবনা আছে।'

জামিলুর রহমান বিস্মিত হয়ে বললেন, তুই কি অসুন্দর না-কি? তোর মত সুন্দরী মেয়ে বাংলাদেশে ক'টা আছে?

মিতু হাসতে হাসতে নিচে নামল।

ছেলের নাম জুবায়ের। দেখতে সুন্দর। মুগ্ধ হয়ে তাকিয়ে থাকার মতই সুন্দর। কথাবার্তাও ভাল। রসবোধ আছে। মজা করে কথা বলতে পারে। একসময় হাসতে হাসতে বলল, আমার এক বন্ধু আছে ওরস্যালাইন টাইপ...

মিতু বলল, ওরস্যালাইন টাইপ মানে?

'দেখেই মনে হয় পেটের অবস্থা এ রকম যে ওরস্যালাইন খেয়ে ঘর থেকে বের হয়েছে। ফিরে গিয়ে আবারো খাবে।'

মিতু হেসে ফেলল।

ভদ্রলোক বললেন, চা-টা খুব ভাল হয়েছে। আমি কি আরেক কাপ চা পেতে পারি?

মিতু পট থেকে চা ঢালল। সে নিজের জন্যেও চা নিল। ভদ্রলোক বললেন, আপনার অনার্স পরীক্ষা কেমন হচ্ছে?

'বেশি সুবিধার হচ্ছে না।'

ভদ্রলোক খুবই গম্ভীর গলায় বললেন, ফেল করবেন?

মিতু আবারও হেসে ফেলল।

মেয়ে দেখতে আসা লোকজন চা-টা খাওয়া হবার পর হঠাৎ উঠে দাঁড়ায়। চলে যাবার জন্যে খুব ব্যস্ত হয়ে পড়ে। মুরুব্বীদের একজন গলা নীচু করে, ষড়যন্ত্র করছেন এমন ভঙ্গিতে বলেন, ভাইসাহেব পরে যোগাযোগ করব। আপনাদের মেয়ে মাশাল্লাহ ভাল।

এদের বেলা সে রকম হল না। তারা যাবার আগে মিতুর মেজো খালাকে বললেন, মেয়ে তাদের খুবই পছন্দ হয়েছে। আগামী শুক্রবার খুব ভাল দিন। ঐ দিন পান-চিনি করতে চান। বিয়ে অনার্স পরীক্ষা শেষ হবার পর হবে। তাদের কোন দাবি দাওয়া নেই। শুধু মেয়ের বাইরে যাবার টিকিটটা যদি করে দেন তাহলে ভাল হয়। আর না দিলেও ক্ষতি নেই।

মিতুর মেজো খালা বললেন, টিকিট আমরা করে দেব কোন সমস্যা নেই।

'শুক্রবারের পান-চিনির তারিখটা ফাইন্যাল করে দিন। আমাদের আত্মীয় স্বজনদের খবর দিতে হবে।'

'এখনই দিতে হবে?'

'বিয়ে সাদীর ব্যাপারটা এমন যে, যত দেরি হবে তত প্যাঁচ লেগে যাবে। কি দরকার?'

মিতুর মেজো খালা বললেন, পান চিনি শুক্রবার করতে চান করুন। আমাদের কোন আপত্তি নেই।

ফাতেমা আয়োজন করে কাঁদতে বসলেন। মেজো খালা মিষ্টি কেনার জন্যে লোক পাঠালেন। তিনি টেলিফোন করে সবাইকে খবর দিতে লাগলেন—বললে বিশ্বাস করবেন না, মিতুর কি ভাগ্য। প্রথম যারা দেখতে এসেছে তারাই পছন্দ করে ফেলেছে। এ রকমতো কখনো হয় না। তাছাড়া

বললে বিশ্বাস করবেন না, মিতু কোন রকম সাজগোজ করে নি। কোন মেকাপ না, কিচ্ছু না। শাড়ি যেটা পরেছিল সেটাও খুব সিম্পল শাড়ি। সূতি শাড়ি। হালকা সবুজ জমিনের উপর সামান্য কাজ।

বিয়ে ঠিক হয়ে যাওয়ায় মিতুকেও খুব আনন্দিত মনে হল। এই উপলক্ষ্যে আনা মিষ্টি সে দু'টা খেয়ে ফেলল। একটা সাদা মিষ্টি আরেকটা কালো মিষ্টি। মিষ্টি খেতে খেতে হাসি মুখে বলল, আমার বিয়েটাতো ব্ল্যাক এণ্ড হোয়াইট। এই জন্যে সাদা-কালো মিষ্টি খেলাম।

মেজো খালা বিস্মিত হয়ে বললেন, তোর বিয়ে ব্ল্যাক এণ্ড হোয়াইট মানে?

'বর ফর্সা, আমি কালো। এই জন্যেই বিয়েটা ব্ল্যাক এণ্ড হোয়াইট।'

'তোরাতো আশ্চর্য মেয়ে, এখনো বিয়ে হয়নি বর ডেকে যাচ্ছিস।'

'আমরা হচ্ছি এই যুগের স্মার্ট মেয়ে। আমাদের মুখে কোন লাগাম নেই। যা ইচ্ছা বলতে পারি।'

'রকিব যদি টেলিফোন করে, কথা বার্তা একটু সাবধানে বলবি। বিয়েটা হয়ে যাক তারপর যা ইচ্ছা বলবি।'

'টেলিফোন করবে না-কি?'

'টেলিফোন করবেই।' কথা বার্তা যা বলবি, সাবধানে বলবি, রেখে ঢেকে বলবি। পান-চিনির পরেও বিয়ে ভাঙ্গে।'

মিতু তার ঘরে পড়ছে। সুন্দর একটা উপন্যাস-টমাস হার্ডির Tress of the d'urbervilles। পরীক্ষার জন্যে পড়া বলেই ব্যাকরণ বইয়ের মত লাগছে। অথচ 'টেস' এর চরিত্র লেখক কি সুন্দর করেই না তুলে এনেছেন। এই সুন্দরে কাজ হবে না। এই সুন্দরকে চালুনী দিয়ে ছাঁকতে হবে। মাইক্রোসকোপের নিচে ফেলতে হবে। চরিত্র চিত্রনে লেখক কি কি ভুল করেছেন তা বের করতে হবে। লেখকের মানস কন্যা কি সমাজের প্রতিচ্ছবি হয়ে উঠতে পেরেছে? লেখক কি নিরপেক্ষ দৃষ্টিতে চরিত্রটি দেখেছেন না তার প্রতি পক্ষপাতিত্ব করেছেন? লেখকের উদ্দেশ্য কি ছিল? নিছক গল্প বলা? না-কি গল্প বলার ফাঁকে ফাঁকে তিনি লেখকের সামাজিক দায়িত্বও পালন করছেন? "Of all the great English novelists, no one writes more eloquently of tragic destiny than Hardz." ব্যাখ্যা কর।

আচ্ছা হার্ডি যদি টেসকে শান্ত, ভদ্র এবং বিনয়ী একটা ছেলের সঙ্গে বিয়ে দিয়ে দিতেন তাহলে কেমন হত? উপন্যাস হিসেবে সেটা দাঁড়াত না, তবে মেয়েটার জীবনতো সুন্দর হত।

মিতু বই বন্ধ করে শুয়ে পড়ল। মাথার কাছের ছোট্ট জানালা দিয়ে আকাশ দেখা যাচ্ছে। পিঙ্গল আকাশ। কোন মেঘ নেই। এই পিঙ্গল আকাশে যদি সাদা মেঘের বিশাল একটা স্তূপ থাকতো তাহলে সুন্দর দেখাতো। মিতু চোখ বন্ধ করে ফেলল। পিঙ্গল আকাশ দেখতে ইচ্ছা করছে না, বরং চোখ বন্ধ করে অন্য কোন বিষয় নিয়ে ভাবা যাক।

বিয়ে নামক ইন্সটিটিউশনটা নিয়ে ভাবা যাক। বিয়ের ব্যাপারটা নিয়ে ভাবতে কুৎসিত লাগছে। সম্পূর্ণ অচেনা একটি মেয়ে এবং একটা ছেলে। দু'জনকে দু'প্রান্ত থেকে এনে বলা হল এখন থেকে তোমরা এক সঙ্গে থাকবে। তারা দু'জন প্রথমবারের মত একসঙ্গে ঘুমুতে গেল। প্রশস্ত খাট, ফুল তোলা চাদরে কিছু ফুল। খাটটা সাজানো হয়েছে জরির মালায়। ছেলেটা মেয়েটার গায়ে হাত রাখবে। মেয়েটা লজ্জা এবং ভয়ে চুপ করে থাকবে। আতংক নিয়ে অপেক্ষা করবে–তারপর কি হয়।

'আফা ও আফা।'

মজিদের মা দরজা ধরে দাঁড়িয়ে আছে। তার মুখ ভর্তি হাসি। পান খাওয়া লাল দাঁত সবক'টা বের হয়ে আছে।

'ও আফা টেলিফোন।'

'কার টেলিফোন?'

'নতুন দুলাভাই। হি হি হি।'

'হি হি করতে হবে না। নিচে যাও, আমি আসছি।'

মিতু টেলিফোন হাতে নিয়ে খুব সহজ ভঙ্গিতে বলল আপনি কেমন আছেন?

জুবায়ের একটু ইতস্ততঃ ভঙ্গিতে বলল, ভাল। তুমি কেমন আছ? তুমি করে বললাম আশা করি কিছু মনে করছ না?

'জ্বি না মনে করছি না।'

'টেলিফোন পেয়ে বিরক্ত হচ্ছ নাতো?'

'বিরক্ত হচ্ছি না।'

'আমি আবার খুব ভয়ে ভয়ে টেলিফোন করলাম।'

'ভয়ে ভয়ে কেন?'

'তুমি আবার কি মনে কর।'

'আমি কিছু মনে করছি না।'

'তোমার পরীক্ষাতো এখন চলছে–তাই না?'

'জ্বি।'

'মাঝে গ্যাপ আছে না?'

'আছে। কাল পরশু এই দু'দিন পরীক্ষা নেই। আপনি কি আমাকে বাইরে লাঞ্চের দাওয়াত করতে চাচ্ছেন?'

'আশ্চর্য! তুমি বুঝলে কি করে?'

'আমার ই এস পি ক্ষমতা আছে। আমি মানুষের মনের কথা প্রায়ই ধরতে পারি।'

'তোমাকে বিয়ে করাতো তাহলে খুবই বিপদজনক!'

'কিছুটা বিপদজনকতো বটেই।'

'তুমি এমন ভাবে কথা বলছ যেন সত্যি সত্যি তোমার ই এস পি ক্ষমতা আছে।'

'আসলেই আছে। প্রমাণ দেব? আপনি এই মুহূর্তে সাদা একটা প্যান্ট পরে আছেন। ক্রিকেট খেলোয়াড়রা যেমন সাদা প্যান্ট পরে সে রকম সাদা প্যান্ট। হয়েছে?'

'হ্যাঁ হয়েছে। মাই গড–তুমিতো সত্যি সত্যি আমাকে ঘাবড়ে দিচ্ছ। মিতু শোন, আজতো তোমার পরীক্ষা নেই?'

'জ্বি না নেই।'

'আজকে আমার সঙ্গে বাইরে খেতে চল। খেতে খেতে তোমার ই এস পি পাওয়ার নিয়ে গল্প করব।'

'জ্বি আচ্ছা।'

'তোমার পড়ার ক্ষতি হবে নাতো?'

'একটু হবে। কি আর করা। অবশ্যি আমার এখন পড়তেও ভাল লাগছে না।'

'তাহলে কাপড় পরে তৈরি হয়ে থাক। আমি এসে নিয়ে যাব।'

'জ্বি আচ্ছা।'

'তোমার গলার স্বরটা এমন লাগছে কেন?'

'কি রকম লাগছে?'

'বিষাদময় লাগছে। ইংরেজীতে যাকে বলে Plaintive Voice. তোমার কি মন খারাপ?'

'জ্বি মন খারাপ। বেশ খারাপ।'

'কারণটা কি জানতে পারি? অবশ্যি বলতে যদি তোমার কোন আপত্তি না থাকে।'

'না। আমার কোন আপত্তি নেই। আপত্তি কেন থাকবে? আমার এক ফুপাতো ভাই আছে। সেও অনার্স পরীক্ষা দিচ্ছিল। আজই খবর পেয়েছি একটা পরীক্ষা দিয়ে সে আর পরীক্ষা দিচ্ছে না। মনটা খুব খারাপ হয়েছে।'

‘পরীক্ষা দিচ্ছে না কেন?’

‘জানি না। অনেকদিন ওর সঙ্গে আমার যোগাযোগ নেই।’

‘টেলিফোনে খোঁজ নেয়া যায় না?’

‘ওদের টেলিফোন নেই।’

‘তাহলে একটা কাজ করা যেতে পারে, দুপুরে লাঞ্চের পর ওদের বাসায় গিয়ে আমরা খোঁজ নিতে পারি। আমার সঙ্গে গাড়ি থাকবে, ট্রান্সপোর্ট কোন সমস্যা হবে না। আর তুমি যদি মনে কর তুমি একা যাবে- তাহলে গাড়িটা আজ সারাদিনের জন্যে তুমি রেখে দিতে পার।’

‘না। তার দরকার নেই। আমি আসলে জানতেও চাচ্ছি না। যা হবার হবে।’

‘তোমার ফুপাতো ভাই ছাত্র কেমন?’

‘ও খুব ভাল ছাত্র। এস. এস. সি, এইচ. এস. সি. দু’টাতেই ষ্ট্যান্ড করেছে।’

‘ওর নামটা তুমি কি বলেছিলে? আমি ভুলে গেছি।’

‘নাম আপনাকে বলিনি, ওর নাম ইমন।’

‘তাকে কি তুমি খুব পছন্দ কর?’

‘হ্যাঁ করি। তবে ও রোবট টাইপের তো কারো পছন্দ অপছন্দের ধার ধারে না। পছন্দ করলেও ক্ষতি নেই। না করলেও ক্ষতি নেই।’

‘শোন মিতু, আমি কোন টাইপের মানুষ বলে তোমার মনে হয়।’

‘বললে তো আপনি আবার রাগ করবেন।’

‘না মোটেই রাগ করব না, তবে তুমি এই যে আপনি আপনি করে কথা বলছ এতে রাগ করছি। সামান্য হলেও রাগ করছি। তুমি কি দয়া করে আমাকে তুমি করে বলবে?’

‘আপনি বললে বলব।’

‘আমি বলছি।’

‘বলছ যখন তখন অবশ্যই তুমি করে বলব।’

‘এখন বল আমি কোন টাইপের মানুষ?’

‘তুমি গায়েপড়া ধরনের মানুষ। একদল পুরুষ আছে যারা মেয়েদের সঙ্গে কথা বলতে খুব পছন্দ করে। তুমি সেই টাইপ।’

‘ও।’

‘রাগ করলে?’

‘না রাগ করিনি।’

মিতু হাসল।

জুবায়ের বলল, হাসছ কেন?

মিতু বলল, আমার কথা শুনে তুমি খুব হকচকিয়ে গেছ। এই জন্যে হাসি আসছে।

'ও আচ্ছা।'

'আরেকটা মজার ব্যাপার কি জান? তোমার সঙ্গে শেষ পর্যন্ত কিন্তু আমার বিয়ে হবে না।'

'কেন?'

'কেন ঠিক জানি না। আমার সিক্সথ সেন্স তাই বলছে।'

'তোমার বিয়েটা কার সঙ্গে হবে? ঐ যে ইমন না-কি যেন নাম তার সঙ্গে?'

'বাহ্ তোমার সিক্সথ সেন্সও তো খুব ভাল।'

মিতু খিলখিল করে হাসছে। সে শুনল ওপাশে টেলিফোন রিসিভার নামিয়ে রাখা হয়েছে। তারপরেও সে হাসছে। কেন জানি তার খুব মজা লাগছে। তার সিক্সথ সেন্স বলছে ভদ্রলোক তাকে নিয়ে লাঞ্চে যাবার উৎসাহ এখন আর পাচ্ছেন না। তিনি এখন মিতু নামক মেয়ের ব্যাপারে খোঁজ খবর শুরু করবেন। এবং শুক্রবারের পান চিনি উৎসব বাতিল হয়ে যাবে।

অনেকদিন পর সুরাইয়াকে খুব আনন্দিত মনে হচ্ছে। তিনি পান খেয়েছেন। পান খাবার কারণে ঠোঁট লাল হয়ে আছে। মুখ হাসি হাসি। চোখ জ্বলজ্বল করছে। চাপা আনন্দের কোন ঘটনা ঘটলেই মানুষের চোখ এরকম জ্বলে। সুরাইয়ার আনন্দের কারণ হচ্ছে পুরানো ভাড়া বাড়িটা পাওয়া গেছে। আগের বাড়িওয়ালা যথেষ্ট ভদ্রতা করেছেন। লোক পাঠিয়ে খবর দিয়েছেন। ভাড়া বেশি, আগে যে ভাড়া ছিল তার দ্বিগুনেরও বেশি, তবু সুরাইয়ার কাছে মনে হচ্ছে তুলনামূলক ভাবে ভাড়া সস্তা। বড় টানা বারান্দার খোলামেলা বাড়ি আজকাল পাওয়াই যায় না। সবাই বড় বাড়িগুলিকেও খুপরি খুপরি বানিয়ে ফেলছে। শান্তিমত নিঃশ্বাস নিতে হলেও খানিকটা খোলা জায়গা দরকার–এই ব্যাপারটা শহরবন্দি মানুষ ভুলে যেতে বসেছে।

সুরাইয়া ঠিক করেছেন বাড়িটাকে তিনি ঠিক আগের মত করে সাজাবেন। বারান্দায় ফুলের টব থাকবে। একটা বেতের চেয়ার কিনতে হবে। চেয়ারের গদিটা হবে সবুজ রঙের। চেয়ারের সামনে ছোট্ট কাঠের টেবিল থাকবে। ইমনের বাবা অফিস থেকে ফিরে যে রকম চেয়ারে বসত অবিকল সে রকম চেয়ার। যে কাঠের টেবিলে চা রাখা হত সে রকম একটা কাঠের টেবিল। শোবার ঘরের খাট এবং ড্রেসিং টেবিলটা এখনো আছে। খাটটা বেঁধে ছেদে ভাইজানের বাড়ির স্টোর রুমে রাখা হয়েছে। সেখান থেকে উদ্ধার করতে হবে। দেয়ালে যে সব ছবি টানানো ছিল তার সব ক'টাই আছে। তিনি খবরের কাগজে মুড়ে ট্রাংকে রেখে দিয়েছিলেন। ছবিগুলি বের করে দেয়ালে লাগাতে হবে। নীল রঙের একটা প্লাস্টিকের বালতি কিনতে হবে। বালতিটা থাকবে বারান্দা থেকে উঠোনে নামার সিঁড়ির গোড়ায়। বালতির কাছে একজোড়া স্পঞ্জের স্যান্ডেল রাখতে হবে। ইমনের বাবা অফিস থেকে ফিরেই স্পঞ্জের স্যান্ডেল পরে পায়ে পানি ঢালত।

বাসন কোসনগুলিও আগের মত কিনতে পারলে হত। কি বাসন কোসন ছিল সুরাইয়ার মনে আছে। চীনামাটির থালাগুলি ছিল নীল বর্ডার দেয়া। আজকাল কি এরকম থালা পাওয়া যায়? খুঁজতে হবে। খুঁজলে পাওয়া যায়

না এমন জিনিস ঢাকা শহরে নেই। পর্দা কিনতে হবে। দরজা জানালায় হালকা গোলাপী এক রঙা পর্দা ছিল। ভাগ্যিস ডিজাইনওয়ালা পর্দা ছিল না। থাকলে ডিজাইন মিলিয়ে পর্দা পাওয়া কঠিন হত। সুরাইয়া ঠিক করলেন মুন্নীকে নিয়ে বের হবেন। সারাদিন ঘুরে ঘুরে জিনিসপত্র কিনবেন। ইমনকে নিয়ে বের হতে পারলে খুব ভাল হত, কিন্তু ইমন তার সঙ্গে যাবে না।

আজ সুরাইয়ার ভাগ্যটা অসম্ভব ভাল। মুন্নীকে নিয়ে বের হবার কথা ভাবতে ভাবতেই মুন্নী চলে এল। মুন্নী হাসি হাসি মুখে বলল, খালা কেমন আছেন?

সুরাইয়া আনন্দিত গলায় বললেন, ভাল আছি মা। তুমি কি আমার সঙ্গে একটু বের হতে পারবে?

'অবশ্যই পারব।'

'নতুন বাসায় যাচ্ছি মা। আগে ইমনের বাবাকে নিয়ে যে বাড়িতে থাকতাম সেই বাড়িতে। কয়েকটা জিনিস কিনব। একটু হয়ত দেরি হবে।'

'হোক দেরি, আমি থাকব আপনার সঙ্গে। এবং আপনারা যখন নতুন বাড়িতে যাবেন আমিও আপনাদের সঙ্গে চলে যাব। আপনাদের নিশ্চয়ই ঝি লাগবে। লাগবে না?'

'ছিঃ মা, তোমার যে কি কথা।'

'খালা আমি কিন্তু ঠাট্টা করছি না। আমি এ বাড়িতে থাকতে পারছি না। আপনি যদি আমাকে না নেন, আমাকে অন্য কোথাও চলে যেতে হবে।'

'তুমি থাকবে আমার সঙ্গে। কোন সমস্যা নেই।'

'আপনার ছেলে থাকতে দেবে তো? তাকে আমি খুবই ভয় পাই। তার তাকানোর মধ্যে হেডমাস্টার হেডমাস্টার ভাব আছে।'

'মা এটা হল ওদের বংশের ধারা। ইমনের বাবাও এ রকম করে তাকাতো।'

'আপনার ভয় করতো না?'

'প্রথম প্রথম করতো। মা তুমি যাও, কাপড়টা বদলে আস। চল আমরা বের হই।'

'আমি এই কাপড়েই বের হব। আপনার কি ধারণা আমার আলনা ভর্তি শাড়ি? আমার তিনটা মোটে শাড়ি। তার মধ্যে একটা শাড়ি যাকাতের। বহরে খাট বলে পরতে পারি না।'

'মা তোমাকে আজ আমি একটা শাড়ি কিনে দেব।'

'থ্যাংক য়্যু খালা। আমাকে কেউ কিছু দিতে চাইলে আমি কখনো না বলি না। আমি প্রায় ফকিরনী হয়ে গেছি। কিছু দিন পর মনে হয় ভিক্ষা

চাইতে শুরু করব। মানুষের বাড়ি বাড়ি গিয়ে বলব–আমাকে একটা শাড়ি দেবেন। প্লীজ।'

'কি যে অদ্ভুত কথা তুমি বল। শুনে দুঃখও লাগে, আবার হাসিও লাগে।'

সুরাইয়া হাসছেন। মেয়েটার সঙ্গে কথা বলতে তাঁর সব সময় ভাল লাগে। আজ অন্যদিনের চেয়েও বেশি ভাল লাগছে। মেয়েটাকে কেন জানি খানিকটা ফর্সাও লাগছে। এর কারণ কি?

মুন্নী বলল, আচ্ছা খালা একটা কথা জিজ্ঞেস করি–আপনার ছেলে কি অনার্স পরীক্ষা ড্রপ করেছে?

'কি যে তুমি বল মা, ও পরীক্ষা ড্রপ করার ছেলে? পৃথিবী একদিকে আর তার পরীক্ষা একদিকে।'

'খালা আপনি খোঁজ নিয়ে দেখুন। আমার মনে হয় তিনি অনার্স পরীক্ষা দিচ্ছেন না।'

'ও বাসাতেই আছে। দাঁড়াও জিজ্ঞেস করি।'

'আজ থাক খালা, আরেকদিন জিজ্ঞেস করবেন।'

সুরাইয়া ছেলের ঘরের দিকে রওনা হলেন। ঘরের দরজা ভেতর থেকে বন্ধ। আগে রাতের বেলাতেই সে শুধু দরজা বন্ধ করে রাখতো। এখন দিনেও দরজা বন্ধ করে রাখে। সুরাইয়া দরজায় ধাক্কা দিতেই ইমন দরজা খুলে দিল। বিরক্ত মুখে বলল, কি চাও?

সুরাইয়া হতভম্ব গলায় বললেন, কি চাও মানে? মা'র সঙ্গে কেউ এই ভাবে কথা বলে?

ইমন বলল, আমার প্রচন্ড মাথা ধরেছে মা। কথা বলতে পারব না। তুমি কি জন্যে এসেছ বল।

'মুন্নী বলছিল তুই না-কি অনার্স পরীক্ষা ড্রপ দিয়েছিস। সত্যি?'

'হ্যাঁ সত্যি।'

'আমার সঙ্গে ঠাট্টা করিসনা। সত্যি কথা বল।'

'মা আমি কারো সঙ্গেই ঠাট্টা করি না। সত্যি কথাই বলছি। পরীক্ষা ড্রপ দিয়েছি।'

'কেন?'

'পরীক্ষা দিলে ফেল করতাম সেই জন্যে।'

'তুই ফেল করবি মানে? তুই কি ফেল করার ছেলে।'

ইমন জবাব দিল না। সুরাইয়া কাঁদো কাঁদো গলায় বললেন, তুই এইসব কি বলছিস। আমার এখনো বিশ্বাস হচ্ছে না।

ইমন বলল, আমি সুপ্রভার মত হয়ে গেছি মা। ফেলটুস ছাত্র হয়ে গেছি। তোমার কথাতো শেষ হয়েছে এখন দরজাটা বন্ধ করি? ইমন দরজা বন্ধ করে দিল।

সুরাইয়া আহত গলায় ডাকলেন, ইমন ও ইমন!

ইমন দরজা খুলল না। সুরাইয়ার পা কাঁপছে। চোখে পানি আসছে। অন্য রকম ভয়ে শরীর যেন ছোট হয়ে আসছে। ইমন কোন কান্ড করে বসবে নাতো? সুপ্রভা যেমন করেছিল? না তিনি ইমনের উপর রাগ করবেন না। তাকে ধমক দেবেন না, কোন কড়া কথা বলবেন না। তার সঙ্গে সহজ স্বাভাবিক আচরণ করবেন। পরীক্ষার প্রসঙ্গ আর তুলবেনই না। তাকে যা বলার ইমনের বাবা এসে বলবেন। ছেলেরা মা'র চেয়ে বাবাকে বেশি মানে।

মানুষটার ফিরে আসার সময় যে হয়ে এসেছে তা সুরাইয়া বুঝতে পারছেন। কষ্টের পর সুখ আসে, অনেকগুলি কষ্ট তিনি পার করেছেন–এখন সুখ আসার সময়। আগের বাড়িটা গুছিয়ে নিয়ে বসার পরই সেই আশ্চর্য ঘটনাটা ঘটবে। দরজার কড়া নড়বে। না, কড়া না-কলিং বেল বাজবে। একবার দু'বার তিনবার। থেমে থেমে বেজেই যাবে। তিনি ভাববেন, ভিখিরী। ক্লান্তিহীন কলিং বেল একমাত্র ভিখিরীরাই বাজায়। তিনি নিতান্ত বিরক্ত হয়ে দরজা খুলবেন। ভিখিরী না, মানুষটা দাঁড়িয়ে আছে। তাকে দেখেই মানুষটা কোমল গলায় বলবেন–ঘুমিয়ে পড়েছিলে?

তিনি বলবেন, না।

মানুষটা ঘরে ঢুকতে ঢুকতে বলবে, ইমন কি ঘুমিয়ে পড়েছে?

'না জেগে আছে। তুমি এসেছ ভাল হয়েছে, ইমনকে শাসন করতে হবে। ও কি রকম যেন হয়ে গেছে। পরীক্ষা দিচ্ছে না। দিন রাত দরজা বন্ধ করে বসে থাকে। সিগারেটও ধরেছে। প্রায়ই তার ঘরে সিগারেটের গন্ধ পাই।'

'বল কি?'

'আমি খুব চিন্তার ভেতর ছিলাম। তুমি এসেছ, এখন আর চিন্তা করছি না। সারাজীবন অনেক চিন্তা ভাবনা করেছি। এখন যা চিন্তা করার তুমি করবে। আমি রেস্ট নেব। খাব, দাব, ঘুমাব। সিনেমা দেখব। কতদিন হলে গিয়ে সিনেমা দেখা হয় না। তুমি আমাকে নিয়ে যাবে।'

তিনি চিন্তিত গলায় বলবেন, এখন সে কি আর আমার কথা শুনবে? একটা বয়সের পর ছেলেরা বাবা-মা কারো কথাই শুনতে চায় না। শুধু স্ত্রীর কথা শুনে। ওকে বিয়ে দিতে হবে।

সুরাইয়া আনন্দিত গলায় বলবেন, কি যে মজার কথা তুমি বল। ইমনের বিয়ে দিয়েছিতো।

'সে কি! কবে বিয়ে হল?'

'আজই হয়েছে। আজ বাসর হচ্ছে, আমাদের শোবার ঘরটা ওদের ছেড়ে দিয়েছি।'

মানুষটা ছোট্ট করে নিঃশ্বাস ফেলে বলবে, ভাল করেছ। বউমাকে ডাক একটু দেখি।

'সর্বনাশ! এখন ওদের ডাকতে পারব না। সকালে দেখবে। তুমি বরং তোমার এই বেতের চেয়ারটায় বোস। চা খাবে?'

'বেতের চেয়ারটা এখনো আছে? আশ্চর্য! কত দিনের কথা। আচ্ছা সুরাইয়া তুমিতো আমাকে দেখে এতটুকুও অবাক হও নি। তুমি কি জানতে আজ আমি আসব?'

'হুঁ জানতাম। বালতির পাশে স্পঞ্জের স্যান্ডেল আছে। পা ধুয়ে বসোতো, আমি চা নিয়ে আসছি।'

দরজা খুলে ইমন বের হয়ে এল। সে বাইরে কোথাও যাচ্ছে-সার্ট প্যান্ট পরেছে। সুরাইয়া বললেন, কোথায় যাচ্ছিস? ইমন বলল, কোথাও না।

সুরাইয়া সহজ গলায় বললেন, ইমন শোন–পরীক্ষা দিচ্ছিস না, এই নিয়ে মন খারাপ করবি না। সামনের বছর দিলেই হবে।

'আমি মন খারাপ করছি না।'

'তোর কি ফিরতে দেরি হবে? ফিরতে দেরি হলে চাবি নিয়ে যা। আমি মুন্নীকে নিয়ে বের হচ্ছি। কখন ফিরব ঠিক নেই।'

'আচ্ছা।'

'আমি কিছু কেনা কাটা করব। আগে যে বাড়িতে ভাড়া থাকতাম ঐ বাড়িটা পাওয়া গেছে। বুঝলি ইমন, বাড়িটা আমি ঠিক আগের মত করে সাজাব। তোর বাবা এসে যেন দেখতে পান কিছু বদলায় নি। সব আগের মত আছে। তুই তোর বড় মামার বাসা থেকে খাটটা এনে দিবি।'

'এখনি এনে দিতে হবে?'

'এখন না আনলেও হবে। নতুন বাসায় যেদিন যাব সেদিন এনে দিলেও হবে।'

'যখন বলবে এনে দেব।'

'তুই যাচ্ছিস কোথায়?'

'বললাম তো কোথাও না।'

ইমন হন হন করে বের হয়ে গেল। চাবি না নিয়েই গেল। সুরাইয়া চাবি সঙ্গে নেবার ব্যাপারটা আবারো মনে করিয়ে দেবার সাহস সঞ্চয় করে

উঠতে পারলেন না। আশ্চর্যের ব্যাপার, যতই দিন যাচ্ছে তিনি ছেলেকে ততই ভয় পেতে শুরু করেছেন।

বাসার গেটের কাছে মুন্নী দাঁড়িয়ে আছে। ইমনকে দেখে সে হঠাৎ বলল, ইমন ভাইয়া, ভাল আছেন?

ইমন থমকে দাঁড়িয়ে গেল। মুন্নীর মনে হল এক্ষুনি সে তার দিকে ভুরু কুঁচকে তাকাবে এবং প্রশ্নের জবাব না দিয়ে বের হয়ে যাবে। মুন্নীকে অবাক করে দিয়ে ইমন বলল, আমি ভাল আছি।

মুন্নী বলল, আপনাকে আমি প্রায়ই দেখি কলাবাগান বাস স্ট্যান্ডের শিশু পার্কের বেঞ্চিতে চুপচাপ বসে আছেন। ওখানে যাবেন না।

'কেন?'

'ঐ পার্কে একটা পাগল থাকে। ছুরি নিয়ে মানুষকে তাড়া করে। দু'জনকে জখম করেছে। পত্রিকায়ও উঠেছে।'

'আমি জানি। পাগলটার সঙ্গে আমার দেখা হয়েছে।'

'আপনার ভয় লাগে না?'

'না।'

'আপনাকে আটকে রাখলাম, কিছু মনে করবেন না।'

'আমি কিছু মনে করি নি।'

ইমন শিশুপার্কের দিকে হাঁটা শুরু করল। পার্কের বেঞ্চীতে কোন কারণ ছাড়া চুপচাপ বসে থাকতে তার ভালই লাগে। ঘণ্টাখানিক চুপচাপ বসে থাকার পর তার নিজেকে গাছের মত মনে হতে থাকে। যেন সে এক সময় মানুষ ছিল, এখন গাছ হয়ে যাচ্ছে। তার শিকর চলে যাচ্ছে মাটির গভীরে। শাখা প্রশাখা ছড়িয়ে যাচ্ছে আকাশে। যখন বৃষ্টি আসবে সে বৃষ্টির পানিতে স্নান করবে। যখন জোছনা নামবে সে তার সারা গায়ে জোছনা মাখবে। আহ্ বৃক্ষের জীবনতো আসলেই আনন্দময়।

ফাঁসি, যাবজ্জীবন, সশ্রম কারাদন্ড কিছুই হল না। শোভনকে জাজ সাহেব বেকসুর খালাস করে দিলেন। চারজন সাক্ষীর মধ্যে দুজন আসেই নি। বাকি দুজন উল্টা পাল্টা কথা বলে সব এলোমেলো করে দিয়েছে। পুলিশের মামলা সাজানোও দেখা গেল অত্যন্ত দুর্বল। যথাসময়ে আলামতও হাজির হল না। জাজ সাহেব বিরক্ত মুখে রায় লিখলেন, তারচেয়েও বিরক্ত মুখে পড়লেন।

শোভনও জাজ সাহেবের মতই বিরক্ত মুখে বের হয়ে এল। ইমন তাকে নিতে এসেছে। আর কাউকে দেখা যাচ্ছে না। শোভন হাই তুলতে তুলতে বলল, আর কেউ আসে নি?

ইমন বলল, না।

'আজ যে রায় হবে ওরা জানে?'

'জানে।'

'ফুলের মালা এনেছিস?'

ইমন কিছু বলল না। শোভন সিগারেট ধরাতে ধরাতে বলল, ফুলের মালা গলায় দিয়ে বের হতে পারলে ভাল হত। নেতা নেতা ভাব চলে আসতো। তোর কাছে টাকা আছে?

'সামান্য আছে।'

'সামান্যটা কত? রেস্টুরেন্টে বসে চা সিঙাড়া খাওয়া যাবে?'

'হুঁ।'

'চল চা-সিঙ্গাড়া খাই। ফ্রী ম্যান হয়ে চা-সিঙ্গাড়া খাওয়ার আনন্দ মারাত্মক হবার কথা।'

'চল যাই।'

'তুই এমন মুখ শুকনা করে রেখেছিস কেন? আমাকে ছেড়ে দিয়েছে বলে কি মন খারাপ? ফাঁসি হলে ভাল লাগতো?'

ইমন হাসল। শোভন বলল, খুব ভাল করে গোসল করতে হবে। গরম পানি ঢেলে হেভী গোসল। কিছু জামা কাপড় দরকার। চা খেয়ে নাপিতের দোকানে চল চুল কাটাব। মাথা কামিয়ে কোজাক হয়ে যাব।

'আচ্ছা।'

'দিনের বেলা কি কোন ডেন্টিস্টের দোকান খোলা থাকে? প্রচন্ড দাঁতে ব্যথা। একবার যখন শুরু হয় কাটা মুরগীর মত ছটফট করি।'

'এখন ব্যথা আছে?'

'না। তবে শুরু হবে। শুরু হবার আগে দাঁতের গোড়া শিরশির করে। এখন করছে।'

'ছাড়া পেয়ে তোমার খুব ভাল লাগছে?'

'হুঁ লাগছে। আমিতো ভেবেছিলাম ফাঁসি টাসি না-কি হয়ে যায়। বাহ্ বাইরেতো বেশ ঠান্ডা-এখন কি শীতকাল নাকি? বাংলা মাসের নাম কি?'

'কার্তিক মাস। তোমার কি দিন তারিখের হিসেব নেই?'

'না।'

'কতদিন হাজত খাটলে সেটা মনে আছে?'

'হ্যাঁ তা মনে আছে। আঠারো মাস। আঠারো মাসে জান কালি করে দিয়েছে। এর শোধ নেব। আব্দুল কুদ্দুস সাহেব যখন শুনবেন আমি ছাড়া পেয়েছি তখন তার খবর হয়ে যাবে।'

শোভন হাসছে। অসুস্থ মানুষের মত হাসছে। চায়ের দোকানে ঢোকার আগেই একটা পানের দোকান। শোভন পানের দোকানের সামনে থমকে দাঁড়িয়ে দু'টা মিষ্টি এবং জর্দা দেয়া ডবল পান কিনে মুখে দিল। ইমন বলতে যাচ্ছিল এক্ষুণি তো চা খাবে পান মুখে দিচ্ছ কেন? শেষ পর্যন্ত বলল না। মুক্তির আনন্দে মানুষ অনেক উদ্ভট কান্ডকারখানা করে। শোভন তেমন কিছু করছে না, শুধু জর্দা এবং মিষ্টি দেয়া দু'খিলি ডবল পান মুখে দিয়েছে।

চা এবং আলুর চপের অর্ডার দেয়া হয়েছে। দোকানে প্রচুর ভীড়। এই ভীড়টা শোভনের ভাল লাগছে। ফাঁকা চায়ের দোকান আর শ্মশান এক জিনিস। গ্রামের হাট যেমন ভর ভরন্ত থাকলে ভাল লাগে, চায়ের দোকানেও গাদাগাদি ভীড় ভাল লাগে। পান মুখে থাকা অবস্থাতেই শোভন চায়ে চুমুক দিয়ে বলল, ভাল চা বানিয়েছে। ইমন আরেক কাপ দিতে বল। তেহারীর গন্ধ পাচ্ছি। দু'টা প্লেটে দু'প্লেট গরম তেহারী দিতে বল, খেয়ে দেখি কেমন। তবে খেতে ভাল হবে না। যে দোকানে চা ভাল হয়, সে দোকানে অন্য কিছুই ভাল হয় না।

ইমন বলল, তুমি বাড়ি যাবে না?

'না। আমি যেমন ওদের কেউ না, ওরাও আমার কেউ না। টোকন, টোকন কোথায় আছে?'

'জানি না।'

'লাস্ট তোর সঙ্গে কবে দেখা হয়েছে?'

'জুন-জুলাই এ।'

'তারপর থেকে কোন খবর নেই?'

'না।'

'শোভন চিন্তিত মুখে বলল, আব্দুল কুদ্দুস বেপারী কিছু করেছে কি-না খোঁজ নিতে হবে। সন্ধ্যার মধ্যে পাত্তা লাগিয়ে ফেলব। তোর কাছে জিনিসটা আছে তো?'

'হুঁ।'

'যত্ন করে রাখিস। আমি কোন একদিন এসে নিয়ে যাব।'

'বাসায় না গেলে উঠবে কোথায়?'

'আমার উঠার জায়গা আছে। তোর বাসার ঠিকানা বল। রাতে ঘুমানোর জন্যে তোর কাছেও চলে আসতে পারি। কিছু বলা যায় না।'

শোভনের এই দোকানের তেহারীও খুব পছন্দ হল। এক প্লেটের জায়গায় তিন প্লেট খেয়ে ফেলল। তৃপ্ত মুখে বলল, এই দোকানের বাবুর্চিতো মারাত্মক। এর হাত সোনা দিয়ে বাঁধিয়ে রাখা দরকার। বাড়ি নিশ্চয়ই ফরিদপুর। ভাল বাবুর্চি মানেই ফরিদপুর।

ইমন বলল, শোভন ভাইয়া, তুমি বরং এক কাজ কর। আমার সঙ্গে চল তোমাকে বাড়িতে নিয়ে যাই। সেখানে ভালমত গোসল টোসল করে বিশ্রাম কর। বড় মামার শরীরও ভাল না।

'বাবার কি হয়েছে?'

'গোলাপ গাছে অষুধ দেন, সেই অষুধ নাকে মুখে ঢুকে গিয়ে শ্বাস কষ্ট হয়েছিল। মুখ-টুখ ফুলে ভয়াবহ অবস্থা। হাসপাতালে নিয়ে অক্সিজেন দিতে হয়েছিল। এখন ভাল। বাসাতেই আছেন।'

'তাহলে তো বাসায় যাওয়াই যাবে না। আমাকে দেখলে আবার শ্বাস কষ্ট শুরু হয়ে যাবে। দৌড়াদৌড়ি করে অক্সিজেনের বোতল আনতে হবে। কি দরকার।'

'মামীমা তোমার জন্যে খুব কান্না-কাটি করেন। তোমাকে দেখলে খুশি হবেন।'

'খামাখা ভ্যানভ্যান করিসনাতো। মানুষকে খুশি করার দায় আমার না। আমি জোকার না যে রঙ ঢং করে মানুষকে খুশি করব। আমাকে দেখলে যাদের কলিজা শুকিয়ে পানি হয়ে যায় আমি তাদেরকেই দেখা দেব। যেমন ধর কুদ্দুস। তুই এখন একটা কাজ করতো। রেস্টুরেন্টের মালিককে জিজ্ঞেস করে আয়—তেহারীর বাবুর্চির দেশ কোথায়?'

ইমন বাবুর্চির দেশ কোথায় জানার জন্যে উঠে দাঁড়াল। শোভনকে পেয়ে তার ভাল লাগছে। সে মনে মনে ঠিক করে ফেলেছে—আজ সারাদিনই সে শোভনের সঙ্গে সঙ্গে থাকবে। তার বাসায় ফিরতে ইচ্ছা করছে না।

রাত বাজছে ন'টা। ইমন পুরানো ঢাকার একটা বোর্ডিং হাউসে। বোর্ডিং হাউসের নাম ঢোকার সময় পড়া হয় নি, মনে হয় এই বোর্ডিং হাউসের কোন নাম নেই। গলির ভেতর গলি, তার ভেতর গলি বেয়ে বেয়ে শোভনের সঙ্গে যে বাড়ির সামনে এসে সে দাঁড়িয়েছিল, সেই বাড়ি এখনো কিভাবে দাঁড়িয়ে আছে সেটাই রহস্য। ইমন বলল, ভাইয়া ভূতের বাড়ি না-কি?

শোভন বলল, ভূতের বাড়ি হবে কেন? বোর্ডিং হাউস।

'তুমি কি আগে এখানে থাকতে?'

'মাঝে মাঝে থাকতাম। আমার কোন পার্মানেন্ট এড্রেস নেই। খুব যারা গুরুত্বপূর্ণ মানুষ তাদের পার্মানেন্ট এড্রেস থাকে না। আমি গুরুত্বপূর্ণ একজন মানুষ।'

বোর্ডিং হাউসে ঢোকার পর বোঝা গেল শোভন আসলেই একজন গুরুত্বপূর্ণ মানুষ। প্রায় ছোটাছুটি পরে গেল। ম্যানেজার এসে জড়িয়ে ধরলেন। বাকি যারা আসছে তাদের বেশির ভাগই পা ছুঁয়ে সালাম করছে। শোভন বলল, ঘর আছে?

ম্যানেজার হতভম্ব গলায় বলল, ঘর থাকব না কি কন?

'গরম পানি লাগবে, গোসল করব।'

'খানা কখন দিব?'

'একটু রাত করে দিবেন। ঘর খুলে দেন। তিন নম্বর ঘর খালি আছে?'

'খালি নাই। খালি করতেছি। পাঁচটা মিনিট সময় দেন। একটা সিগারেট ধরান শোভন ভাইয়া। সিগারেট শেষ হওয়ার আগেই ঘর রেডি হয়ে যাবে।'

ইমন তিন নম্বর ঘরের খাটের উপর বসে আছে। ঘরটা বড়। ডাবল খাট, চেয়ার টেবিল। মেঝেতে কার্পেট। খাটের পাশের সাইড টেবিলে টেলিফোন। তবে ঘরের দেয়াল ময়লা, কার্পেট ময়লা, খাটে বিছানো চাদরও ময়লা। মাথার উপরে ছাদে মাকড়শার ঝুল জমে আছে। সবচে আশ্চর্যের ব্যাপার এই ঘরে কোন জানালা নেই। দিনে আলো না জ্বাললে

কিছু দেখা যাবে না। তিন নম্বর ঘরের এত নাম ডাক কি জানালা না থাকার কারণে? নাকি এই বোর্ডিং হাউসের বিশেষত্ব হচ্ছে এর কোন ঘরেই জানালা নেই।

অনেকক্ষণ হল ইমন বসে আছে। ঘরের সঙ্গে লাগোয়া বাথরুম নেই। গোসল করার জন্য শোভন তোয়ালে সাবান নিয়ে কোথায় যেন গিয়েছে, প্রায় এক ঘণ্টা হল এখনো ফিরছে না।

অসম্ভব রোগা একটা ছেলে কিছুক্ষণ আগে ঘরে ঢুকে টেবিলের উপরে কিছু জিনিসপত্র রেখে গেছে। যা দেখে ইমনের বুকের ধ্বক ধ্বকানি বেড়ে গেছে। দু'টা গ্লাস, পানির বোতল, বরফ ভর্তি একটা বাটি এবং পেট মোটা চ্যাপ্টা সাইজের একটা বোতল। বোতলের ভেতর কি আছে তা লেবেল না পড়েও বলে দেয়া যাচ্ছে।

শোভন ঘরে ঢুকল মাথা মুছতে মুছতে, একটা তোয়ালে তার কোমরে জড়ানো, অন্য একটা তোয়ালে দিয়ে মাথা মুছছে। সে আনন্দিত গলায় বলল, এমন আরামের গোসল আমি লাইফে করিনি। তুই গোসল করবি? গোসল করলে বল গরম পানি দিতে বলি।

ইমন বলল, না।

'আরাম করে গোসল কর। আজ রাতে বাসায় ফিরে কাজ নেই, থেকে যা আমার সঙ্গে। গল্প করি।'

'মা চিন্তা করবে।'

'করুক কিছু চিন্তা। মা'দের চিন্তা করা দরকার। চিন্তা না করলে তাদের হজমের অসুবিধা হয়।'

'ভাইয়া আমি চলে যাব।'

'আচ্ছা ঠিক আছে। খাওয়া দাওয়া করে যা। রাত যতই হোক কোন অসুবিধা নেই। সঙ্গে লোক যাবে। বাড়ির গেটের সামনে নামিয়ে দিয়ে আসবে। একটু গলা ভিজাবি?'

'না।'

'এই জিনিস আগে কখনো খেয়েছিস?'

'উহুঁ।'

'তাহলে চামচে করে এক চামচ খেয়ে দেখ। সব কিছুর অভিজ্ঞতা থাকা দরকার। খারাপের অভিজ্ঞতা থাকা দরকার। ভালর অভিজ্ঞতাও থাকা দরকার।'

'ভাইয়া তুমি খাও। আমি খাব না।'

'থাক খেতে না চাইলে খেতে হবে না। তুই বরং একটা ঝাল লাচ্ছি খা। কাঁচা মরিচ দিয়ে লবণ দিয়ে এরা অসাধারণ একটা লাচ্ছি বানায়। বলব দিতে?'

'বল।'

শোভন লাচ্ছির কথা বলে খাটে আরাম করে বসল। বরফ, পানির বোতল গ্লাস সাজিয়ে সে বসেছে। ইমনের দেখতে ভাল লাগছে। বেশ ভাল লাগছে।

মদ খাওয়াটা মনে হচ্ছে বিরাট আয়োজনের ব্যাপার। শোভন ইমনের দিকে তাকিয়ে বলল, এমন হা করে কি দেখছিস?

ইমন বলল, তোমাকে দেখছি। গোসলের পর তোমার চেহারাটা সুন্দর হয়ে গেছে।

শোভন হো হো করে হেসে ফেলল। ইমন বলল, ভাইয়া তুমি একটা গান কর শুনি।

শোভন বলল, তুই কি পাগল হয়েছিস না-কি? আমি গান করব মানে, আমি কি হেমন্ত না-কি?

'তোমার গলা হেমন্তের গলার চেয়েও সুন্দর।'

'এ রকম কথা বললে কিন্তু জোর করে তোকে মদ খাইয়ে দেব।'

'তুমি যে এতক্ষণ বাথরুমে গোসল করলে তখন গান করনি?'

'হুঁ করেছি।'

'ঐ গানগুলি কর।'

শোভন সঙ্গে সঙ্গে গান শুরু করল–

"মেঘের পরে মেঘ জমেছে, আঁধার করে আসে।
আমায় কেন বসিয়ে রাখ একা দ্বারের পাশে ॥
কাজের দিনে নানা কাজে থাকি নানা লোকের মাঝে
আজ আমি যে বসে আছি তোমারি আশ্বাসে ॥"

ইমনের চোখে সঙ্গে সঙ্গে পানি এসে গেল। মানুষের গানের গলা এত সুন্দর হয়? শোভন গান থামিয়ে গ্লাসে আবারো হুইস্কি নিল। ইমন কোমল গলায় ডাকল, ভাইয়া।

শোভন তাকাল। ইমন বলল, তোমার গানের গলা যে কত সুন্দর তা তুমি জান না।

'আমার জানতে হবে না। তুই যে জেনে গেছিস তাতেই হবে। খাবি এক ঢোক?'

'খেলে হয় কি?'

'খেয়ে দেখ কি হয়। খানিকটা পেটে পড়লে আমার এই গান যত সুন্দর লাগছে তারচে হয়ত আরো বেশি সুন্দর লাগবে। হয়ত গান শুনতে শুনতে ভ্যা ভ্যা করে কাঁদবি। তোর ভালবাসার কেউ থাকলে তার সঙ্গে কথা বলতে ইচ্ছা করবে। সে রকম ইচ্ছা করলে কথা বলতে পারবি। টেলিফোন আছে।'

ইমন বলল, গ্লাসে সামান্য একটু দাও খেয়ে দেখি।

'খাবি যখন ভালমত খা, সাধ মিটিয়ে খা। আর কোনদিন না খেলেই হবে।'

রাত দু'টায় বেবীটেক্সী ইমনকে তাদের বাসার সামনে নামিয়ে দিল। সঙ্গে যে লোক এসেছিল সে বলল, স্যার, আপনাকে ধরে ধরে নিয়ে যেতে হবে না নিজে নিজে যেতে পারবেন?

ইমন বলল, খুবই বমি আসছে।

'বমি আসলে বমি করেন, তারপর ঘরে যান। বসে পড়ুন। বসে বমি করুন।'

'বসতে পারছি না।'

ইমন লক্ষ্য করল সে যে বসতে পারছে না তাই না, সে দাঁড়িয়েও থাকতে পারছে না। চারদিক কেমন দুলছে। মনে হচ্ছে সে নৌকার ছাদে বসে আছে। পাল তোলা নৌকা। নৌকা দ্রুত চলছে, এবং খুব দুলছে। একবার ডান দিকে কাত হচ্ছে, একবার বাম দিকে।

লোকটা বলল, স্যার গলায় আঙ্গুল দিয়ে বমি করুন দেখবেন আপনার ভাল লাগছে। বাসায় গিয়ে গরম পানিতে গোসল করে কড়া করে এক কাপ কফি খাবেন।

'বাসায় কফি নেই।'

বলতে বলতে ইমন বমি করল। বমি খানিকটা পড়ল রাস্তায়। খানিকটা তার গায়ে। লোকটা বলেছিল বমি করলে ভাল লাগবে, কিন্তু ভাল লাগছে না। বরং আরো খারাপ লাগছে। যে নৌকাটায় সে দাঁড়িয়ে আছে, সেই নৌকাটা এখন অনেক বেশি দুলছে। ইমন চোখ মেলে থাকতে পারছে না। চোখের পাতা অসম্ভব ভারী। বুক শুকিয়ে কাঠ হয়ে গেছে। যে লোকটা তাকে নিয়ে এসেছে সে কলিং বেল টিপছে। বেবীটেক্সিওয়ালা তাকিয়ে আছে। সে সিগারেট ধরিয়েছে। সিগারেটের গন্ধে ইমনের পেটের ভেতর আবার পাক দিয়ে উঠল। সে আবারো বমি করল।

দরজা খুলেছে। ইমন দেখল দরজার পাশে মা, মায়ের পাশে মিতু। মিতু এখানে কোত্থেকে এল। এত রাতে মিতুরতো এ বাড়িতে থাকার কথা না। মিতু লোকটার সঙ্গে কথা বলছে। মিতু এগিয়ে আসছে। না মিতু না, পাশের বাড়ির মেয়েটা। মেয়েটার নাম মনে পড়ছে না, তবে ম দিয়ে শুরু–ময়না, মায়া, মেরী,... ও হ্যাঁ মুন্নী, মেয়েটার নাম মুন্নী।

মুন্নী এসে ইমনের হাত ধরল। ইমন বলল, মুন্নী কেমন আছ?

মুন্নী বলল, জ্বি আমি ভাল আছি। আসুন আপনি ঘরে আসুন।

'দূর থেকে দেখে আমি ভাবলাম তুমি মিতু। মিতু হচ্ছে আমার মামাতো বোন।'

'জ্বি আমি জানি। আপনি দাঁড়িয়ে থাকবেন না–আসুন।'

'বেবীটেক্সীর ভাড়া দিতে হবে। মুন্নী তোমার কাছে টাকা আছে?'

লোকটা বলল, বেবীটেক্সীর ভাড়া আপনাকে দিতে হবে না। আপনি ঘরে যান।'

সুরাইয়া হতভম্ব হয়ে দাঁড়িয়ে আছেন। তিনি কোন কথা বলতে পারছেন না। ইমন মা'কে দেখে সহজ গলায় বলল, তুমি এখনো জেগে আছ কেন মা? মুন্নী আছে-ও যা করার করবে। তুমি শুয়ে পড়।

সুরাইয়া বললেন, তুই কি খেয়ে এসেছিস?

ইমন হাসি হাসি মুখে বলল, তুমি যা সন্দেহ করছ, তাই খেয়েছি। এখন তুমি নিশ্চয়ই বিরাট বক্তৃতা শুরু করবে–তোর বাবা এই জিনিস কোনদিন ছুঁয়ে দেখেনি। মা শোন, বাবা এই জিনিস ছুঁয়ে দেখেনি বলে যে আমিও ছুঁয়ে দেখব না তাতো না। একেক মানুষ একেক রকম। এই মেয়েটা দেখতে মিতুর মত হলেও এ মিতু না। এর নাম মুন্নী।

মুন্নী বলল, খালা আপনি শুয়ে পড়ুন। আমি দেখছি।

সুরাইয়া চলে যাচ্ছেন। তিনি নিজের ঘরে গিয়ে দরজা বন্ধ করে দিলেন। মুন্নী ইমনকে বাথরুমে নিয়ে গেল। কঠিন গলায় বলল, আপনি ট্যাপের নিচে বসুন। আমি ট্যাপ ছেড়ে দিচ্ছি। খুব ভাল করে সাবান মেখে গোসল করুন। আপনার সারা গায়ে বমি।

'ঠান্ডা লাগছেতো।'

ঠাণ্ডা লাগলেও কিছু করার নেই। আমি বাথরুমের বাইরে দাঁড়িয়ে আছি। আপনি গায়ের সব কাপড় খুলে গোসল করুন। আমি লুঙ্গি দিয়ে যাচ্ছি। গোসল শেষ হলে লুঙ্গি পরে আমাকে ডাকবেন। আমি আপনাকে বিছানায় শুইয়ে দেব।

'তুমি এই ব্যাপারটা মিতুকে বলবে না। মিতু শুনলে খুব রাগ করবে। ও ভয়ংকর রাগী।'

'আমি মিতুকে কিছুই বলব না।'

'মুন্নী তুমি কি গান জান?'

'না।'

'শোভন ভাইয়া খুব ভাল গান জানে। পুরো গান অবশ্যি কোনটাই জানে না। দুই লাইন, চার লাইন।'

'আপনি খুব ভাল মত সাবান ডলে গোসল করুন।'

'লাইফবয়ের এডের মত করে?'

'হ্যাঁ।'

'মুন্নী!'

'জ্বি।'

'মিতু গত চার মাস ধরে আমার সঙ্গে কথা বলে না।'

'হয়ত কোন কারণে রাগ করেছেন। রাগ কমে গেলে কথা বলবেন।'

'ও কারো উপর রাগ করে না।'

'তাহলে হয়ত কোন কারণে উনার অভিমান হয়েছে।'

'মিতু খুবই ভাল মেয়ে। তোমার চেয়েও ভাল।'

'আমিতো বলিনি আমি ভাল মেয়ে।'

'তুমি না বললেও মা বলেন। মা'র খুব ইচ্ছা তোমার সঙ্গে আমার বিয়ে দিয়ে দেন।'

'আপনি রাজি হচ্ছেন না?'

'আমি কখনো বিয়ে করব না। মিতুকেও এটা বলেছি। সে বিশ্বাস করে নি। তার ধারণা আমার সঙ্গেই তার বিয়ে হবে।'

'আমারো তাই ধারণা।'

'তোমার ধারণা ভুল। মিতুর বিয়ে ঠিকঠাক হয়ে গেছে। একটু ঝামেলা হয়েছিল, এক শুক্রবারে পান চিনির কথা হয়েছিল। বর পক্ষের কেউ আসে নি। পরের সপ্তাহে এসেছে। মিতুকে আঙটি পরিয়ে দিয়ে গেছে।'

'উনি আপত্তি করেন নি?'

'না, মিতু খুব অন্য ধরনের মেয়ে।'

'বুঝতে পারছি। আপনি এখন পানি ঢালা বন্ধ করে তোয়ালে দিয়ে গা মুছুন।'

'আচ্ছা।'

'আপনি কি বাথরুম থেকে নিজে নিজে বের হতে পারবেন?'

'অবশ্যই পারব।'

'তাহলে আপনি শোবার ঘরে গিয়ে শুয়ে পড়ুন।'

'নোংরা কাপড়গুলো ধুয়ে তারপর যাই।'

'আপনাকে কাপড় ধুতে হবে না। আপনি গা মুছে বের হয়ে আসুন।'

'তুমি কি খুব কড়া করে এক কাপ চা বানিয়ে দিতে পারবে? দুধ চিনি ছাড়া।'

'পারব।'

'তুমিতো আসলেই খুব ভাল মেয়ে। তোমার প্রসঙ্গে খুব খারাপ কথা মা'কে বলেছি। এখন তার জন্যে খারাপ লাগছে। দয়া করে আমাকে ক্ষমা করে দাও।'

'আমার সম্পর্কে কি খারাপ কথা বলেছেন।'

'তোমাকে কাছুয়া বলেছি।'

'কাছুয়াটা কি?'

'কাছুয়া হচ্ছে রক্ষিতা। রক্ষিতার ইংরেজি হল Kept. আমার ধারণা... আচ্ছা থাক তুমি রাগ করবে।'

'আপনি শোবার ঘরে যান। আমি চা নিয়ে আসছি।'

মুন্নী চা বানাতে বানাতে খুব কাঁদল। চা বানানো শেষ করে চোখ মুছে কাপ নিয়ে ইমনের শোবার ঘরে ঢুকে দেখে ইমন মরার মত ঘুমুচ্ছে।

জামিলুর রহমান সাহেব আলাদা শোবার ব্যবস্থা করছেন। দোতলার একটা ঘর তাঁর জন্যে ঠিক করা হচ্ছে। ঘরে কিছু থাকবে না, শুধু একটা খাট। খাটের পাশে সাইড টেবিল। সাইড টেবিলে থাকবে পানির বোতল। তাঁর অষুধ পত্র। কাপড় চোপড় রাখার জন্যে একটা আলনা। খাটে তোষকের উপর চাদর থাকবে না। শীতল পাটি থাকবে। শীতল পাটিতে অনেক দিন ঘুমানো হয় না।

লোক লাগানো হয়েছে। তারা ঘর ধোয়া মুছা করছে। জামিলুর রহমান আজ অফিসে যান নি। বারান্দার চেয়ারে চুপচাপ বসে আছেন। ছাদে উঠে গাছে পানি দেয়া দরকার। ছাদে উঠার শক্তি সঞ্চয় করে উঠতে পারছেন না। মাথা সামান্য ঘুরছে। শীতল পাটিটা দোকানে গিয়ে নিজে পছন্দ করবেন বলে ভেবেছিলেন, এখন মনে হচ্ছে তাও পারবেন না।

ফাতেমা গ্লাসে করে ডাবের পানি নিয়ে বারান্দায় এলেন। বাড়ির পেছনে তিনটা নারকেল গাছে প্রচুর ডাব। তিনি লোক দিয়ে গত সপ্তাহে ডাব পাড়িয়েছেন। বাসায় কেউ ডাব খেতে চাচ্ছে না।

জামিলুর রহমান স্ত্রীর দিকে তাকালেন, কোন কথা না বলে গ্লাস হাতে নিয়ে একটা চুমুক দিয়ে গ্লাস নামিয়ে রাখলেন। ফাতেমা বললেন, তোমার সঙ্গে আমার কিছু জরুরী কথা আছে।

জামিলুর রহমান স্ত্রীর দিকে না তাকিয়েই বললেন, বল।

'ভেতরে চল।'

'যা বলার এখানেই বল। ভেতরে যেতে পারব না। চেয়ারে বস, তারপর বল।'

'তুমি ভেতরে যাবে না?'

'না।'

ফাতেমা চেয়ারে বসলেন। তাঁর মুখ থমথম করছে। তিনি কয়েক দিন থেকেই বড় রকমের ঝগড়ার প্রস্তুতি নিচ্ছিলেন। ঝগড়া শুরু করার সময়টা বের করতে পারছিলেন না। আজ মনে হচ্ছে সময় হয়েছে। ফাতেমা বললেন, তুমি আলাদা শোবার ব্যবস্থা করছ কেন?

'উপরের ঘরটা বড়, খোলামেলা। আলো বাতাস আসে এই জন্যে।'

'আসল কথাটা বলছ না কেন?'

'আসল কথাটা কি?'

'আমাকে তোমার আর সহ্য হচ্ছে না। আমার সঙ্গে ঘুমুতে তোমার এখন ঘেন্না লাগে।'

'ঘেন্না লাগবে কেন?'

'কেন ঘেন্না লাগছে সেটা আমি জানব কি ভাবে। সেটা তোমার জানার কথা।'

'তোমার ধারণা ভুল। ঘেন্নার কোন ব্যাপার না। একটা বয়সের পর মানুষ খানিকটা একা থাকতে চায়...'

'একা থাকতে চাইলে ঘরে পড়ে আছ কেন? বনে জঙ্গলে চলে যাও।'

জামিলুর রহমান আরেক চুমুক ডাবের পানি খেয়ে স্ত্রীর উপর থেকে দৃষ্টি ফিরিয়ে নিলেন। ভাব এ রকম যে কথাবার্তা যা হবার হয়ে গেছে।

ফাতেমা বললেন, তুমি অন্যদিকে তাকিয়ে আছ কেন? আমার কথার জবাব দাও।

'প্রশ্ন কর জবাব দিচ্ছি। প্রশ্ন না করলে জবাব দেব কিভাবে?'

ফাতেমা হাউ মাউ করে কাঁদতে শুরু করলেন। অনেক প্রশ্ন তাঁর করার ছিল, কান্নার জন্যে কোনটিই করতে পারলেন না। জমিলুর রহমান ডাবের গ্লাসে চুমুক দিচ্ছেন। স্ত্রীর কান্নায় তাঁকে মোটেই বিচলিত মনে হচ্ছে না। ফাতেমা কাঁদতে কাঁদতে বললেন, তোমার টাকার অভাব নেই, তোমার

অনেক টাকা। তুমি কিছু না বললেও আমি জানি। তুমি কি আমার একটা অনুরোধ রাখবে?

জামিলুর রহমান বললেন, রাখব। টাকা খরচ করে যদি অনুরোধ রাখা যায় তাহলে রাখব। অনুরোধটা কি?

'আমাকে একটা ফ্ল্যাট কিনে দাও। ছেলে মেয়ে নিয়ে আমি ফ্ল্যাটে থাকব।'

'আচ্ছা কিনে দেব। পছন্দসই ফ্ল্যাটের খোঁজ এনে দাও আমি কিনে দেব।'

'মিতুর বিয়ের গয়না কিনব—সেই টাকা দাও। আমি গয়না দিয়ে আমার মেয়েকে মুড়িয়ে দেব।'

'কত টাকা লাগবে বল। আমি ব্যবস্থা করছি। ফরহাদকে বলে দিচ্ছি।'

'ফরহাদটা কে?'

'অফিসের নতুন ম্যানেজার।'

ফাতেমার কান্না থেমে গেছে। তিনি কি করবেন বুঝতে পারছেন না। তাঁর সব কথা মেনে নেয়া হয়েছে। ফাতেমার মনে হচ্ছে তিনি এখন যাই বলবেন তাই মানুষটা মেনে নেবে। কিন্তু তার পরেও নিজেকে পরাজিত মনে হবে। যুদ্ধে জয়ী হয়েও পরাজিত হওয়ার এই অভিজ্ঞতা তাঁর ছিল না। ফাতেমা এখন কি বলবেন? মাথায় কিছুই আসছে না। তিনি ইতস্ততঃ গলায় বললেন, তোমার শরীরটা কি বেশি খারাপ লাগছে?

'না, বেশি খারাপ লাগছে না। সামান্য খারাপ।'

'চল সিঙ্গাপুরে যাই ডাক্তার দেখিয়ে আসি। সিঙ্গাপুরে ভাল ভাল ডাক্তার আছে। দেশের বাইরে তো কোনদিন গেলাম না। এই সুযোগে বিদেশ দেখা হবে।'

'বিদেশে গিয়ে ডাক্তার দেখাবার মত কিছু হয় নি।'

'সিঙ্গাপুর বিদেশ না। সব সময় লোকজন যাচ্ছে। ভিসা লাগে না।'

'তুমি যেতে চাও আমি ব্যবস্থা করে দিচ্ছি। আমি যাব না।'

'কেন তুমি যাবে না? আমার সঙ্গে যেতে কি তোমার ঘেন্না লাগে? আমি কি নর্দমার কেঁচো? না-কি কমোডের ভিতরে যে শাদা রঙের তেলাপোকা থাকে, সে রকম তেলাপোকা? তুমি আমাকে কি ভাব আজকে বলতে হবে। বলতেই হবে।'

ফাতেমা আবারো কাঁদতে শুরু করলেন। জামিলুর রহমান স্ত্রীর কান্নার শব্দ পাচ্ছেন, কিন্তু সেই শব্দ তাঁর মাথার ভেতরে ঢুকছে না। কান্নার অর্থ আছে, কান্নার পেছনে কারণ আছে, কান্নার ব্যাখ্যা আছে। অথচ ফাতেমার কান্নাটাকে তাঁর কাছে অর্থহীন ধ্বনীর মত লাগছে-তিনি ভাবছেন সম্পূর্ণ

অন্য কথা–গাজীপুর জঙ্গলের দিকে চল্লিশ বিঘা জমি কিনবেন। এক দাগের জমি। হিন্দুদের জমি না। তাদের জমিতে অনেক ভেজাল থাকে। একই জমি তিন চারজনের কাছে বিক্রি করে ইন্ডিয়া চলে যায়। মুসলমানের জমি, এবং কাগজপত্র ঠিক আছে এমন জমি দরকার। জমির দাম বাড়ছে। পৃথিবীতে মানুষ বাড়ছে, জমি বাড়ছে না। জমি কিনে এক বছর ফেলে রাখলেই হবে। খামার বাড়ির মত করা যেতে পারে। হাঁস মুরগি পালবেন, গরু ছাগল পালবেন। গাছ লাগানো হবে। আজ গাজীপুর থেকে লোক আসার কথা। জমির বায়না নিয়ে কথা হবে। অফিস থেকে টেলিফোন এলেই তিনি চলে যাবেন। তবে শরীরটা বেশি খারাপ লাগছে। বারান্দা থেকে নড়তে ইচ্ছা করছে না।

ফাতেমা কেঁদেই যাচ্ছেন। জামিলুর রহমান সেই কান্নার ভেতরই টেলিফোনের শব্দের জন্যে অপেক্ষা করছেন। চল্লিশ বিঘা জমি– অনেকখানি জমি। এক মাথায় দাঁড়ালে আরেক মাথা দেখা যাবার কথা না...।

অফিস থেকে টেলিফোন এসেছে। অফিসের নতুন ম্যানেজার ফরহাদ টেলিফোন করেছে। টেলিফোন ধরেছে মিতু।

'কে কথা বলছেন? বড় আপা?'

'জ্বি আমি মিতু। আমাকে বড় আপা কেন বলছেন? বাসায় তো আর কোন আপা নেই।'

'স্যার কি বাসায় আছেন আপা?'

'হ্যাঁ আছেন। আপনি ধরে থাকুন বাবাকে দিচ্ছি।'

'না স্যারকে দেয়ার দরকার নেই। আমি আপনাকে একটা খবর দিচ্ছি আপনি স্যারকে দিয়ে দেন।'

ম্যানেজারের গলায় ভয়ের ছাপ স্পষ্ট। কথাও যেন ঠিকমত বলতে পারছে না। জড়িয়ে যাচ্ছে। মিতু বলল, ভায়া মিডিয়াম কথা বলবেন কেন? বাবা আছেন, বারান্দায় বসে আছেন। আমি ডেকে দিচ্ছি।

'আপা শুনুন, আমার ভয় লাগছে। আমি স্যারকে কিছু বলতে পারব না। আপনি বলে দিন–অফিসে কিছুক্ষণ আগে শোভন সাহেব এসেছিলেন। স্যারের বড় ছেলে শোভন।'

'ও আচ্ছা।'

'তিনি ক্যাশের টাকা নিয়ে গেছেন। অফিসের পিয়নকে ধাক্কা দিয়ে ফেলে দিয়েছেন। পিওনের মাথা টাথা ফেটে একাকার। টাকা বেশি নিতে পারেন নি।'

'কত টাকা নিয়েছে?'

'প্যাটি ক্যাশে যা ছিল সবই নিয়েছেন। নয় হাজারের অল্প কিছু বেশি। দাঁড়ান আমি এগজেক্ট ফিগার বলছি।'

'এগজেক্ট ফিগারের দরকার নেই। ওর সঙ্গে আর কেউ ছিল, না ও একাই ছিল?'

'আরেকটা ছেলে ছিল। খুব সুন্দর চেহারা। নাম ইমন। উনাকে আমি আগে দেখিনি। ক্যাশিয়ার সাহেব বললেন উনি আপনার ফুপাতো ভাই।'

'ইমন কি করছিল? সেও কি পিওনকে মারছিল?'

'না। উনি কিছু করেন নি। চুপচাপ দাঁড়িয়ে ছিলেন। বড় আপা আপনি কি স্যারকে ঘটনাটা বলবেন। আমার বলতে সাহস হচ্ছে না। পিস্তল টিস্তল নিয়ে এসেছে। আমি প্রথমে ভাবলাম চাঁদাবাজ। স্যারের এই ছেলেকেও আমি আগে দেখিনি।'

'আচ্ছা আমি বাবাকে বলছি।'

'সবচে ভাল হয় স্যারকে যদি অফিসে পাঠিয়ে দেন। গাজিপুর থেকে লোক এসেছে। ঘটনা ওদের সামনেই ঘটেছে।'

'আচ্ছা ঠিক আছে।'

'বড় আপা আমি রাখি।'

মিতু টেলিফোন নামিয়ে বারান্দায় এল। জামিলুর রহমান একা বসে আছেন। তাঁর দৃষ্টি শূন্য। তবে তাঁর বসে থাকার মধ্যে অপেক্ষার একটা ভঙ্গি আছে। সেই অপেক্ষা কিসের অপেক্ষা? মৃত্যুর? জন্মের পর থেকে মানুষ এই একটি অপেক্ষাই করে। কিন্তু কখনো তা বুঝতে পারে না।

'বাবা।'

জামিলুর রহমান মেয়ের দিকে তাকিয়ে হাসলেন।

'ঝিম মেরে বসে আছ কেন বাবা?'

'শরীরটা একটু খারাপ লাগছে। মাথা সামান্য ঘুরছে।'

'ঝিম ধরে বসে থাকলে মাথা আরো ঘুরবে।'

'অফিস থেকে কোন টেলিফোন এসেছে?'

'আসার কি কথা?'

'হুঁ। গাজীপুর থেকে লোক আসার কথা।'

'জমি কিনবে?'

'হুঁ।'

'টাকাওয়ালা মানুষদের এই সমস্যা। তারা সবকিছু কিনে ফেলতে চায়। কি হবে বলতো?'

জামিলুর রহমান মেয়ের প্রশ্নের উত্তর না দিয়ে বললেন, তুই একটা কাজ করতো মা, অফিসে টেলিফোন করে জিজ্ঞেস কর গাজিপুর থেকে লোক এসেছে কি-না।

'পারব না বাবা। আমার সিরিয়াস কাজ আছে।'

'কি কাজ?'

'তোমাকে খুব জরুরী কিছু কথা বলব।'

'বল।'

'এখানে না ছাদে গিয়ে বলব। চল ছাদে যাই।'

'শরীরটা ভাল লাগছে না।'

'তোমাকে ধরে ধরে ছাদে নিয়ে যাব। সব কথা সব জায়গায় বলা যায় না।'

জামিলুর রহমান উঠে দাঁড়ালেন। মেয়েটা তাঁকে হাত ধরে ধরে নিয়ে যাচ্ছে। তাঁর কাছে খুবই আশ্চর্য লাগছে। মেয়েটা অনেক দূরে বাস করতো। হঠাৎ সে কাছে চলে এসেছে। জামিলুর রহমানের চোখ ভিজে উঠতে শুরু করেছে। মনে হচ্ছে অনেক দিন পর কোন এক অদেখা ভুবন থেকে সুপ্রভা চলে এসেছে। মিতু না, সুপ্রভাই তাকে ধরে ধরে ছাদে নিয়ে যাচ্ছে।

'বাবা।'

'কি মা?'

'ধনবান মানুষরা একটা বড় সত্যি জানে না, সেই সত্যটা কি তোমাকে বলব?'

'বল।'

'পৃথিবীর সবচে আনন্দময় জিনিসগুলির জন্যে কিন্তু টাকা লাগে না। বিনামূল্যে পাওয়া যায়। যেমন ধর জোছনা, বর্ষার দিনের বৃষ্টি, মানুষের ভালবাসা...। তুমি কি আমার কথা বিশ্বাস করছ?'

জামিলুর রহমান ক্লান্ত গলায় বললেন, ক্ষুধার্ত মানুষের কাছে জোছনা কোন ব্যাপার না মা। তারপরেও তোর কথা বিশ্বাস করছি–পৃথিবীর সবচে সুন্দর জিনিসগুলির বিকি-কিনি হয় না। কথাটাতো মা ভাল বলেছিস।

ছাদে উঠে জামিলুর রহমান মুগ্ধ হয়ে গেলেন। গোলাপে বাগান আলো হয়ে আছে। এক দিনে এত ফুল ফুটেছে। কি আশ্চর্য।

'বাবা?'

'কি মা?'

'তুমি যখন প্রথম দিকে গোলাপের টব জোগাড় করতে শুরু করলে তখন আমার খুবই রাগ লাগছিল। মনে হচ্ছিল খোলামেলা ছাদটা তুমি নষ্ট করছ। এখন নিজেই মুগ্ধ হয়ে তাকিয়ে থাকি।'

'তোর জরুরী কথাটা কি বল শুনি।'

মিতু খুব সহজ গলায় বলল, বাবা আমি ইমনকে বিয়ে করব বলে ঠিক করেছি।

জামিলুর রহমান হতভম্ব হয়ে তাকিয়ে আছেন। মিতু বলল, আমার ওকে তেমন দরকার নেই। কিন্তু ইমনের আমাকে দরকার।

'তোর তো বিয়ে ঠিক হয়ে আছে। গত সপ্তাহে পান চিনি হয়ে গেল।'

মিতু হালকা গলায় বলল, আমাদের এই পৃথিবী কখনো স্থীর হয়ে থাকে না। সারাক্ষণ ঘুরছে। এই জন্যে পৃথিবীর কোন কিছুই ঠিক থাকে না। বাবা তোমার কি আপত্তি আছে?

'তুই যা মনে করছিস, সেটার ভাল হবার সম্ভাবনা আছে।'

'বাবা শোন, তোমাকে একটা মিথ্যা কথা বলেছি। কেন বললাম বুঝতে পারছি না। আমি কখনো মিথ্যা বলি না।'

'মিথ্যা কথাটা কি?'

'আমি বলেছিলাম না–আমার ইমনকে দরকার নেই, ইমনের আমাকে দরকার। এটাই মিথ্যা। আসলে ইমনের আমাকে দরকার নেই, আমারই ওকে দরকার।'

জামিলুর রহমান অবাক হয়ে দেখলেন তাঁর মেয়ে কাঁদছে। তাঁর কাছে হঠাৎ মনে হল বাগান ভর্তি গোলাপ ফুলের দৃশ্যটা যেমন সুন্দর, তাঁর মেয়ের চোখ ভর্তি জলের দৃশ্যটাও তেমনি সুন্দর। গোলাপের টবগুলি কেনার জন্যে তাঁকে টাকা খরচ করতে হয়েছে। কিন্তু মেয়ের চোখের জলের অপূর্ব দৃশ্যটির জন্যে অর্থ ব্যয় করতে হয় নি।

সন্ধ্যা মিলিয়ে গেছে। ঢাকা শহরের রাজপথগুলিতে হলুদ বাতি জ্বলতে শুরু করেছে। যে কোন শহরকে সবচে কুৎসিত দেখায় সন্ধ্যাবেলা। তখন প্রকৃতি তার আলো নিভিয়ে দেয়, মানুষ তার আলো জ্বালাতে শুরু করে। প্রকৃতির শেষ আলোর স্মৃতি মাথায় থেকে যায় বলেই মানুষের আলো অসহ্য বোধ হয়।

শোভন বলল, সোডিয়াম ল্যাম্পের আলো কি জঘন্য দেখছিস?

ইমন বলল, হুঁ।

'সব ক'টা সোডিয়াম ল্যাম্প ইট মেরে ভেঙ্গে ফেলতে পারলে হত।'

ইমন হাসল। শোভন ভাইয়ার কথা শুনতে তার খুব মজা লাগে।

তারা বসে আছে কলাবাগানের বাস স্ট্যান্ডের লাগোয়া শিশু পার্কে। শিশুরা কেউ নেই। কখনোই থাকে না। বিচিত্র ধরনের মানুষরা আনাগোনা করে।

ঠোঁটে গাঢ় করে লিপিস্টিক দেয়া পনেরো ষোল বছরের একটা কিশোরী কয়েকবার তাদের সামনে দিয়ে ঘুরে গেল।

ইমন বলল, শোভন ভাইয়া। চল উঠি। এই পার্কে একটা পাগল থাকে খুবই ভয়ংকর। ছুরি নিয়ে মানুষ তাড়া করে। কয়েকজনকে জখম করেছে।

শোভন বলল, আমাকে করবে না। পাগলরা মানুষ খুব ভাল চেনে। ওদের সেন্স কুকুরের মত। গন্ধ শুঁকে বলে দিতে পারে কার কাছে গেলে মহা বিপদের সম্ভাবনা।

'তোমার কাছে এলে মহা বিপদের সম্ভাবনা?'

'অবশ্যই। পকেটে পিস্তল আছে না? বাদাম নিয়ে আয়তো। পার্কে বসলেই বাদাম খেতে ইচ্ছে করে।'

'চা খাবে? চা ওয়ালা আছে।'

'চা খাওয়া যায়।'

ইমন বাদাম এবং চা নিয়ে এল। কিশোরী মেয়েটা আবারো এসেছে। মেয়েটা দেখতে ভাল। তবে মাথায় জবজবে করে তেল দিয়েছে। তার খদ্দেরের অভাব হবার কথা না। সে এ রকম পিছে লেগে আছে কেন কে জানে।

শোভন বলল, তুই যে আমার সঙ্গে সঙ্গে ঘুরছিস তোর ভাল লাগছে?
'হুঁ।'

'কেন ভাল লাগছে বল দেখি।'

ইমন চুপ করে রইল। শোভন বলল, আমার সঙ্গে সঙ্গে ঘুরতে তোর ভাল লাগছে কারণ আমি খুবই খারাপ লোক। খারাপ লোক বলেই মানুষ হিসেবে দারুন ইন্টারেস্টিং। ফেরেশতার মত মানুষ কখনো ইন্টারেস্টিং হয় না। তারা সব সময় সত্যি কথা বলবে, সব সময় শুদ্ধ কাজ করবে। তাদের গা থেকে আসবে আতরের গন্ধ।

ইমন বলল, মাঝে মাঝে তুমি খুব সুন্দর করে কথা বল।

'খারাপ লোক বলেই কথা সুন্দর।'

শোভন হাত ইশারা করে মেয়েটাকে ডাকল। মেয়েটা খুব হেলা ফেলা ভঙ্গি করে আসছে। খদ্দের ছিপে আটকা পড়েছে। এখন অনাগ্রহের ভাব দেখানো যায়। দাম বাড়ানো যায়।

শোভন বলল, তোর নাম কি?

'নাম দিয়া দরকার কি?'

'যা ভাগ-বড় বড় কথা, নাম দিয়া দরকার কি?'

মেয়েটা চলে গেল না। আরেকটু এগিয়ে এসে বলল, নাম ববিতা।

'নকল নাম? সিনেমার নায়িকার নামে নাম-সত্যি নাম বল।'

'জরিনা।'

'ভাড়া কত?'

'ছিঃ কেমুন কথা কন? আমি কি রিকশা, যে ভাড়া কত?'

'ভাড়া কত বল।'

'দুইজনে একশ টেকা লাগব। এইটা ফাইন্যাল কথা। দরদাম নাই। আমার অত ঠেকা নাই।'

ইমন ভীত গলায় বলল, ভাইয়া চল যাই।

শোভন সঙ্গে সঙ্গে বলল, চল। দু'জনেই উঠে দাঁড়াল। জরিনা বলল, আচ্ছা! শুনেন এই ভদ্রলোক, দেন পঞ্চাশ টেকাই দেন। আমার কোন রোগ নাই। আল্লার কীড়া।

শোভন রাস্তায় এসেই বেবীটেক্সি দাঁড়া করাল। জরিনা সঙ্গে সঙ্গে এসেছে। খুব করুণ মুখে বেবীটেক্সির দরদাম করা শুনছে। শোভন বেবীটেক্সিতে উঠেই মানি ব্যাগ থেকে পঞ্চাশ টাকার একটা নোট বের করে মেয়েটার দিকে ছুঁড়ে দিল।

ইমনের বুক ধ্বক ধ্বক করছে। সে মোটামুটি নিশ্চিত ছিল শোভন ভাইয়া মেয়েটাকে বেবীটেক্সিতে তুলে নেবে। এবং চলে যাবে পুরানো

ঢাকার বোর্ডিং হাউসে। এখনো ইমনের শরীর কাঁপছে। এখনো তার বিশ্বাস হচ্ছে না যে মেয়েটাকে তোলা হয়নি।

'ইমন!'

'হুঁ।'

'যত দিন যাচ্ছে তোর মা'র মাথা তত খারাপ হচ্ছে তাই না?'

'হুঁ।'

'এখনো সে পুরোপুরি বিশ্বাস করে আছে যে তোর বিয়ের রাতে তোর বাবা ফিরে আসবে?'

'হুঁ।'

'তোর বিয়ের রাতে কেউ যদি না আসে তাহলে তো পুরো ব্রেইন নষ্ট হয়ে যাবে।'

ইমন কিছু বলল না। শোভন সিগারেট ধরাতে ধরাতে বলল, 'মস্ত ভুল করা হয়েছে। শুরুতেই বলা উচিত ছিল যে তোর বাবা মানে আমার ফুপা, মারা গেছেন। তাহলে এই সমস্যা হত না। ফুপু আর অপেক্ষা করে থাকত না। তোর মা'র লাইফ এমন বেড়াছেড়া হয়ে যেত না। এখনো সময় আছে।'

'কি সময় আছে?'

'ফুপুকে বল যে আসল খবর পাওয়া গেছে। ফুপা মারা গিয়েছিলেন। রোড এক্সিডেন্ট। থানায় রেকর্ডে নাম পাওয়া গেছে।'

এই প্রসঙ্গটা ইমনের ভাল লাগছে না, সে প্রসঙ্গ পাল্টানোর জন্যে বলল, আমরা যাচ্ছি কোথায়?

'গোরান যাচ্ছি।'

'সেখানে কি?'

'আব্দুল কুদ্দুস বেপারীর খোঁজ পেয়েছি। গোরানের এক বাড়িতে ঘাপটি মেরে আছে। আজ তাকে শিক্ষা দেব।'

ইমন ভীত গলায় বলল, কি শিক্ষা দেবে?

শোভন হাসিমুখে বলল, তুই কি ভাবছিস? গুলি করে মেরে ফেলব? আরে ধূর–জাস্ট ভয় দেখাব। কানে ধরে উঠ বোস করাব। পায়ের জুতা চাটতে বলব। দেখিস কেমন করে জুতা চেটে পরিষ্কার করে। লুঙ্গি খুলিয়ে পাছায় লাথি দেব। তুই খুব মজা পাবি। ভয়ে আধমরা হয়ে যাওয়া মানুষের কান্ড কারখানা দেখার মধ্যে আনন্দ আছে।

শোভন হাসছে। হাসি থামিয়ে হঠাৎ গুনগুন করে গাইল-বাচুপানকে দিন ভুলানা দেনা। ইমন মুগ্ধ হয়ে গেল। বেবীটেক্সিওয়ালা পর্যন্ত ঘাড় ঘুরিয়ে

পেছনে তাকাচ্ছে। সব কথাই তাহলে সে শুনছে। ইমন অস্বস্তি বোধ করছে। শোভন বলল, সিগারেট খাবি? ইমন বলল, না।

'আরে খা। একটা সিগারেট খা। সিগারেট খাওয়া যায় শুধু গাঁজাটা খাবি না।'

আব্দুল কুদ্দুস বেপারীর বাড়িটা টিনের। বাড়ির সামনে গ্রামের ঘর বাড়ির মত গাছপালা। কলাগাছও আছে। জঙ্গলার মত হয়ে আছে। বাড়ির সামনে গেট আছে। গেটে সাইনবোর্ডে লেখা ময়না মিয়া হোমিওপ্যাথ। গোল্ড মেডালিস্ট।

ইমন বলল, এই বাড়ি?

শোভন বলল, হ্যাঁ।

তারা গেট খুলে উঠোনে ঢুকল। শোভন ডাকল, কুদ্দুস ভাই, কুদ্দুস ভাই।

পঞ্চাশের মত বয়সের এক লোক বের হয়ে এল। গায়ে চাদর। মাথার চুল কাঁচা পাকা। চোখে মোটা ফ্রেমের চশমা। কুদ্দুস পান খাচ্ছিল-মুখ ভর্তি পান। ঠোঁট লাল হয়ে আছে। কুদ্দুস বিস্মিত গলায় বলল, কে?

শোভন হাসি মুখে বলল, ভাল করে দেখুনতো চিনতে পারেন কি-না। আপনি আমার কাছে একবার একটা পিস্তল বিক্রি করেছিলেন। ঐ পিস্তলটি নিয়ে এসেছি।

কুদ্দুসের মুখ হা হয়ে গেল। সে তাকাল ঘরের খোলা দরজার দিকে। শোভন আরেকটু এগিয়ে গেল। কুদ্দুস কিছু বলছে না। তার মুখ দিয়ে পানের রস গড়িয়ে পড়ছে। সে মুখ বন্ধ করতে ভুলে গেছে।

ইমন পর পর দু'বার গুলির শব্দ শুনল। সে দেখছে কুদ্দুস নামের মানুষটা দরজার কাছে কুণ্ডুলি পাকিয়ে পরে গেছে। খোলা দরজায় লাল ফ্রক পরা বাচ্চা একটা মেয়েকে দেখা যাচ্ছে। টিনের বাড়িটার বারান্দা রক্তে ভেসে যাচ্ছে। ফ্রক পরা বাচ্চা মেয়েটা চিৎকার করছে। কুদ্দুস হামাগুড়ি দিয়ে দরজার দিকে যাবার চেষ্টা করছে। কে যেন খুব শক্ত করে ইমনের হাত ধরেছে। ইমনকে টেনে গেট থেকে বের করে নিয়ে যাচ্ছে। কে? কে তাকে টেনে গেট থেকে বের করছে? ছোট চাচা? ছোট চাচা এখানে আসবেন কি ভাবে? শোভন ভাইয়া কোথায়? শোভন ভাইয়া?

ইমন হাঁটতে পারছে না। রাস্তা খুব উঁচু নিচু মনে হচ্ছে। বমি আসছে। ইমন বমি করতে শুরু করল। কে যেন তাকে টেনে বেবীটেক্সিতে তুলছে। কে ছোট চাচা? ছোট চাচা তুমি আমাকে শক্ত করে ধরে থাক। আমি মরে যাচ্ছি। পুকুরে সাঁতার কাটার সময় তুমি আমাকে যেমন শক্ত করে ধরে রেখেছিলে ঠিক সেই ভাবে ধরে থাক। এত ঠান্ডা লাগছে কেন?

'এই ইমন, ইমন!'

ইমন তাকাল। তাকে ধরে শোভন বসে আছে। কিন্তু সে শোভনকে চিনতে পারল না। ইমন ভীত গলায় বলল, কে?

'তোকে বাসায় রেখে আসি। এরকম করছিস কেন? পানি খাবি?'

'হ্যাঁ পানি খাব।'

বেবীটেক্সিওয়ালা বলল, উনার কি হয়েছে?

শোভন বলল, জানি না।

'মাথায় পানি ঢালেন।'

শোভন বেবীটেক্সি থামিয়ে ইমনকে নিয়ে নামল। এক বেবীতে করে যাওয়া যাবে না। বেবী বদলাতে হবে। ইমনকে পানি খাওয়ানো দরকার। খুবই আশ্চর্যের ব্যাপার যে ইমন তাকে চিনতে পারছে না।

'ইমন! ইমন!'

'জ্বি।'

'বেশি খারাপ লাগছে?'

'না।'

'চল বাসায় যাই।'

'বাসায় যাব না। আপনি দয়া করে আমাকে ছোট চাচার কাছে নিয়ে যান।'

দরজা খুলে দিলেন সুরাইয়া। ইমন দরজা ধরে একা দাঁড়িয়ে আছে। সুরাইয়া আতংকিত গলায় বললেন, ইমন তোর কি হয়েছে? তুই এইভাবে তাকাচ্ছিস কেন?

ইমন তীক্ষ্ণ দৃষ্টিতে তাকাল মা'র দিকে। এবং মা'কে চিনতে পারল না। ইমন হাউমাউ করে কেঁদে উঠল।

সুরাইয়া ইমনকে ধরতে গেলেন। ধরার আগেই সে মেঝেতে পড়ে গেল। সে হামাগুড়ি দিয়ে এগুবার চেষ্টা করছে।

সুরাইয়া তীক্ষ্ণ ও তীব্র গলায় বললেন, কি হয়েছে? আমার ইমনের কি হয়েছে?

মানুষের জীবন কি চক্রের মত? চক্রের কোন শুরু নেই, শেষ নেই। মানব জীবনও কি তাই। রহস্যময় চক্রের ভেতর এই জীবন ঘুরপাক খেতে থাকে? শুরু নেই, শেষ নেই। চক্র ঘুরছে।

বিচিত্র চক্রের কথা ভাবতে ভাবতে সুরাইয়ার চোখে পানি এসে গেল। তিনি শাড়ির আঁচলে চোখ মুছলেন। আজ কি তাঁর জীবনের আনন্দময় একটি দিন? তিনি চোখের সামনে জীবনের রহস্যময় চক্র দেখতে পাচ্ছেন? এই ব্যাপারটা এত দিন তার চোখে পড়ে নি কেন?

তিনি বারান্দায় বসে আছেন। দেয়ালে হেলান দিয়ে মেঝেতে পা ছড়িয়ে বসেছেন। অনেকদিন আগে তাঁর শাশুড়ি আকলিমা বেগম ঠিক এই ভাবেই বসতেন। এবং এই জায়গাতেই বসতেন। তিনিও কি রহস্যময় জীবন চক্রের কথা ভাবতেন? তিনিও কি তার মত কাঁদতেন? কাঁদতে কাঁদতে শাড়ির আঁচলে চোখ মুছতেন?

সুরাইয়ার জীবনের একটা অংশ আজ শেষ হয়ে যাচ্ছে–তিনি যেখানে শেষ করছেন মিতু সেখান থেকে শুরু করছে। মিতু আজ তার ছেলের বউ। এমন একটা আশ্চর্য মেয়ে তাঁর এত কাছে ছিল আর তিনি লক্ষ্য করেন নি? তিনি এত বোকা কেন? এই মেয়েটা তার ছেলেকে রক্ষা করবে। কোন অমঙ্গল আর কোনদিন ইমনকে স্পর্শ করতে পারবে না।

তাঁর শোবার ঘরে মিতু এবং ইমনের বাসর হচ্ছে। একদিন এই খাটে তিনি এবং ইমনের বাবা ঘুমুতে এসেছিলেন। সুরাইয়া ভয়ে ছিলেন অস্থির। প্রায় অচেনা একটা ছেলে। তিনি চোখ তুলে পর্যন্ত তাকাতে পারছিলেন না। ইমনের বাবা বললেন, সুরাইয়া তুমি কি কোন কারণে ভয় পাচ্ছ? তিনি চমকে উঠে বললেন, না তো! এবং লক্ষ্য করলেন তাঁর সমস্ত ভয় কেটে গেছে। মিতু যে ভালবাসা দিয়ে আজ তাঁর ছেলের চারদিকে দেয়াল তুলেছে। একদিন তিনিও তাঁর স্বামীর চারদিকে দেয়াল তুলেছিলেন। তাঁর দেয়াল হয়ত তেমন কঠিন ছিল না। দেয়ালের কোন দুর্বল অংশ দিয়ে অমঙ্গল এসে ঢুকেছিল। ইমনের ক্ষেত্রে তা হবে না। মিতুর কঠিন দেয়াল

ভেঙ্গে কোন অমঙ্গল আসতে পারবে না। তিনি যা পারেন নি–এই মেয়ে তা পারবে। এই মেয়ে তাঁর মত না, এই মেয়ে কঠিন মেয়ে।

সুরাইয়া আবারো চোখ মুছলেন। সারা জীবন তিনি অপেক্ষা করেছেন। ইমনের বাবার জন্যে অপেক্ষা। মনে প্রাণে বিশ্বাস করেছেন মানুষটা ফিরে আসবে। ইমনের বিয়ের রাতে ফিরে আসবে। আজ সেই রহস্যময় রাত। কিন্তু আজ কেন জানি মনে হচ্ছে মানুষটা আসবে না। এলে ভাল হত। অনেক গল্প করা যেত।

"এই তুমিতো ছিলে না, ইমনের উপর দিয়ে কি যে বিপদ গেল। ওর কি যেন হয়েছিল–কাউকে চিনতে পারে না। কাউকে না। শুধু যখন মিতু এসে বলল, তুই এরকম করছিস কেন? বলতো, আমি কে? ইমন তখন শুধু বলল, মিতু।

মিতুর সঙ্গে ইমনের বিয়ে দিয়েছি। আর আমি আজ সকালে মিতুকে বলে দিয়েছি–শোন বউমা, তুমি ইমনকে তুই তুই করবে না। শুনতে খুব বিশ্রী লাগে। মিতু হেসে বলেছে আচ্ছা। কিন্তু আমার কি ধারণা জানো? আমার ধারণা–আমার আড়ালে ওরা একজন আরেকজনকে তুই তুই করেই বলবে। আচ্ছা বলুক। আমি তো আর শুনছি না।"

রাত বাড়ছে। সুরাইয়া বসেই আছেন। মাঝখানে একবার মিতু এসে বলল, ফুপু বসে আছেন কেন? ঘুমুতে যান।

তিনি বলেছেন, যাচ্ছি মা। আমাকে নিয়ে ভেব না। তোমরা গল্প কর। সারা রাত জেগে মজা করে গল্প কর।

মিতু বলল, চা খাবেন ফুপু। ও চা খেতে চাচ্ছে। ওর জন্যে চা বানাব। আপনাকে দেব এক কাপ?

'দাও।'

বিয়ের পরেও মেয়েটা তাকে ফুপু ডাকছে। আচ্ছা ডাকুক। কিচ্ছু হবে না।

মিতু তাকে চা দিয়ে গেল। চায়ের কাপে চুমুক দিয়ে তাঁর শরীর কেঁপে উঠল। কি আশ্চর্য কান্ড তাদের যখন বাসর হল–তিনিও তো সেই রাতে চা বানিয়ে এনেছিলেন। মানুষটা চা খেতে চাইল। তিনি চা বানালেন। তাঁর শাশুড়ির জন্যে এক কাপ নিয়ে গেলেন। আকলিমা বেগম খুব রাগ করলেন–"বাসর ঘর থেকে বের হলে কেন মা? বাসর থেকে বের হবার নিয়ম নেই।"

তাইতো, মিতু বের হল কেন? বাসর রাতের মত আশ্চর্য একটা রাতের একটা মুহূর্তও নষ্ট করা ঠিক না।

সুরাইয়া চায়ের কাপে চুমুক দিলেন। আহ মেয়েটা ভাল চা বানিয়েছে তো। খেতে ভাল লাগছে। চা খাবার মাঝখানেই অদ্ভুত ঘটনা ঘটল। কলিং বেল বেজে উঠল। সুরাইয়ার হাত পা জমে গেল। মানুষটা কি এসেছে? না-কি তিনি ভুল শুনছেন।

না ভুলতো না। এইতো আবারো বেল বাজল। এইতো আবার। সুরাইয়া ধরা গলায় ডাকলেন, ইমন ও ইমন। উঠে দাঁড়ানোর শক্তি তাঁর নেই। দরজা খোলার শক্তিও নেই। দরজা খুলে যদি দেখেন– চার দিক ফাঁকা।

কলিং বেল বেজে যাচ্ছে। তিনি তাকিয়ে আছেন উঠোনের দিকে। শুক্লপক্ষ বলে উঠোনে চাঁদের আলো এসে পড়েছে। আচ্ছা তাঁর বিয়ের রাতেও কি শুক্লা পক্ষ ছিল? উঠোনে চাঁদের আলো ছিল? তিনি মনে করতে পারছেন না। তাঁর সব কিছু এলোমেলো হয়ে যাচ্ছে। সর্বনাশা ঘন্টা বেজেই যাচ্ছে।

কে এসেছে? কে?

....